Athen und Alexander

*Untersuchungen zur Geschichte der Stadt
von 338 bis 322 v. Chr.*

VON

WOLFGANG WILL

C.H.BECK'SCHE VERLAGSBUCHHANDLUNG
MÜNCHEN 1983

CIP-Kurztitelaufnahme der Deutschen Bibliothek

Will, Wolfgang:
Athen und Alexander : Unters. zur Geschichte
d. Stadt von 338–322 v. Chr. / von Wolfgang
Will. – München : Beck, 1983.
  (Münchener Beiträge zur Papyrusforschung
  und antiken Rechtsgeschichte ; H.77)
  ISBN 3 406 09577 1

NE: GT

ISBN 3 406 09577 1

© C. H. Beck'sche Verlagsbuchhandlung (Oscar Beck) München 1983
Gedruckt mit Unterstützung der Förderungs- und Beihilfefonds der VG Wort GmbH
Satz und Druck: Georg Appl, Wemding
Printed in Germany

*Meinen Eltern
und meinem akademischen Lehrer*

Inhaltsverzeichnis

III. Die Abkehr Alexanders von Griechenland und das Scheitern der athenischen Außenpolitik

IV. Zusammenfassung

Vorbemerkung

Nahezu das gesamte 19. Jahrhundert hindurch wurde Demosthenes von der vom Gedanken des nationalen Staates bestimmten althistorischen bzw. -philologischen Forschung in Deutschland als Zentralgestalt der griechischen Geschichte des vierten vorchristlichen Jahrhunderts gesehen.[1] Erst in den neunziger Jahren machte sich ein Wandel in dieser Sicht bemerkbar. Die Person Alexanders des Großen trat in den Blickpunkt der Historiker.[2]

Hinter der Beschäftigung mit dem Makedonenkönig, wie die mit Demosthenes Reflex der Zeitsituation, trat das Interesse an der griechischen Geschichte nach Chaironeia zurück. Sie fand allenfalls Beachtung, soweit sie, wie die griechischen Aufstände von 335 und 331 oder die Verbanntenrückführung, Fragen der Alexanderproblematik tangierte. Wie im 19. Jahrhundert der Aufstieg des makedonischen Herrschers meist unter dem Blickwinkel griechischen Selbstbewußtseins beschrieben wurde, so sah man nun namentlich die Entwicklung Athens aus einer an der Geschichte Alexanders orientierten Sicht.

Eine Überbewertung literarischer Zeugnisse, der nur indirekt und mit Vorbehalt als historische Quellen in Frage kommenden Schriften der attischen Redner, analog dazu eine Nichtbeachtung bzw. Unterschätzung der zeitgenössischen epigraphischen und archäologischen Quellen entwarfen das Bild eines rückwärts orientierten

---

[1] Vgl. F. Blass, Attische Beredsamkeit, Bd. III. 1 (cit. Blass), 2. Aufl. Leipzig 1893; K. G. Böhnecke, Demosthenes, Lykurgos, Hypereides und ihr Zeitalter (mit Benutzung der neuesten Entdeckungen, vornehmlich griechischer Inschriften), Berlin 1864; A. Schäfer, Demosthenes und seine Zeit, Bd. I–III (cit. Schäfer), 2. Aufl. Leipzig 1885–1887.

[2] Vgl. B. Niese, Geschichte der griechischen und makedonischen Staaten seit der Schlacht von Chaironeia I (cit. Niese), Gotha 1893; J. Kaerst, Geschichte des hellenistischen Zeitalters I (cit. Kaerst), Leipzig-Berlin 1901 (ders., Alexander III., der Große, von Makedonien, RE I, 1894, S. 1412 ff.)

Vorausgegangen war bereits 1833 J. G. Droysens „Geschichte Alexanders des Großen" (neu bearbeitet in: Geschichte des Hellenismus, Bd. I, 2. Aufl. Gotha 1877). Sie besitzt jedoch stark panegyrische Züge: Droysen verherrlicht Alexander als den Herrscher, der die mit dem Untergang der griechischen Polis gereifte Idee der Verbindung von Barbaren und Griechen, von Orient und Okzident, realisierte (vgl. dazu J. Rüsen, Begriffene Geschichte. Genesis und Begründung der Geschichtstheorie J. G. Droysens, Paderborn 1969, S. 28 ff.) Als Beginn der kritischen Auseinandersetzung mit der Alexanderproblematik darf Nieses Werk gewertet werden. s. H. Bengtson, Griechische Geschichte, Handbuch der Altertumswissenschaften III, 4 (cit. Bengtson), 5. Aufl. München 1977, S. 332, J. Seibert, Alexander der Große (cit. Seibert, Alexander), Darmstadt 1972, S. 62 f.

Athens, einer Stadt, die – der Idee der Polisautonomie verhaftet – nicht fähig und nicht willens war, in „größeren" Kategorien zu denken, epochale Veränderungen zu akzeptieren und zu begreifen.

Ein der bisher vorherrschenden Interpretation der literarischen Primärquellen immanenter Widerspruch zu den urkundlichen und archäologischen Zeugnissen wurde übersehen oder ausgeklammert, die Tatsache ignoriert, daß eine Bauaktivität, die – an der Zahl der öffentlichen Projekte gemessen – die Perikleische Ära übertraf, schwerlich mit der bewußten Vorbereitung einer militärischen Auseinandersetzung in Einklang zu bringen war.

Absicht der vorliegenden Arbeit ist, die Geschichte Athens nach Chaironeia aus der Enge einer zu oft an den Zielen Alexanders orientierten Betrachtung zu lösen, u. a. durch eine stärkere Gewichtung der nichtliterarischen Quellen Flexibilität und Wandel der Außenpolitik der Stadt aufzuzeigen, schließlich darüber hinaus ein Gesamtbild der Polis während der Ära Alexanders zu entwerfen.[3] Eine chronologisch angelegte Gliederung unternimmt es dabei, die wichtigsten Phasen der makedonisch-athenischen Beziehungen nachzuzeichnen: Kapitel I untersucht die von Rückschlägen unbeeinflußten Bemühungen Philipps und Alexanders, Athen für sich zu gewinnen. Die daraus resultierende Annäherung der Stadt an die Makedonen bis hin zum konsequenten Arrangement mit Alexander sowie das Reform- und Bauprogramm Lykurgs, das die Grundlagen für einen Wiederaufstieg innerhalb des sich entwickelnden makedonischen Kosmos schaffen sollte, sind Thema des zweiten Abschnittes. Abschließend folgt eine Darstellung der Entwicklung der athenisch-makedonischen Beziehungen nach Gaugamela und Megalopolis, d. h. der im Verbanntendekret kulminierenden Abkehr Alexanders von Griechenland, die den Lamischen Krieg nicht als Endpunkt eines zunächst passiven Widerstandes und einer jahrelangen defensiven Rüstung, sondern als Folge des Scheiterns der athenischen Politik der Integration verstehen läßt.

---

[3] Eine auf den Ergebnissen neuester Untersuchungen und Funde basierende Geschichte Athens in dieser Zeit stellt noch ein Desiderat althistorischer Forschung dar. Arnold Schäfers bahnbrechende, jedoch ausschließlich auf die Person des Demosthenes abgestimmte Arbeit bedarf in den einschlägigen Kapiteln ebenso der Ergänzung wie die seine Wertung der attischen Politiker korrigierende von Julius Beloch. Eine Aufarbeitung der bis dato edierten Inschriften bringt zwar G. Glotz in seiner „Histoire Grecque" (IV Kapitel VI „La Grèce sous Alexandre"), doch ist seine Darstellung innerhalb einer Gesamtgeschichte der griechischen Welt a priori auf das Notwendigste eingeschränkt. C. Mossé schließlich selektiert in ihrem (1972 in englischer Übersetzung erschienenen) Werk „Athens in Decline" zu sehr und unterbewertet dabei die für das Verständnis der behandelten Epoche entscheidenden Abschnitte wie die Jahre des Quadrienniums von 334 bis 330 zugunsten von Randereignissen, die bereits in den althistorischen Diskussionen des 19. Jahrhunderts über Gebühr behandelt wurden. Ansätze, um genannte Lücken zu schließen, hat die grundlegende, wenn auch knappe Zusammenstellung archäologischer Forschungseregebnisse von F. W. Mitchel, Athens in the Age of Alexander (erweiterte Fassung: Lykourgan Athens). s. dazu ausführlich u. Kap. II.B 2.

I. Die Bemühungen der Makedonenkönige um eine Verständigung mit Athen

A. Chaironeia und die politische Situation in Griechenland bis zur Ermordung Philipps

1. Athen vor der Schlacht von Chaironeia

Als es Philipp im März 338 gelang, die von der griechischen Hauptmacht getrennt stehenden Söldner, die die Pässe zwischen Lokris und Boiotien, den Zugang nach Amphissa, sperren sollten,[1] mit Hilfe einer List[2] vernichtend zu schlagen, anschließend Delphi und im Mai auch Naupaktos zu besetzen,[3] hatte er zwar einen psychologisch wertvollen Erfolg errungen,[4] militärisch die Position der Griechen aber noch nicht entscheidend erschüttert.[5]

Nachdem der Bundesgenossenkrieg Athens finanzielle Ressourcen erschöpft und die Mitgliederzahl des Bundes auf ein Drittel der ursprünglichen Größe reduziert hatte,[6] brachte die Finanzpolitik des Eubulos von Probalinthos, der 354[7] das Amt

---

[1] Zu den Ereignissen im Frühjahr 338 s. J.B.Bury, A History of Greece to the Death of Alexander the Great (cit. Bury), 3.Aufl. London 1951, S.728, J.Beloch, Griechische Geschichte (cit. Beloch, Gr. Gesch.) III. 1, 2.Aufl., Berlin/Leipzig 1922, S.566, A.W. Pickard – Cambridge, The Cambridge Ancient History (cit. CAH) VI, 3.Aufl. Cambridge 1953, S.260, Kaerst 194, G.Ramming, Die politischen Ziele und Wege des Aischines (cit. Ramming), Diss. Erlangen 1965, S.115, Geyer (cit. Geyer, Philippos) RE XIX, 1938, S.2294, Schäfer II 558, F.R.Wüst, Philipp II. von Makedonien und Griechenland in den Jahren 346 bis 338 (cit. Wüst), München 1938, S.163f., J.Kromayer, Antike Schlachtfelder (cit. Kromayer), Berlin 1903, S.137ff., J.R.Ellis, Philip II and Macedonian Imperialism (cit. Ellis), London 1976, S.191ff., neuerdings N.G.L.Hammond, G.T.Griffith, A History of Macedonia, Vol.II 550 – 336 B.C. (cit. Hammond, History of Macedonia), Oxford 1979, S.593ff. Hauptquellen sind Aischin. 3.146. Dein. 1.74, Polyain. 4.2.8; mit chronologischen Irrtümern: Plut. Dem. 18.

[2] Polyain a.a.O.

[3] Zumindest der Besitz Delphis ist für das Frühjahr 338 durch Syll.³ 249 II 24 gesichert. Zu Naupaktos s. Wüst 164 Anm. 4.

[4] Vgl. Beloch, Gr. Gesch. III. 1, S.566, Geyer, Philippos 2294, Wüst 164, N.G. L.Hammond, A History of Greece to 322 B.C. (cit. Hammond), Oxford 1967, S.567.

[5] Dem entgegen betont seit Droysen und Beloch eine „ex eventu" interpretierende, sich an der späteren Bedeutung Philipps, respektive Alexanders, orientierende Geschichtsschreibung zu Unrecht die Unvermeidlichkeit des militärischen Erfolges des Makedonenkönigs. Vgl. hierzu Bengtson 325.

[6] Vgl. W.Schwahn, Die attische Eisphora, RhM 82, 1933, S.283; wichtigste Sekundärliteratur und Quellen zum Bundesgenossenkrieg bei Bengtson 311, Anm. 1.

[7] Vgl. Beloch, Gr. Gesch. III. 1 84f., Schwahn RE V A, 2, 1934 (cit. Schwahn),

eines Verwalters der Theorika übernommen hatte, in kurzer Zeit einen ökonomischen Aufschwung. Bis zum Jahre 340 erhöhte Eubulos die Einkünfte von 130 auf 400 Talente[8] und errichtete mit Hilfe einer Sondersteuer neue Schiffshäuser.[9] Mit dem Bau einer Skeuothek im Piräus wurde begonnen,[10] ebenso mit der Aufrüstung der Flotte;[11] die Reiterei wurde reorganisiert.[12]

S. 2236, A. M. Andreades, Geschichte der griechischen Staatswirtschaft (cit. Andreades), München 1931 (Nachdruck Hildesheim 1965), S. 219 Anm. 3, G. Busolt, H. Swoboda, Griechische Staatskunde, Handbuch der Altertumswissenschaft IV. 1.1,2 (cit. Busolt/Swoboda), 3. Aufl. München 1920/26, S. 925, 1043, Schäfer I 199, A. Motzki, Eubulos von Probalinthos und seine Finanzpolitik (cit. Motzki), Diss. Königsberg 1903, S. 65 (ab 350). Unabhängig von der Dauer seiner Tätigkeit als ὁ ἐπὶ τὸ θεωρικόν (vgl. Beloch, Gr. Gesch. III. 1, 484f., G. Glotz, Démosthène et les finances athéniennes de 346 à 338, RH 170, 1932, S. 385 ff. (von 354 bis 346); F. Kiechle, Kl. P. II, Stuttgart 1967, S. 400 f. (354–350), G. E. M. de Sainte Croix, Demosthenes' τίμημα and the Athenian Eisphora in the Fourth Century B. C., C & M 14, 1953, S. 69 (354–339)) übte Eubulos bis 340, möglicherweise bis 338 zumindest den ausschlaggebenden Einfluß auf die Wirtschaftspolitik aus (s. Schwahn 2236, Motzki 47, Kiechle Kl. P. II 400 f.) Allein G. Glotz (a. a. O.) schreibt die wichtigsten Reformen seit 346 der Tätigkeit des Demosthenes und seiner Anhänger zu, ohne seine These jedoch durch Quellen absichern zu können (s. ausführlich Wüst 42 ff.). Unter Eubulos' Ägide wurden die Befugnisse des ὁ ἐπὶ τὸ θεωρικόν so erweitert, daß dieser praktisch die gesamte Finanzverwaltung Athens kontrollieren konnte (s. Beloch, Gr. Gesch. III. 1 484 f., Schwahn 2236, Andreades 400 f., Busolt/Swoboda 1144, W. S. Ferguson, The Treasurers of Athena (cit. Ferguson), Cambridge 1932, S. 144 Anm. 1). Damit war die Voraussetzung für Lykurgs spätere dominierende Stellung im innenpolitischen Leben Athens gegeben.
 [8] Demosth. 10.37–38; s. G. L. Cawkwell, Eubulos (cit. Cawkwell), JHS 83, 1963, S. 61 f. Eine kritische Auseinandersetzung mit den Thesen Cawkwells zur Außenpolitik des Eubulos (Durchsetzung und Sicherung einer κοινὴ εἰρήνη) bereits bei H. J. Gehrke, Phokion, Studien zur Erfassung seiner historischen Gestalt (cit. Gehrke), Zetemata 64, München 1976, S. 27 Anm. 11.
   Abgesehen von der für Athen besonders bedrohlichen Situation nach der makedonischen Invasion in die Chalkidike (vgl. u. S. 78), in der er verschiedene Delegationen u. a. nach Arkadien initiierte (Demosth. 19.10, 303 f., Ps.-Plut. mor. 840F; von Cawkwell fälschlich in eine spätere Zeit (347/6) verlegt; s. dazu Gehrke a. a. O.) war Eubulos, ähnlich wie später Lykurg als Verwalter des gleichen Amtes, wohl in erster Linie auf innen- und wirtschaftspolitischem Sektor tätig.
 [9] s. Andreades 229 Anm. 5, 404, Motzki 79, s. u. S. 89 f.
 [10] Aischin. 3.25, Dein. 1.96; vgl. Beloch, Gr. Gesch. III.1 485, Wüst 43, Motzki 79, Andreades 404. Die Skeuothek wurde, nachdem die Arbeiten an ihr 339 vorübergehend unterbrochen worden waren, vermutlich im Jahre 330 vom Architekten Philon vollendet. s. u. S. 88 f.
 [11] Über den Ausbau der Flotte unter Eubulos liegen uns keine konkreten Zahlen vor, da als Vergleichsmöglichkeit urkundlich nur der Schiffsbestand der Jahre 353 (349 Trieren: IG II² 1613 Z. 302) und 330 (392 Trieren und 18 Tetreren: IG II² 1627 Z. 267 ff.) überliefert ist (vgl. Cawkwell 65). Motzki 79 Anm. 2 glaubt (im Widerspruch zu Dein. 1.96) eine Herabsetzung der Schiffszahl unter Eubulos feststellen zu können. Für eine solche These findet sich jedoch kein Beweis. Vgl. Wüst 43.
   Numerisch war Athens Flotte den wenigen Schiffen des Makedonenkönigs bei wei-

Gestützt auf stabile Staatsfinanzen, nicht zuletzt auch begünstigt durch Philipps Abwesenheit wegen den Auseinandersetzungen mit den Skythen und Triballern,[13] konnte Demosthenes, dessen Stellung insbesondere aufgrund seines Erfolges in Euboia 340 auch innenpolitisch unumstritten war,[14] den von ihm spätestens seit Sommer 341[15] für unumgänglich gehaltenen militärischen Konflikt vorbereiten. Demosthenes brachte noch 340 ein Gesetz durch, das die finanzielle Verantwortung für Bau und Ausrüstung der Flotte auf die 300 reichsten Bürger beschränkte. Diese Vereinfachung des Systems garantierte eine rasche und damit effektivere maritime Rüstung.[16] Unter dem Archon Lysimachides wurden die Überschüsse des Haushaltes den στρατιωτικά zugeschlagen[17] und die Arbeiten an den νεώσοικοι und an der Skeuothek einstweilen eingestellt: Athen war finanziell und, bedenkt

tem überlegen und beherrschte so, wie u.a. die Ereignisse vor Byzanz zeigen, mühelos die nördliche Ägäis. Vgl. Bury 722 u. 724, W. Jaeger, Demosthenes. Der Staatsmann und sein Werden (cit. Jaeger), 2. Aufl. Berlin 1963, S. 177, M. L. W. Laistner, A History of the Greek World from 479 to 323 B. C., 2. Aufl. London 1947, S. 256, Geyer, Philippos 2292, Bengtson 323, Schäfer II 531. Zur Bedeutung des Athener Schiffpotentials nach der Schlacht von Chaironeia s. u. S. 15 f. Anm. 100

[12] Nach Cawkwell 66 ist die Reform, von der wir allein aufgrund einer vagen Angabe Deinarchs (1.96) Kenntnis haben, zweifelhaft.

[13] Nach der erfolglosen Belagerung von Byzanz unternahm Philipp im Frühjahr resp. Sommer 339 einen Feldzug gegen die im Norden siedelnden Skythen. s. dazu Wüst 144 ff., Geyer, Philippos 2291 f., Ellis 185 f.

[14] Für sein Engagement bei der Intervention in Euboia wurde Demosthenes an den Dionysien Ol. 109.4 (März 340) geehrt und somit die Richtigkeit seiner Anti-Philipp-Politik bestätigt. Demosth. 18.83, 223.

[15] s. die 3. Philippika vom Juni 341; zu Demosthenes' politischer Konzeption nach 346 vgl. G. L. Cawkwell, Demosthenes' Policy after the Peace of Philokrates, CQ 57, 1963, S. 120 ff. und 200 ff.

[16] Demosth. 18. 102–109, Aischin. 3.222, Dein. 1.42, s. Bury 722, Hammond 565, Kaerst 191, Jaeger 180, Schäfer II 523–528, H. Strasburger, RE VII A, 1, 1939, S. 111 f., Busolt/Swoboda 1203 f., Andreades 347, P. Cloché, La démocràtie athénienne et les possédants aux Ve et IVe siècles avant J. C., RH 192, S. 37 ff.

[17] Philochoros FGH 328 frg. 56. Λυσιμαχίδης Ἀχαρνεύς. ἐπὶ τούτου τὰ μὲν ἔργα τὰ περὶ τοὺς νεωσοίκους καὶ τὴν σκευοθήκην ἀνεβάλοντο διὰ τὸν πόλεμον τὸν πρὸς Φί-λιππον, τὰ δὲ χρήματα ἐψηφίσαντο πάντ' εἶναι στρατιωτικά, Δημοσθένους γράψαν-τος. Über die Gesamtsumme der Theorika lassen sich keine genauen Angaben machen. Jedoch muß sie entgegen der Annahme von U. Kahrstedt, Demosthenes und die Theorika, NGG 1929, S. 160, der die Belastung für den Staat auf weniger als 7 Talente jährlich beziffert (Vergleichszahl: A. Boeckh, Die Staatshaushaltung der Athener I, 3. Aufl. Berlin 1886, S. 284: 25–70 Talente), in der Mitte des 4. Jahrhunderts eine durchaus beträchtliche Höhe (Andreades 279) erreicht haben.

Zur Entstehung und Bedeutung der Stratiotika vgl. G. L. Cawkwell, Demosthenes and the Stratiotic Fund, Mnemosyne 15, 1962, S. 377–383, E. Meyer, RE IV A, 1, 1931, S. 263–267, M. Fränkel, Zur Geschichte der attischen Finanzverwaltung, in: Hist. u. philol. Aufsätze, E. Curtius gewidmet, Berlin 1884, S. 39 ff.

man den freiwilligen Verzicht auf die Auszahlung der θεωρικά,[18] auch psychologisch auf die Auseinandersetzung mit Philipp eingestellt.

Auf außenpolitischem Gebiet hatte Athen Ende der vierziger Jahre die ersten Erfolge seit 357, als Philipp mit der Besetzung von Amphipolis seinen Vormarsch eröffnet hatte. Demosthenes' geschickte diplomatische Initiativen[19] und lokal begrenzte militärische Engagements Athens brachten dem Makedonenkönig partielle Rückschläge: im Bund mit Chalkis gelang es, durch zwei militärische Operationen unter Kephisophon und Phokion die Tyrannen von Oreos und Eretria zu stürzen und somit den Einfluß Philipps zurückzudrängen. Im Februar 340 konstituierte sich ein Euböischer Bund, der mit Athen in ein Bündnis trat.[20] Ende Winter 340/339 mußte Philipp die Belagerung von Byzanz ebenso wie die von Perinth erfolglos abbrechen,[21] nachdem Athen, das olynthische „Trauma" überwindend,[22] entschlossen seine Flotte zugunsten der bedrohten Stadt eingesetzt hatte.

Im Mutterland formierte sich unter attischer Führung eine gegen Philipp gerichtete, allerdings nur defensiv orientierte Koalition, der Hellenische Bund.[23] Trotz dieser Verstärkung war Athen zu Lande den wohlausgerüsteten Truppen Philipps noch unterlegen. Ausschlaggebend mußte, vor allem nach der überraschenden Be-

---

[18] Für Demades waren die Theorika der Kitt der Demokratie: ... ἔλεγε Δημάδης, κόλλαν ὀνομάζων τὰ θεωρικὰ τῆς δημοκρατίας H. Sauppe, Oratores Attici II (cit. Sauppe), Zürich 1845–1850, S. 315, frg. 9.

[19] Vgl. Demosth. 9.71.

[20] Zu den Ereignissen auf Euboia vgl. mit Quellenangaben Wüst 108–113, P. A. Brunt, Euboea in the Time of Philip II, CQ 19, 1969, S. 251–264, Schäfer II 417–423 und 494–496, Beloch III. 1 541 f. und 552 f., Geyer, Philippos 2286 und 2289, Gehrke 44 ff.
Zu den Verträgen zwischen Athen und Chalkis sowie Athen und Eretria Bengtson, Staatsverträge II 328 f.

[21] Vgl. Kaerst 188 f., Geyer, Philippos 2289 f., Schäfer II 482, 497–516, A. W. Pickard-Cambridge CAH VI 253, Wüst 130, 141 f.

[22] Olynth fiel 348, da Athen nur zögernd interveniert hatte. Erst die Zerstörung dieser Stadt rief in Athen sowie in anderen griechischen Poleis der breiten Öffentlichkeit die von Philipp drohende Gefahr ins Bewußtsein. Vgl. dazu den Brief Speusipps aus dem Jahr 342, in dem dieser berichtet, daß der Historiker Antipatros von Magnesia Verleumdungen, Philipp habe den Krieg mit den Olynthiern begonnen, entgegengetreten sei und den Makedonenkönig als legalen Besitzer der Chalkidike ausgewiesen habe. R. Hercher, Epistolographi Graeci. Socratis et Socraticorum Epistolae, Paris 1873, S. 630, Z. 32–37, Z. 8–10, 39–46 und S. 631, Z. 1–20. (Die Echtheit des Briefes wurde überzeugend nachgewiesen von E. Bickermann u. J. Sykutris, Speusipps Brief an König Philipp, Berichte über die Verhandlungen d. Sächs. Akademie d. Wiss., phil.-hist. Kl. Bd. 80, Hft. 3, Leipzig 1928).

[23] Vgl. dazu Bengtson 322, Geyer, Philippos 2290, Jaeger 175 f., Wüst 118–120, Bengtson, Staatsverträge II 331 f. Zu den Mitgliedstaaten zählten Euboia, Megara, Achaia, Akarnanien, Korkyra, Leukas und Korinth (Aischin. 3.95, 97 f., 256, Demosth. 18. 237, 244, Ps.-Plut. mor. 845A, Syll.² 147). Möglicherweise schloß sich allerdings ein Teil der Poleis erst im Jahre 338 an Athen an.

setzung von Elateia,[24] die dem Makedonenkönig den Zugang zu Mittelgriechenland sicherte, das Verhalten Thebens sein.[25] Nachdem Philipps Versuch, die Annäherung der beiden mittelgriechischen Mächte mit Hilfe der delphischen Amphik-
tyonie zu verhindern,[26] gescheitert war, schlug Theben im November auch das Angebot einer gemeinsamen militärischen Expedition gegen Attika aus[27] und entschied
sich für Athen.[28] Um die σύμμαχοι zu trennen, machte Philipp im Sommer 338
nach der Besetzung von Naupaktos beiden mittelgriechischen Mächten Friedens-
angebote.[29] In Athen setzte Demosthenes in der Ekklesia gegen den Rat Phokions
eine Ablehnung durch,[30] da ihm bewußt war, daß seine Vorbereitungen zum Kampf
ein Optimum erreicht hatten[31] und es fraglich erschien, ob die einzelnen Bündnis-
partner auch auf längere Sicht loyal zur Anti-Philipp-Koalition stehen würden.

Am 7. Metageitnion Ol. 110.3[32] standen sich in zahlenmäßig ausgeglichener For-
mation die Heere des Bundes und des Makedonenkönigs bei Chaironeia in Boiotien gegenüber.[33] Den Ausschlag gaben die größere Erfahrung und die kriegstech-

---

[24] Nach der Herbstversammlung der Amphiktyonen etwa im November 339 (s. Wüst
155 f.) umging Philipp über Herakleia – Trachinia das von den Thebanern besetzte Ni-
kaia. Aischin. 3.140, Demosth. 18. 169 ff., Diod. 16.84.1, Plut. Dem. 18.1 vgl. G. Glotz,
Philippe et la surprise d'Elatée, BCH 33, 1909 (Nachdruck Vendeln/Liechtenstein 1969)
S. 526–546, Ellis 190 f.
[25] So auch Geyer, Philippos 2292, Bury 725.
[26] Auf der Frühjahrsversammlung 339 sollte der Antrag eingebracht werden, Athen
mit einer Geldbuße zu belegen, da es während des 3. Hl. Krieges in dem noch ungeweih-
ten Tempel zwei Schilde mit der Aufschrift „Ἀϑηναῖοι ἀπὸ Μήδων καὶ Θηβαίων, ὅτε
τἀναντία τοῖς Ἕλλησιν ἐμάχοντο" (Aischin. 3.116) hatte aufhängen lassen.
[27] Demosth. 18.213. Vgl. Plut. Dem. 18.3; Wüst 157 f.
[28] Kaerst 194, A. W. Pickard – Cambridge CAH VI 259, Geyer, Philippos 2293.
[29] Plut. Phok. 16.1, Aischin. 3.148 ff.; vgl. A. W. Pickard – Cambridge CAH VI 261,
Geyer, Philippos (Datierung fälschlich Nov./Dez. 340), Kaerst 195, Schäfer II 539 f.
Ramming 115 spricht nur von einer Gesandtschaft nach Theben. Wüst 165 hält die Frie-
densofferte an Athen für eine politische Finte, durch die Demosthenes in innenpolitische
Schwierigkeiten verwickelt werden sollte. Dagegen mit Recht Gehrke 53 ff.
[30] Plut. Phok. 16.1 ff., Aischin. 3.148 ff., ausführlich Gehrke 52 ff.
[31] Von einem Rausch panhellenischer Begeisterung (so F. Schachermeyr, Griechische
Geschichte (cit. Schachermeyr, Griechische Geschichte), Stuttgart 1978, S. 251) kann
dennoch keineswegs gesprochen werden: erst in letzter Minute und nur um den Preis
größerer Zugeständnisse willigten die Thebaner in das Bündnis mit Athen ein. Aischin.
3.143; vgl. Demosth. 18.239.
[32] Plut. Cam. 19.8. Es kann sich hierbei in der modernen Zeitrechnung sowohl um den
2. August als auch um den 1. September handeln, da nicht bekannt ist, ob Ol. 110.2 ein
Schaltmonat eingeschoben wurde. In der neueren Forschung wird vorzugsweise der
2. August genannt (s. u. S. 18 Anm. 113). Wüsts Argument, die Frist von der Besetzung
von Amphissa bis zur Schlacht wäre andernfalls zu lange (Wüst 166 Anm. 3), ist nicht
stichhaltig, da Philipp trotz seines Erfolges zögerte, die Entscheidung zu suchen.
[33] Die von Diodor 16.85, 5 für das Fußvolk Philipps angegebene Zahl τρισμύριοι (s.
Beloch, Gr. Gesch. III. 2, 299 f.) ist fiktiv. Vgl. zum Problem der stereotypen und rhetori-

nische Überlegenheit des Söldnerheeres gegenüber den Bürgertruppen sowie das Fehlen eines Philipp ebenbürtigen Feldherrn in den Reihen der Griechen.[34] Allein die Athener verloren 1 000 Bürger, 2 000 gerieten in Gefangenschaft.[35]

2. Erste Maßnahmen der Stadt nach der Niederlage

Die Nachricht vom Ausgang der Schlacht rief zunächst in dem auf eine Niederlage nicht vorbereiteten Athen[36] Panikstimmung hervor,[37] nicht zuletzt Folge einer zehnjährigen intensiven Propaganda, die Philipp zum ἀνδραποδίζων Ἑλλάδα gestempelt hatte.[38] Man faßte sich jedoch schnell und traf, insbesondere auf Initiative des Hypereides,[39] der in der Stadt zurückgeblieben war,[40] erste Verteidigungsmaßnahmen, um sich in der verbliebenen Frist von, wie man glaubte, drei Tagen auf die erwartete Belagerung einzustellen.[41] In der eilig zusammengekommenen Volksversammlung beschloß man, die Landbevölkerung zu evakuieren und die Strategen mit der Organisation der Verteidigung zu beauftragen.[42] Auf Antrag des Hypereides übernahm der Rat der Fünfhundert, dem in Friedenszeiten u. a. die Aufsicht

---

schen Zahl A. Dreizehnter, Die rhetorische Zahl. Quellenkritische Untersuchungen anhand der Zahlen 70 und 700 (cit. Dreizehnter), München 1978, passim (Eine Monographie des Autors u. a. zur Zahl 30 000 ist geplant).

[34] Diod. 16.85.6 f., Polyain. 4.2.2,7, Just. 9.3.9 ff., Plut. Alex. 9, Paus. 9.10.1, Frontin Strat. 2.1.9; s. Bengtson 324 Anm. 2.

Zum Schlachtverlauf s. Kromayer 158–169, G. Roloff, Probleme aus der griechischen Kriegsgeschichte, Berlin 1903, S. 62–68, N. G. L. Hammond, The Two Battles of Chaeronea (338 B.C and 86 B.C.), Klio 31, 1938, S. 201–216, E. Braun, Zur Schlacht bei Chaironeia, JÖAI 37, 1948, S. 81–89.

[35] Lykurg. frg. 76 (Burtt), Lykurg. Leokr. 142, Demosth. 18.264, Ps.-Demad. ὑπ. τ. δωδ. 9; ausführlich Schäfer II 566.

[36] Das Bündnis mit Theben schien Athen den Sieg zu garantieren. Vgl. dazu den Kommentar, den Demosthenes zu einem Psephisma gibt, mit dem die Verhandlungen mit der boiotischen Stadt eingeleitet wurden: Demosth. 18.188 Αὕτη τῶν περὶ Θήβας ἐγίγνετο πραγμάτων ἀρχὴ καὶ κατάστασις πρώτη, τὰ πρὸ τούτων εἰς ἔχθραν καὶ μῖσος καὶ ἀπιστίαν τῶν πόλεων ὑπηγμένων ὑπὸ τούτων. τοῦτο τὸ ψήφισμα τὸν τότε τῇ πόλει περιστάντα κίνδυνον παρελθεῖν ἐποίησεν ὥσπερ νέφος.

[37] s. die bewußt emotionelle Schilderung, die Lykurg im Leokratesprozeß 330 gibt. Lykurg. Leokr. 39 ff.; vgl. Demosth. 18.195, Hyp. 18. frg. 27,28 (Burtt)

[38] Vgl. Die Argumentation in den Olynthiaka: 1.5, 3.20.

[39] Vgl. u. a. Lykurg. Leokr. 36.

[40] Lukian. par. 42.

[41] Demosth. 18.195.

[42] Lykurg. Leokr. 16; vgl. Ps.-Demad. ὑπ. τ. δωδ. 14. Die Unechtheit der Rede ὑπὲρ τῆς δωδεκαετίας wurde von Sauppe II 312 nachgewiesen (vgl. H. Haupt, Excerpte aus der vollständigen Rede des Demades περὶ δωδεκαετίας, Hermes 13, 1878, S. 489–496, Blass III.2, 271 f.; Zeit: 2. Jahrhundert n. Chr. Da historische Verstöße nicht nachweisbar sind (Blass III.2,272), läßt sich annehmen, daß der Kompilator zuverlässige Quellen benutzt hat.

über Bau und Ausrüstung der Kriegsschiffe oblag,[43] die Leitung der Schutzmaß-
nahmen im Piräus,[44] der für den Fall der Belagerung die lebensnotwendige Verbindung nach außen darstellte. Die allgemeine Rekrutierung wurde auf die πολῖται
über 50 Jahre ausgedehnt.[45] Mit allen verfügbaren Mitteln an Material und Men-
schenkraft wurden die Befestigungsanlagen, τείχη und τάφροι, ausgebessert und
verstärkt.[46] Die zugrundeliegenden Beschlüsse wurden von der Volksversammlung
auf Antrag des Demosthenes gefaßt, der sich unmittelbar nach seiner Rückkehr aus
der Schlacht auf Verteidigungsaufgaben konzentriert hatte.[47]

Insbesondere die Exponenten der antimakedonischen Partei unternahmen es,
den Widerstandswillen und die Opferbereitschaft der Bevölkerung durch freiwillige
Kredite und großzügige Spenden zu wecken.[48] In der Ekklesia wurde beschlossen,
Deserteure als ἔνοχοι τῇ προδοσίᾳ[49] zu verurteilen. Autolykos, ein ehemaliger Archon, wurde auf eine Anklage Lykurgs hin zum Tode verurteilt, da er seine Angehörigen aus der bedrohten Stadt evakuiert hatte.[50] Einen Bürger, der nach Samos zu
fliehen versucht hatte, ließ der Areiopag[51] festnehmen und aufgrund der Ermächti-

---

[43] Aristot. Ath. pol. 46.1; vgl. Busolt/Swoboda 1032.

[44] Lykurg. Leokr. 36 f.

[45] Lykurg. Leokr. 39.

[46] Demosth. 18.248, Lykurg. Leokr. 44; vgl. Aischin. 3.236, Dein. 1.78. Archäologische Funde bestätigen, daß nach der Schlacht von Chaironeia Steinmaterial von Gräbern
im Kerameikos für die Reparatur von Befestigungswerken verwendet worden ist. s.
J. Travlos, Bildlexikon zur Topographie des antiken Athen (cit. Travlos), Tübingen
1971, S. 229, D. Ohly, Kerameikos-Grabung, Tätigkeitsbericht 1956–1961 (cit. Ohly)
AA 1965/66, S 373.

[47] Demosth. 18.248. μετὰ γὰρ τὴν μάχην εὐθὺς ὁ δῆμος ... πρῶτον μὲν περὶ σωτηρίας
τῆς πόλεως τὰς ἐμὰς γνώμας ἐχειροτόνει, καὶ πάνθ' ὅσα τῆς φυλακῆς εἵνεκ' ἐπράττετο,
ἡ διάταξις τῶν φυλάκων, αἱ τάφροι, τὰ εἰς τὰ τείχη χρήματα, διὰ τῶν ἐμῶν ψηφισ-
μάτων ἐγίγνετο.
Die genannten Maßnahmen erfolgten noch im August 338. Erst nach ihrer Durchführung verließ Demosthenes die Stadt (ἔπειθ' αἱρούμενος σιτώνην ἐκ πάντων ἔμ'
ἐχειροτόνησεν ὁ δῆμος 18.248). Sie sind somit klar von der Bautätigkeit des Jahres
337/6 unterschieden, als der Redner das Amt eines τειχοποιός ausübte. (s. u. S. 24 f.)

[48] Demosth. 18.171, Dein. 1.80; s. Schäfer III 14 ff. Auch wenn Demosthenes keine
Namen anführt, darf man die an anderer Stelle (Demosth. 18.114) genannten Nausikles,
Diotimos und Charidemos (zu den Biographien s. u. passim) unter diesen Männern ver-
muten.

[49] Lykurg Leokr. 53.

[50] Lykurg a. a. O., Harp. s. v. Αὐτόλυκος, Ps.-Plut. mor. 843 D. Fragmente der Rede
κατ' Αὐτόλυκον bei Burtt 147. Noch im Jahr 330 versuchte Lykurg die Verurteilung eines Bürgers zu erzwingen, der sich nach der Niederlage nach Rhodos geflüchtet hatte.
s. u. S. 102 f.

[51] Nachdem Ephialtes im Jahre 462 dem Areiopag einen Großteil seiner Befugnisse
entzogen hatte, wurde sein Zuständigkeitsbereich Mitte des 4. Jahrhunderts im Zuge einer allgemeinen Restaurationsbewegung auf sakralem und jurisdiktionellem Gebiet wieder erweitert (s. Busolt/Swoboda 924 und 926). Politisch scheint sich der Areiopag zu-

gung der Volksversammlung[52] noch am selben Tag hinrichten, um ein Exempel zu statuieren. Ein Psephisma des Hypereides, die Sklaven der Silberminen zum Zwekke der Rekrutierung freizulassen, die Verbannten zurückzuholen, die ἄτιμοι wieder mit ihren früheren Rechten auszustatten und den Metoiken das Bürgerrecht zu verleihen,[53] kam nicht durch. Der Vorschlag wie die Todesurteile gegen die Flüchtlinge spiegeln jedoch die Furcht der Antimakedonen vor einem Strafgericht Philipps wider.[54] Aristogeiton, der zumindest seit Chaironeia engagierter Gegner der Antimakedonen war,[55] beantwortete den Antrag mit einer γραφὴ παρανόμων.[56] Hypereides wurde jedoch freigesprochen.[57]

In der Auseinandersetzung um den Strategen[58] für die Verteidigung der Stadt

---

mindest in Krisensituationen auch nach 462 einen gewissen Einfluß bewahrt zu haben, wie seine allerdings von Lysias nicht näher beschriebenen Aktionen nach der Schlacht von Aigospotamoi (Lys. 12.69 ... πραττούσης μὲν τῆς ἐν Ἀρείῳ πάγῳ βουλῆς σωτήρια ...) annehmen lassen. (Vgl. Jochen Martin, Von Kleisthenes zu Ephialtes, Chiron 4, 1974, S. 33). Sein energisches Handeln in der Frage der Deserteure und bei der Strategenwahl (s. dazu R. Sealey, Ephialtes (cit. Sealey, Ephialtes), CPh 59, 1964, S. 12 f. erklärt sich aus der Notsituation der Stadt, in der ihm zunächst die Aufgabe einer inneren Stabilisierung zukam, nachdem die Machtpositionen der Antimakedonen durch die Niederlage erschüttert waren (s. o.: Demosthenes' Abwesenheit), die Promakedonen aber nach dreijähriger politischer Zurückhaltung noch keine entsprechend qualifizierten Persönlichkeiten aufzuweisen hatten (Aischines, der Hauptgegner des Demosthenes in den vierziger Jahren, griff nach Chaironeia nur noch sporadisch in die aktuelle Politik ein. Vgl. Ramming 118 ff.)

[52] Lykurg, Leokr. 52 f.; s. U. Kahrstedt, Untersuchungen zu athenischen Behörden, Klio 30, 1937, S. 31; vgl. Wüst 168 Anm. 3.

[53] Hyp. 18 frg. 29 (Burtt), Lykurg Leokr. 41; Ps.-Plut. mor. 849A, Ps.-Demosth. 26.11, Dion Chr. 15. 21. Das Dekret wurde unmittelbar unter dem Eindruck der Niederlage beantragt. s. u. Anm. 54 Hyp. frg. 28 (Burtt).

[54] Hypereides rechtfertigte sich später: „ἐπεσκότει", ἔφη, „μοι τὰ Μακεδόνων ὅπλα" (καὶ) „οὐκ ἐγὼ τὸ ψήφισμα ἔγραψα ἡ δ'ἐν Χαιρωνεία μάχη". (Ps.-Plut. mor. 849 A).

[55] Vgl. Prosop. Att. I 123 f. Zur Biographie des Aristogeiton s. H. Berve, Das Alexanderreich auf prosopographischer Grundlage II (cit. Berve), München 1926, S. 66, R. Sealey, Who was Aristogeiton? (cit. Sealey, Aristogeiton), Bulletin of the Institute of Cl. Stud. 7, 1960, S. 33–43. Das heute weitgehend negative Bild von der politischen Laufbahn des Aristogeiton (s. Berve a. a. O.) beruht wohl in erster Linie auf den von persönlicher Feindschaft geprägten, im Corpus Demosthenicum erhaltenen Reden eines uns unbekannten Klägers. s. Ps.-Demosth. 25 und 26 passim.

[56] s. H. Sauppe II 310 Rede III κατὰ Ὑπερείδου παρανόμων frg. 1 und 2.

[57] Ps.-Plut. mor. 849 A, Suda s. v. Ἀριστογείτων 2.

[58] Es muß sich hier um ein mit besonderen Befugnissen ausgestattetes Amt gehandelt haben. Die zehn Strategen, darunter der für die Landesverteidigung zuständige στρατηγὸς ἐπὶ τὴν φυλακὴν τῆς χώρας waren bereits im Frühjahr gewählt (s. Aristot. Ath. pol. 44.4, vgl. Busolt/Swoboda 990 Anm. 2, W. Schwahn, RE Suppl. VI, 1935, S. 1074; dagegen A. Krause, Attische Strategenlisten bis 146 v. Chr., Diss. Jena 1913, S. 9 und J. Beloch, Die attische Politik seit Perikles (cit. Beloch, Attische Politik), Leipzig 1884, S. 269 ff. zu Unrecht Juli). Ihre Amtszeit währte somit bis 337. Zur Annahme, daß das Amt des στρατηγὸς ἐπὶ τὴν φυλακὴν τῆς χώρας neu besetzt werden mußte, Phokion somit der

wurde die erste Entscheidung über den zukünftigen Kurs getroffen. Mit Unterstützung des Areiopags[59] setzten sich die konservativen βέλτιστοι[60] durch, die die finanziellen Belastungen einer etwaigen längeren Belagerung fürchten mußten. Die Wahl Phokions[61] gegen den engagierten Makedonenfeind Charidemos[62] gab dem König zu verstehen, daß Athen nicht zum Widerstand um jeden Preis entschlossen war und stellte die Weichen für eine friedliche Einigung.[63]

Nichtsdestoweniger wurden die Verteidigungsanstrengungen weitergeführt. Eine bedingungslose Kapitulation stand auch für die Befürworter eines raschen Friedens nicht zur Diskussion: Demosthenes wurde zum σιτώνης[64] gewählt. Er bemühte sich in dieser Eigenschaft, die Getreideversorgung sicherzustellen und erbat finanzielle Hilfeleistung von den Bundesgenossen.[65] Um militärische Unterstützung ersuchte man u. a. Andros, Troizen und Epidauros.[66]

3. Der Separatfriede zwischen Philipp und Athen

Sicherlich nicht unbeeinflußt von der Ernennung Phokions zielten Philipps Absichten darauf, den bei Chaironeia errungenen militärischen Erfolg in einen politischen

---

Oberbefehl über die Stadt Athen übertragen wurde (Gehrke 61 Anm. 52), besteht kein Grund: der vor seiner Hinrichtung zweifelsohne durch Apocheirotonie seines Amtes enthobene Lysikles (Gehrke 63 Anm. 60) war στρατηγὸς ἐπὶ τὰ ὅπλα, d.h. für die Kriegsführung außerhalb des Landes verantwortlich (vgl. Busolt/Swoboda 1121).

[59] Plut. Phok. 16.4. γενομένης δὲ τῆς ἥττης καὶ τῶν θορυβοποιῶν καὶ νεωτεριστῶν ἐν ἄστει τὸν Χαρίδημον ἑλκόντων ἐπὶ τὸ βῆμα καὶ στρατηγεῖν ἀξιούντων, ἐφοβήθησαν οἱ βέλτιστοι· καὶ τὴν ἐξ Ἀρείου πάγου βουλὴν ἔχοντες ἐν τῷ δήμῳ δεόμενοι καὶ δακρύοντες μόλις ἔπεισαν ἐπιτρέψαι τῷ Φωκίωνι τὴν πόλιν.

[60] s. Plut. Phok. a.a.O. Zur sozialen Einordnung der βέλτιστοι s. Gehrke S.61f., vgl. Beloch, Attische Politik 232. Daß Phokions Anhängerschaft unter den ὀλιγαρχικοί zu suchen war, erhellt auch die Schilderung seines tragischen Todes bei Plutarch (Phok. 34), s.u. S.138.

[61] Plut. Phok. 16.3; s. Schäfer III 8, E. Frolov, Der Kongreß von Korinth im Jahre 338/7 v. u. Z. und die Vereinigung von Hellas (cit. Frolov), Hell. Pol. I, S.439f.

[62] Im Jahre 335 mußte Charidemos als einziger der zehn Strategen und Redner, deren Auslieferung Alexander gefordert hatte, Athen verlassen. s.u. S.47. Zur Biographie des Charidemos s. Schäfer I–III passim, Berve II 406f.

[63] Phokion war bereits vor der Schlacht von Chaironeia für einen Frieden mit dem Makedonenkönig eingetreten (s.o. S.7). Zur Kontinuität seiner Politik s.u. S.138f.

[64] Demosth. 18.248. Es handelt sich dabei offenbar um ein außerordentliches Amt, das jedoch nicht, wie Busolt 1121 meint, nur in wirtschaftlichen, sondern, wie in diesem Fall, auch in politisch-militärischen Krisen besetzt werden konnte.

[65] τριήρους τ᾽ ἐπιβὰς περιέπλευσε τοὺς συμμάχους ἀργυρολογῶν Ps.-Plut. mor. 846 A; vgl. Dem. 1.81, Aischin. 3,159. (Unter dem Begriff σύμμαχοι sind vermutlich Mitglieder des Hellenischen Bundes zu verstehen.) Demosthenes wurde erst Ende August/ Anfang September mit dieser Aufgabe betraut. Wichtige, von ihm angeregte Verteidigungsmaßnahmen waren bereits getroffen (s.o. S.9 Anm.47).

[66] Lyk. Leokr. 42.

umzumünzen, d. h. die Stadt nicht seinem Konzept unterzuordnen, sondern sie dafür zu gewinnen.[67] Für Athen ergab sich die langfristig innenpolitisch zu lösende Alternative, entweder eigene Vorstellungen den Plänen des Makedonenkönigs anzupassen oder aus der Defensive eine neue militärische Konfrontation vorzubereiten.

Philipp lagerte in der Nähe von Chaironeia[68] und traf keinerlei Vorbereitungen für einen Marsch zu dem nur drei Tagesreisen[69] entfernt liegenden Athen.[70] Über den Redner Demades, der sich unter den gefangenen Athenern befand, nahm er Ende August/Anfang September ersten Kontakt mit der Stadt auf.[71] Wie sich später herausstellte, war Demades, obwohl er bis Chaironeia nicht als Befürworter einer promakedonischen Politik hervorgetreten war,[72] ein für Philipps Intentionen geeig-

---

[67] Vgl. dazu und zum folgenden Hammond, History of Macedonia 605 ff.

[68] Aristeid. Panath. 183.1. Die Schilderungen „orgiastischer" Siegesfeiern nach der Schlacht bei Diodor 16.87 und Plutarch Dem. 20 (Plutarch versteht sie hier in Anlehnung an eine Äußerung des Aischines in der Ktesiphonrede (148) als Reflex des Risikos, das Philipp mit der militärischen Konfrontation eingegangen war), gehen wohl auf Theopomp zurück (s. Wüst 167 Anm. 2), der in seinen Philippika immer wieder die barbarischen Sitten des Makedonenkönigs betont (vgl. die Fragmente bei B. P. Grenfell/A. S. Hunt, Hellenica Oxyrhynchia cum Theopompi et Cratippi fragmentis (cit. Grenfell/Hunt), Oxford 1909, Nr. 84, 107, 153, 154, 217, 228 (FGH 115 frg. 81, 162, 224, 236, 282). Zu Theopomps Philippbild s. K. v. Fritz, Die politische Tendenz in Theopomps Geschichtsschreibung, Antike und Abendland 4, 1954, S. 58, W. R. Connor, History without Heroes, Theopompus' Treatment of Philip of Macedon, GRBS 8, 1967, u. a. S. 147, neuerdings G. Shrimpton, Theopompus' Treatment of Philip in the Philippica, Phoenix 31, 1977, S. 123 ff., dem zufolge Theopomp in Philipp „the culmination of all the evils that have been developing in European history down to that time" (S. 144) sah.
Zur Benutzung Theopomps bei Duris s. R. B. Kebric, In the Shadow of Macedon. Duris of Samos, Wiesbaden 1977, S. 39 ff., bei Plutarch und Diodor s. A. Haake, De Duridi Samio Diodori Auctore, Diss. Bonn 1874. S. 45 ff., H. Adams, Die Quellen des Diodoros im sechzehnten Buche, JKLPh 1887, Hft. 5 u. 6, S. 368 f., A. Momigliano, Le fonti della storia greca e macedone nel libro XVI di Diodoro, Rendiconti del r. Istituto Lombardo di scienze e lettere 65, Mailand 1932, S. 541 ff., M. Haug, Die Quellen Plutarchs in den Lebensbeschreibungen der Griechen, Tübingen 1854, S. 75, Ch. A. Volquardsen, Untersuchungen über die Quellen der griechischen und sicilischen Geschichten bei Diodor, Buch XI–XVI, Kiel 1868, S. 67 ff., H. Kallenberg, Zur Quellenkritik von Diodors 16. Buche, Festschrift zu der 2. Säcularfeier des Friedrich-Werderschen Gymnasiums zu Berlin 1881, S. 102.
Gegen Kallenberg und Volquardsen weist F. Reuss, Diodoros und Theopompos, JKLPh 153, 1896, S. 317 ff. mit Recht zumindest für das 16. Buch eine Benutzung Theopomps nach. Der oben zitierte Passus 87.1 unterstreicht dies.

[69] Demosth. 18.195.

[70] Demosth. 60.20. Philipp zog nach den Siegesfeiern zunächst nach Theben. Vgl. Schäfer III 18 f.

[71] Suda s. v. Δημάδης 3; Diod. 16.87.1.

[72] Die Nachricht von einer Kontroverse zwischen Demades und Demosthenes in der olynthischen Frage (Suda s. v. Δημάδης 4 f.), einziges Zeugnis für ein öffentliches Auftreten des Demades vor Chaironeia, ist zweifelhaft (vgl. Sauppe II 316, Schäfer III 22).
Ein zeitweiliger politischer Konsens zwischen den beiden Rednern, den Schäfer III

neter Mann.[73] Nach der Niederlage von der militärischen Überlegenheit Philipps überzeugt, sah er die Möglichkeiten Athens nur in einer Annäherung an Makedonien.[74]

In Demosthenes'[75] Abwesenheit sandten die Athener eine Friedensdelegation zu Philipp, die sich aus Phokion, Demades und Aischines zusammensetzte.[76] Mit einem großzügigen Empfang[77] dokumentierte der Makedonenkönig das Entgegenkommen, das er bei den anstehenden Verhandlungen zu zeigen gewillt war. Er gewährte Friedensbedingungen, welche Athen nach der propagandistischen Zuspitzung, die die makedonisch-athenische Auseinandersetzung durch Demosthenes erfahren hatte, nicht hatte erhoffen können.[78]

---

22 f. nach einer Anekdote Plutarchs (Dem. 8.7) in die vierziger Jahre datiert, ist nur in der Zeit nach 335 wahrscheinlich (s. u. S. 143 Anm. 31).
Zur Biographie des Demades vgl. Schäfer III 20 ff., Berve II 131 ff., Blass III.2 267 ff., P. Treves, Demade, Athenäum 11, 1933, S. 105–121, Vittorio de Falco, Demade oratore, Testimonianze e frammenti (cit. Falco), Collana di Studi Greci XXV, 2. Aufl., Neapel 1954, S. 89–101, Max Dieckhoff, Zwei Friedensreden, Altertum 15, 1969, S. 78 ff.

[73] Daß Philipp dies auch materiell honoriert hat (Dein. 1.104, Suda s. v. Δημάδης 3 f.), ist einer der üblichen Vorwürfe in den Auseinandersetzungen der attischen Redner.

[74] In den wohl meist fiktiven Apophthegmata (Sauppe II S. 315–318, Falco S. 19 ff., H. Diels, Demadeia, RhM 29, 1874, S. 107 ff.) wurde der darin zum Ausdruck kommende politische Pragmatismus oft zu Zynismus verzerrt: ὁ αὐτὸς ἐρωτώμενος ὑπό τινος τί εἴη πεποιηκὼς τὰ ἐκ Μακεδονίας χρήματα, διαβαλλόμενος καὶ ἐπιδείξας τήν τε κοιλίαν καὶ τὰ αἰδοῖα· 'τί ἂν τούτοις ἱκανὸν γένοιτο;' (Diels VII, Falco 40 frg. 71).

[75] Wie die zurückhaltende Diktion des Epitaphios zeigt (s. u. S. 21 f.), akzeptierte auch Demosthenes den Frieden. Die Beendigung des Kriegszustandes und die Zusicherung der Nichteinmischung ermöglichten ihm die Rückkehr von der Gesandtschaftsreise.

[76] Aischin. 3.227, Demosth. 18.282, 284, 287, Lykurg. 14 frg. 18 (Burtt), Ps.-Demad. ὑπ. τ. δωδ. 9, Nep. Phoc. 1.

[77] Theopomp FGH 115 frg. 236, Plut. mor. 715 C. Auch hier ist Theopomp bemüht, den ausschweifenden Lebenswandel Philipps in den Vordergrund zu stellen.

[78] Aischin. 3.159. Demosthenes bezeichnet in seiner Replik diese φιλανθρωπία Philipps als Finte (Demosth. 18.231). Zur Beurteilung des Friedensvertrages im Altertum vgl. Polyb. 5.10, 9.28, 18.14, Plut. Dem. 22.4, Ps.-Demosth. epist. 3.11 (Zur intensiv geführten Diskussion um die Authentizität der Demosthenesbriefe s. die Zusammenfassung bei D. F. Jackson/O. W. Rowe, Demosthenes 1915–1965 (cit. Jackson/Rowe), Lustrum 14, 1969, S. 79–81. Richtunggebend m. E. der Versuch von P. Treves (Apocrifi Demostenici, Athenaeum 14, 1936, S. 153 ff., 233 ff. und Epimetron arpalico-demostenico, a. a. O., S. 258 ff.), die Briefe als Produkte postumer Rechtfertigung Demosthenes' (und Lykurgs) auszuweisen.
Das Bild, das im 3. Brief vom Staatsmann Lykurg gezeichnet wird, scheint erst unter Demetrios Poliorketes entstanden zu sein (s. u. S. 98 ff. zum Dekret des Stratokles) und war im 3. Jahrhundert in Athen vorherrschend. (Zu Lebzeiten hatte sich Lykurg nach seinem Ausscheiden aus der Staatsverwaltung gegen zahlreiche Anklagen zu verteidigen (Ps.-Plut. mor. 842 F) und noch kurz nach seinem Tode wurden seine Söhne zur Rechenschaft gezogen und den ἐπιμεληταὶ τῶν κακούργων übergeben. Ps.-Plut. mor. 842 E).

Außer der durch die Niederlage faktisch schon vollzogenen Auflösung des See-bundes[79] hatte die Stadt nur den Verlust der thrakischen Chersonesos zu bekla-gen.[80] Unangetastet blieben andere externe Besitzungen wie Samos,[81] Lemnos, Imbros und Skyros,[82] ebenso das Protektorat über Delos.[83] In Oropos, Objekt jahrzehntelangen Streits mit Theben,[84] erhielten die Athener eine Entschädigung für die territorialen Einbußen auf der Chersonesos.[85] Zusätzlich wurden die Gefan-genen freigelassen und Alexander sowie Antipater zur Überführung der Gefallenen nach Athen delegiert.[86]

Die Ekklesia nahm ohne interne Kontroversen den Frieden an.[87] Auf Antrag des Demades[88] wurde mit Philipp eine φιλία καὶ συμμαχία geschlossen.[89] Sowohl Anti-pater als auch der Makedonenkönig wurden mit der Verleihung des Bürgerrechts geehrt.[90]

In der Behandlung Thebens hatte sich der Makedonenkönig nicht kompromiß-

---

Im 2. Brief (περὶ τῆς ἰδίας καθόδου) setzt m. E. die Erwähnung des Poseidonheilig-tums von Kalaureia (20), in dem Demosthenes kurz nach der Rückkehr aus der Verban-nung Selbstmord beging, die Kenntnis der Umstände seines Todes voraus.

[79] Paus. 1.25.3; vgl. Aischin. 3.154, Demosth. 18.197.
[80] s. Schäfer III 28 Anm. 2, Wüst 168 Anm. 11.
[81] Diod. 18.56.7, Plut. Alex. 28.2.
[82] Noch nach 330 wurden attische Beamte auf diese Inseln delegiert. Aristot. Ath. pol. 61.6 und 62.2.
[83] Vgl. IG II/III² 1652.
[84] Vgl. Schäfer I, II passim.
[85] Paus. 1.34.1, Ps.-Demad. ὑπ. τ. δωδ. 9, Schol. zu Demosth. 18.99, S. 259. 10, Lib. IV S. 299,12; vgl. auch Hyp. 3: Ὑπὲρ Εὐξενίππου εἰσαγγελίας ἀπολογία πρὸς Πολύευκτον.
[86] Diod. 16.87.3, Polyb. 5.10, Ps.-Plut. mor. 177 EF, Just. 9.4.5. Ps.-Plut. mor. 849 A schreibt Philipps Maßnahmen der einschüchternden Wirkung des Antrags des Hyperei-des (s. o. S. 10) zu.
[87] Plut. Phok. 16. 4 f.
[88] Demosth. 18.285.
[89] Diod. 16.87.3, Just. 9.4.5, Zum Friedensschluß vgl. Schmitt, Staatsverträge III, S. 1–3, Frolov 440 f., C. Roebuck, The Settlements of Philip II with the Greek States in 338 B.C. (cit. Roebuck), CPh 43, 1948 bes. S. 80–82, F. Hampl, Die griechischen Staats-verträge des 4. Jahrhunderts v. Chr. Geb. (cit. Hampl), Leipzig 1938, S. 53, Wüst 168, Geyer, Philippos 229 f., Beloch, Gr. Gesch. III.1 571–573, A. W. Pickard-Cambridge CAH VI 264 f., Schäfer III 26–29, U. Wilcken, Griechische Geschichte, 7. Aufl. Mün-chen 1951, S. 232, P. Cloché, Les quatre dernières années du règne de Philippe II, roi de Macédoine (automne 340-été 336) (cit. Chloché), Annales littèraires de l'Univ. de Be-sançon 8, 1953, S. 61 f., A. Momigliano, Filippo il Macedone (cit. Momigliano), Florenz 1934, S. 162.
Ohne wesentliche inhaltliche Argumente bestreitet Roebuck 81 (vgl. W. Schwahn, Heeresmatrikel und Landfriede Philipps von Makedonien (cit. Schwahn, Heeresmatri-kel), Klio Beiheft 21, 1930, S. 36) die Existenz eines Bündnisses. Der Hinweis auf die Un-genauigkeit Diodors (16.87.3) entkräftet Hampl 53 nicht.
[90] Plut. Dem. 22, Aristeid. Panath. 178.16, Hyp. 19 frg. 77 (Burtt). Zur Ehrung für Alkimachos s. u. S. 26 f. Anm. 174.

bereit gezeigt.[91] Vor Einleitung der Verhandlungen mit Athen demonstrierte er noch einmal Entschlossenheit und Stärke. Seine boiotischen Gegner, die 339 für den Anschluß an Athen gestimmt hatten, ließ er hinrichten bzw. in die Verbannung schicken.[92] Die Kadmeia wurde mit einer Besatzung belegt[93] und aus den bisherigen Verbannten, deren Rückkehr der König ermöglichte, eine oligarchische Regierung der 300 gebildet.[94] Der Boiotische Bund blieb bestehen,[95] doch wurde mit dem geplanten Wiederaufbau der von den Thebanern zerstörten Städte Orchomenos und Plataiai[96] ein Gegengewicht zu Thebens früherer hegemonialer Stellung geschaffen. Die Wiedererneuerung des Phokischen Bundes sicherte vollends das Kräftegleichgewicht in Mittelgriechenland.[97]

Die Maßnahmen des Königs gegen seine bedeutendsten Gegner Athen und Theben waren, abgesehen von der gegenüber Theben erzwungenen Auslösung der Toten,[98] allerdings in keiner Weise von spontanem Rachebedürfnis bestimmt. Die unterschiedliche Verfahrensweise, besonders die nach langjährigem Streit zwischen Thebanern und Athenern auf beiden Seiten mit vielen Emotionen belastete Rückgabe von Oropos, sollte die Verbündeten endgültig entzweien.[99] Mit der Ausschaltung Thebens als führende griechische Landmacht wurde der in der Vergangenheit stets bedrohte Aufmarschweg nach Mittelgriechenland und in die Peloponnes gesichert.

Im Falle Athens verbot sich der Versuch einer Eroberung. Zumindest ein schneller Erfolg mußte stark in Zweifel gezogen werden.[100] Zudem bedurfte Philipp,

---

[91] Persönliche, aus seinem Aufenthalt als Geisel in Theben (Aischin. 2.27 ff., Plut. Pelop. 27) herrührende Motive widersprechen dem sonstigen, nur von rationalen Momenten bestimmten Vorgehen.

[92] Just. 9.4.7. Ps.-Demad. ὑπ. τ. δωδ. 17 erwähnt thebanische Exilierte in Athen.

[93] Diod. 16.87.3 Lib. Hyp. II1 zu Demosth. 18, Paus. 9.1.8, 9.6.5. Wüst setzt diese Maßnahme in Zusammenhang mit dem Korinthischen Bund (Wüst 169; dagegen Roebuck 80 Anm. 44).

[94] Just. 9.4.8.

[95] Aus Arr. 1.7.11 schließt Bengtson 325 Anm. 2 auf den Fortbestand des Boiotischen Bundes. Die Leitung übernahm nun vermutlich Orchomenos. Ausführlich Busolt/ Swoboda 1431 Anm. 4.

[96] Paus. 9.1.8, 4.27.10, 9.37.8 Busolt/Swoboda 1431.

[97] Zu Philipps Vorgehen vgl. Frolov 438 f., Wüst 169, Roebuck 79 f., Bengtson 325, A. W. Pickard-Cambridge CAH VI 264, Schäfer III 18 ff.

[98] Just. 9.4.6.

[99] Das getrübte Verhältnis zwischen Athen und Theben, zu dem sicherlich auch die Aufnahme der von der Regierung der 300 und von Philipp Verbannten beitrug (vgl. Ps.-Demad. ὑπ. τ. δωδ. 17), spiegelt sich im Epitaphios des Demosthenes wider. Demosth. 60.22. εἰ δ' ἄρ' ἔστι τις ἀνθρώπων ὅτῳ περὶ τούτων ἐγκαλέσαι προσήκει, τοῖς ἐπὶ τούτῳ ταχθεῖσιν Θηβαίων, οὐχὶ τοῖς πολλοῖς οὔτ' ἐκείνων οὔθ' ἡμῶν ἐγκαλέσειεν ἄν τις εἰκότως·

[100] Den waffentechnischen Errungenschaften auf dem Gebiet der Poliorketik, über die Philipps Heer zweifelsohne verfügte (vgl. E. Schramm bei J. Kromayer und G. Veith,

wollte er die wohl schon seit der Niederlage vor Perinth beabsichtigte Expansion nach Kleinasien realisieren,[101] der Einigung mit der Stadt, gegebenenfalls auch der Unterstützung der attischen Flotte. Eine ausschließlich auf Waffengewalt begründete Suprematie hätte zu viele makedonische Kräfte an Griechenland binden müssen. Nicht auszuschließen ist auch, daß Philipp bereits im August 338, also nur kurze Zeit vor dem Kongreß von Korinth, an eine Motivierung seines Vorstoßes als panhellenischen Rachekrieg für die von Xerxes begangene Zerstörung der heiligen Stätten Griechenlands dachte.[102] In diesem Fall hätte eine Vernichtung Athens, der kulturellen Metropole des Mittelmeerraumes, seine eigenen Vorstellungen ad absurdum geführt.[103]

Heerwesen und Kriegführung der Griechen und Römer (cit. Kromayer/Veith), Handbuch d. Altertumswissenschaft IV 3.2, 1928, S. 216, F. E. Adcock, The Greek and Macedonian Art of War, Berkeley/Los Angeles 1957, S. 58 f. und vor allem E. W. Marsden, Macedonian Military Machinery and its Designers under Philip and Alexander, Ancient Macedonia II, 1977, S. 211 ff.), standen nicht nur die vor allem seit dem Fall Olynths ständig verbesserten und ausgebauten Befestigungsanlagen (Travlos 158, W. Judeich, Topographie von Athen (cit. Judeich, Topographie), München 2. Aufl. 1931, S. 86, C. Wachsmuth, Die Stadt Athen im Alterthum I (cit. Wachsmuth), Leipzig 1874, S. 593 ff.), sondern vor allem die athenische Seehegemonie gegenüber, die die Versorgung der Stadt ohne Schwierigkeiten sichern konnte.

Eine längere Belagerung hätte die geplante Neuordnung in Griechenland verzögert sowie Disziplinschwierigkeiten, wie sie vor Byzanz auftraten (vgl. die Begründung des Skythenfeldzuges u. a. bei Wüst 145 und Geyer, Philippos 2291), provoziert.

[101] Der Großkönig ließ damals durch seine Satrapen (Pausanias 1.29.10 erwähnt Arsites) das belagerte Perinth mit Söldnern und Waffen unterstützen (Arr. 2.14.5, Diod. 16.75.1 ff., Paus. a. a. O.) und demonstrierte Philipp die persische Entschlossenheit, einer weiteren makedonischen Expansion und einer Gefährdung der kleinasiatischen Propontisküste zu begegnen. (Vgl. Geyer, Philippos 2299, W. Judeich, Kleinasiatische Studien. Untersuchungen zur griechisch-persischen Geschichte des 4. Jahrhunderts v. Chr. (cit. Judeich, Kleinasiatische Studien), Marburg 1892, S. 302).

Die Andeutungen, die Demosthenes in seiner vierten Philippika macht (10.32), lassen, so W. Jaeger, Aristoteles. Grundlegung einer Geschichte seiner Entwicklung (cit. Jaeger, Aristoteles), 2. Aufl. Berlin 1955, S. 120, in Verbindung mit dem Didymoskommentar (dazu E. Macher, Die Hermiasepisode im Demostheneskommentar des Didymos, Progr. Lundenburg 1914) vermuten, daß Philipp bereits 342/1 mit Hermias von Atarneus trotz eines Vertrages mit dem Großkönig (Arr. 2.14.2) ein Abkommen zur Vorbereitung einer Invasion in Kleinasien geschlossen hatte. Zur Datierung der Gefangennahme des Hermias durch Mentor von Rhodos als terminus ante quem des Abkommens, vgl. P. von der Mühll, RE Suppl. III 1918, S. 1129.

[102] Nach Diodor artikulierte Philipp den Gedanken eines Rachefeldzuges bereits vor den Sitzungen in Korinth. 16.89.2. διαδοὺς δὲ λόγον ὅτι βούλεται πρὸς Πέρσας ὑπὲρ τῶν Ἑλλήνων πόλεμον ἄρασθαι καὶ λαβεῖν παρ' αὐτῶν δίκας ὑπὲρ τῆς εἰς τὰ ἱερὰ γενομένης παρανομίας ἰδίους τοὺς Ἕλληνας ταῖς εὐνοίαις ἐποιήσατο.

G. Dobesch, Alexander der Große und der Korinthische Bund (cit. Dobesch), Grazer Beiträge 3, 1975, S. 75 u. 78 setzt den Plan des Rachefeldzuges in die Zeit nach der 1. Sitzung.

[103] Vgl. das Apophthegma Philipps bei Plut. mor. 178 A: Τοὺς δὲ συμβουλεύοντας

4. Der Kongreß von Korinth

Vor dem Abschluß der κοινὴ εἰρήνη im Winter 338 traf Philipp auch auf der Peloponnes Maßnahmen zur Stabilisierung seiner Herrschaft.[104] Korinth,[105] der strategisch wichtige Zugang zur Halbinsel, erhielt, ebenso wie Theben und Chalkis,[106] eine Besatzung,[107] in Megara und Troizen wurde der makedonische Einfluß durch einen Regierungswechsel zugunsten der Promakedonen garantiert.[108] Argos, Messene und Arkadien, Staaten, in denen Philipp durch ihm ergebene Politiker bereits vor Chaironeia präsent war,[109] und die sich in der Auseinandersetzung mit dem Hellenischen Bund deshalb neutral verhalten hatten,[110] kam der Makedonenkönig mit territorialen Schenkungen entgegen. Leidtragender war Sparta, das durch die zwangsweise Abtretung u. a. der Kynuria, der Skiritis und der Dentheliatis an diese Staaten auf sein ursprüngliches Gebiet reduziert wurde.[111] Im übrigen gab sich Philipp damit zufrieden und verzichtete auf eine völlige Vernichtung Spartas, nicht zuletzt wohl, um das Kräftegleichgewicht in der Peloponnes, das auf der Rivalität

---

αὐτῷ πικρῶς χρῆσθαι τοῖς Ἀθηναίοις ἀτόπους ἔλεγεν εἶναι κελεύοντας ἄνθρωπον ὑπὲρ δόξης πάντα ποιοῦντα καὶ πάσχοντα ἀποβαλεῖν τὸ τῆς δόξης θέατρον.

[104] Vgl. Arr. 7.9.5.

[105] Vgl. Plut. mor. 221 F.

[106] Zu Chalkis s. Polyb. 38.1.

[107] Plut. Arat. 23, Polyb. 38.3.3.

[108] Athens Bitte um Hilfe nach der Schlacht von Chaironeia (Lykurg. Leokr. 42) war von Troizen vermutlich positiv beschieden worden. Nach Philipps Vormarsch in die Peloponnes kam jedoch mit Hilfe des Promakedonen Mnesias von Argos (vgl. Demosth. 18.295) der frühere Athener Metoike Athenogenes an die Macht. Die Athener nahmen die von ihm vertriebenen antimakedonisch gesinnten Bürger auf und verliehen ihnen das Bürgerrecht (zu den Ereignissen Hyp. 3.29ff.; vgl. Roebuck 83). Philipp respektierte die Ehrung seiner Gegner und griff nicht in die innenpolitischen Verhältnisse Athens ein.
Athenogenes hielt sich in den zwanziger Jahren wieder in Athen auf (zur Datierung der Hypereidesrede gegen ihn s. Passus 32). Die Aufnahme eines Mannes, der mit Unterstützung des Philippfreundes Mnesias zur Regierung gekommen war und der die für die Einhaltung des Bündnisses mit Athen eintretenden Bürger vertrieben hatte (Hyp. 3.31 ὃς (Athenogenes) οὕτω πονηρός ἐστι καὶ πανταχοῦ ὅμοιος ὥστε καὶ εἰς Τροιζῆνα ἐλθὼν καὶ ποιησαμένων αὐτὸν Τροιζηνίων πολίτην, ... ἐξέβαλεν τοὺς πολίτας ἐκ τῆς [πόλ]εως, ὡς ὑμῖν αὐτοὶ μαρτυρήσουσιν· ἐνθάδε γὰρ φεύγουσιν.), mag eine Konzession der Stadt an Alexander gewesen sein.

[109] Vgl. Polyb. 18.14.

[110] Schäfer II 488. Zumindest im Falle Messeniens scheint die Neutralität auf eine diplomatische Intervention des Demosthenes zurückzuführen zu sein (vgl. Ps.-Plut. mor. 851 B).
Offenbar war man sich eines Erfolges des Makedonenkönigs nicht hinreichend sicher. Eine Begründung der Neutralität bei Paus. 4.28.2.

[111] Zu den Gebietsveränderungen s. Polyb. 9.28. 5–7, 18.14.7, Liv. 38.34, Strab. 8.5.5. Vgl. Wüst 173f., Beloch, Gr. Gesch. III.1 574f., Geyer, Philippos 2296, Schäfer III 46ff., Roebuck 84ff., Momigliano 162f. P. Treves, Demostene e la libertà Greca (cit. Treves), Bari 1933, S. 33ff.

zwischen Sparta und seinen Nachbarn basierte, nicht zu zerstören.[112] Im Spätherbst 338,[113] als die makedonische Hegemonie durch φυλακαί bzw. promakedonische Regierungen institutionalisiert war, rief Philipp die griechischen Poleis zu einem panhellenischen Kongreß nach Korinth. Mit Ausnahme von Sparta[114] leisteten alle Staaten der Einladung Folge.

In Athen hatte man sich bereits nach Abschluß der Verhandlungen mit Philipp über den Separatfrieden zu einer Teilnahme entschlossen. Demades brachte den Antrag ein, ὅπως ἡ πόλις μετέχοι τῆς κοινῆς εἰρήνης καὶ τοῦ συνεδρίου τοῖς Ἕλλησιν.[115] Lediglich Phokion riet zu einer abwartenden Haltung.[116] Die Ekklesia beschloß jedoch, noch beeindruckt von den günstigen Friedensbedingungen, dem Vorschlag des Demades zu folgen.[117] Auf der ersten, der sogenannten konstituierenden Sitzung des Kongresses, wurde ein allgemeiner Friede, eine κοινὴ εἰρήνη proklamiert.[118] Die einzelnen Bestimmungen des Vertrages garantierten die äußere

---

[112] Frolov 441, Beloch, Gr. Gesch. III.1 574.

[113] Eine genauere Datierung muß von der Fixierung des Zeitpunktes der Schlacht von Chaironeia ausgehen. Vgl. U. Wilchen, Beiträge zur Geschichte des Korinthischen Bundes (cit. Wilcken, Kor. Bund) SBM 1917, 10. Abh., S. 21 ff. Für den 2. August als Datum des Kampfes (s. o. S. 7 Anm. 32) plädieren u. a. Bengtson 324, Ellis 294 Anm. 71 und S. Lauffer, Alexander der Große (cit. Lauffer), München 1978, S. 32.

[114] Just. 9.5.3 und 12.1.7.

[115] Plut. Phok. 16.5.
Mit der vermutlich dem Friedensvertrag beigefügten Klausel ἐὰν δὲ βούλωνται οἱ Ἀθηναῖοι – μετέχειν, ἐξεῖναι αὐτοῖς (Ergänzung Schäfers (III 29 Anm. 3) nach Ps.-Demosth. 17.30; vgl. U. Wilcken, Philipp II. von Makedonien und die panhellenische Idee (cit. Wilcken, Philipp II.), SBB 18, 1929, S. 299, Roebuck 81 Anm. 57) respektierte Philipp das Entscheidungsrecht der Poleis.

[116] (Phokion) οὐκ εἴα πρὸ τοῦ γνῶναι, τίνα Φίλιππος αὐτῷ γενέσθαι παρὰ τῶν Ἑλλήνων ἀξιώσει. Plut. a. a. O.
Phokions Einwände befremden. Die Verträge von Korinth, die sicher schon bei den Unterhandlungen über den Separatfrieden zur Sprache gekommen waren, festigten die innere Lage der Poleis und damit die Stellung der βέλτιστοι, die Phokions Wahl zum Strategen durchgesetzt hatten (vgl. Kaerst 208, Frolov 445, G. Wirth, Alexander der Große (cit. Wirth), Reinbek 1973, S. 81). Gehrke 65 schränkt ein, daß es Phokion nicht um die Substanz der Politik, sondern lediglich um Modalitäten ging.
Vermutlich hat Plutarch hier, um Phokions politische Weitsicht zu demonstrieren, ex eventu, d. h. aus Kenntnis des späteren Unmuts der Athener über die Abstellung von Truppen und Schiffskontingenten interpretiert (vgl. Phok. 16.6 κρατηθεὶς δὲ τῇ γνώμῃ διὰ τὸν καιρόν, ὡς εὐθὺς ἑώρα τοὺς Ἀθηναίους μεταμελομένους, ὅτι καὶ τριήρεις ἔδει παρέχειν τῷ Φιλίππῳ καὶ ἱππεῖς, „ταῦτα," ἔφη, „φοβούμενος ἠναντιούμην …")

[117] Plut. Phok. 16.6.

[118] Eine Zusammenfassung der Quellen und der wichtigsten Sekundärliteratur bei Schmitt, Staatsverträge III S. 3 ff. Daß die κοινὴ εἰρήνη noch durch ein zweites Abkommen, eine Symmachie, ergänzt wurde (F. Schehl, Zum Korinthischen Bund vom Jahre 338/37 v. Chr., JÖAI 27, 1932, S. 115 ff., vgl. Bengtson 327), ist quellenmäßig nicht zu belegen und wurde deshalb von Hampl 47 ff., A. Heuß, Antigonos Monophthalmos und die griechischen Städte (cit. Heuß), Hermes 73, 1938, S. 171 ff. sowie T. T. B. Ryder,

und innere Integrität der Teilnehmerstaaten: Angriffe auf Städte des Bundes waren untersagt,[119] innenpolitisch die Verfassungen durch das Verbot von Hinrichtungen, Verbannungen und Vermögenseinziehungen παρὰ τοὺς κειμένους ταῖς πόλεσι νόμους geschützt.[120] Verletzungen der Bestimmungen sollten geahndet werden.[121] Die Sitze im beschlußfassenden Gremium, dem Synhedrion, wurden nach der militärischen Leistungsfähigkeit, d. h. nach der Größe des zu stellenden Truppenkontingentes vergeben.[122] Philipp wurde zum Hegemon des Bundes gewählt. Der Beschluß eines als Rachekrieg apostrophierten Feldzuges gegen die Perser wurde auf einer zweiten Sitzung im Frühjahr gefaßt.[123]

Die Bereitwilligkeit, mit der Athen im Anschluß an den Separatfrieden seine Delegation nach Korinth entsandt hatte, ließ erkennen, daß man grundsätzlich gewillt war, die Verträge von Korinth zu ratifizieren. An der von Philipp festgesetzten Sollstärke der einzelnen Truppenkontingente, die jede Polis für das Bundesheer zu stellen hatte und die, geht man von den Zahlen aus, die Justin für das Gesamtheer überliefert,[124] für Athen als eine der führenden Mächte Griechenlands sehr hoch gewesen sein muß, entzündete sich dann jedoch heftige Kritik.[125] Auch wenn dieser verbale Unmut keine Konsequenzen nach sich zog, manifestiert sich in ihm doch, ungefähr zur Zeit der Wahl des Demosthenes zum Sprecher der Totenrede,[126] nach einer Periode abwartender und passiver Haltung die Reaktivierung einer breiteren antimakedonischen Opposition.[127]

Koine Eirene. General Peace and Local Independence in Ancient Greece (cit. Ryder), Oxford 1965, S. 151 ff. mit Recht bestritten.

[119] Ps.-Demosth. 17.5 ff.

[120] A. a. O. 15.

[121] A. a. O. 6, 10, 16, 19, IG II² 236 a Z. 17 ff.

[122] Schwahn, Heeresmatrikel 4 ff.

[123] Wilcken, Philipp II 309 f., Hampl 44. Daß Philipp hierfür den mit zusätzlichen Befugnissen verbundenen Titel στρατηγὸς αὐτοκράτωρ erhielt, wird von M. Scheele, Στρατηγὸς αὐτοκράτωρ. Staatsrechtliche Studien zur griechischen Geschichte des 5. und 4. Jahrhunderts, Diss. Leipzig 1932, S. 12 ff. zu Unrecht bezweifelt. Gegen die daraus abgeleiteten Bedenken an der Abhaltung einer zweiten Sitzung des Bundes bereits Hampl 44 Anm. 3.

[124] 9.5.6: 200 000 Fußsoldaten, 15 000 Reiter. An einen Einsatz der Truppen in dieser von Justin genannten Stärke kann Philipp nicht gedacht haben. Alexanders Bundesheer blieb später nicht zuletzt aufgrund des mangelnden Engagements der Griechen weit hinter diesen Zahlen zurück. § 11, S. 49 ff.

[125] Plut. Phok. 16.5 ff. s. o. S. 18 Anm. 116.

[126] Die Stärke des Bundesheeres wurde auf der 1. Sitzung festgelegt. Kurz danach fand in Athen die alljährliche Totenfeier statt (Schäfer III 34).

[127] Auch wenn keine „Säuberung" in der antimakedonischen Partei stattfand (Roebuck 81), so kann man doch auch nicht von einer Kontinuität antimakedonischer Aktivitäten (vgl. Momigliano 162) sprechen.

5. Die Stellung des Demosthenes und der Antimakedonen
im Winter 338/7

Nach dem raschen Friedensschluß zwischen Philipp und Athen war Demosthenes ca. Ende September/Anfang Oktober 338 von seiner Gesandtschaftsreise nach Athen zurückgekehrt.[128] Philipp hatte bewußt darauf verzichtet, seine für Athen überraschend großzügigen Friedensbedingungen von der Realisierung von Sanktionen gegen seine attischen Gegner abhängig zu machen. Er vertraute darauf, daß die selbst von Feinden nicht bestrittene φιλανθρωπία[129] Demosthenes' Warnungen vor seiner πανουργία[130] als Greuelpropaganda entlarven und der antimakedonischen Partei langfristig die u.a. auf Furcht[131] und Unkenntnis[132] beruhende Vertrauensbasis im Volk entziehen mußte.

Demosthenes hielt sich anfänglich zurück und vermied es, direkt in das politische Tagesgeschehen einzugreifen.[133] Die Promakedonen versuchten nun, seine Rückkehr zur politischen Bühne endgültig zu vereiteln. In der Hoffnung, Demosthenes habe, nachdem seine Politik mit der Niederlage von Chaironeia gescheitert war, an Glaubwürdigkeit und Ansehen verloren, brachten seine Gegner εἰσαγγελίαι gegen ihn ein.[134] Die Klagen blieben jedoch erfolglos, mehr noch, die Antragsteller erhielten, will man den Angaben des Redners Glauben schenken, nicht einmal den zur Vermeidung der Atimie bzw. einer Geldstrafe nötigen Stimmenanteil.[135] Ein solcher

---

[128] Aischin. 3.159 καταγαγούσης δ'αὐτὸν εἰς τὴν πόλιν τῆς ἀπροσδοκήτου σωτηρίας … Mit dem Terminus ἀπροσδόκητος σωτηρία kann Aischines in Bezug auf die Situation von 338 nur auf den Separatfrieden mit dem Makedonenkönig angespielt haben. Seine Ratifizierung durch die Ekklesia fiel vermutlich in den September, d.h. die Zeit zwischen Philipps Maßnahmen gegen Theben und seinem Zug in die Peloponnes.

[129] Vgl. dazu Ps.-Demosth. epist. 3.11 f. Zur Echtheit des Briefes s.o. S. 13 f. Anm. 78.

[130] Vgl. die erste olynthische Rede (1.3) aus dem Jahre 348.

[131] Nach Demosthenes (vgl. 8.60) ist Philipps Ziel nicht die Unterwerfung, sondern die Vernichtung Athens. Gehalten wurde die Chersonesrede (8) 342/1. Sie diente wie kurz darauf die 3. Philippika der Vorbereitung des Kampfes mit Philipp. Da sich die propagandistische Auseinandersetzung mit der Person des Makedonenkönigs bis zur Entscheidung von Chaironeia noch zuspitzte, ist nicht anzunehmen, daß Demosthenes in den folgenden Jahren seine Aussagen über die Absichten seines Gegners abschwächte.

[132] Vgl. dazu das Bild, das Demosthenes und sein Zeitgenosse Theopomp von den Zuständen an Philipps Hof entwerfen. Demosth. 2.18 f., Theopomp u.a. frg. 81 und 236 (FGH 115).

[133] Aischin. 3.159. Demosthenes widerspricht in seiner Antwortrede dieser Behauptung des Aischines nicht.

[134] Demosth. 18.249 f., Ps.-Demosth. 25.36 f., Plut. Dem. 21.1 f. Aus inhaltlichen Gründen kann es sich nur um die εἰσαγγελία ἐπὶ δημοσίοις ἀδικήμασι μεγίστοις gehandelt haben. Über sie hatte die Ekklesia selbst zu befinden (Busolt/Swoboda 1007).

[135] Ein Fünftel der Stimmen. Vgl. Demosth. 18.250.

Vertrauensbeweis ermöglichte im Spätherbst 338 Demosthenes erst die Kandidatur für die Grabrede. In einer erneuten Auseinandersetzung mit den durch den eben geschlossenen Frieden exponierten Promakedonen Demades und Aischines sowie Hegemon vermochte er sich durchzusetzen.[136]

Die Wahl des Demosthenes implizierte kein Mandat für eine offensive antimakedonische Politik. Sie offenbarte vielmehr ein im Glauben an die große Vergangenheit und, damit verbunden, an die Führungsrolle Athens verharrendes Denken. Der Mehrzahl der Athener mußte es in so kurzer Zeit unmöglich sein, gerade am Grabe der Gefallenen die von Philipp geschaffenen Realitäten und damit die auch durch Heroismus nicht zu verklärende Sinnlosigkeit der gebrachten Opfer zu akzeptieren.[137] Demosthenes war sich dessen bewußt. In seinem Epitaphios[138] unternahm er eine Würdigung der athenischen Toten unter Vermeidung jeglicher Angriffe auf den Sieger Philipp, dessen Namen er nicht einmal erwähnte:[139] die Entscheidung

---

[136] Demosth. 18.265; vgl. Aischin. 3.152. Mit Hegemon trat ein bis dahin vermutlich wenig bekannter Politiker hervor (vgl. Berve II 166). Zur politischen Haltung Hegemons s. Harp. s. v. Ἡγήμων (εἷς ἦν τῶν μακεδονιζόντων); zu seiner Hinrichtung im Jahre 318 s. Plut. Phok. 35.4 f.

[137] Gerade die Angehörigen der Gefallenen brachten, glaubt man den Worten des Demosthenes, dem Redner besonderes Vertrauen entgegen. (Demosth. 18.288: καὶ οὐχ ὁ μὲν δῆμος οὗτος, οἱ δὲ τῶν τετελευτηκότων πατέρες καὶ ἀδελφοὶ οἱ ὑπὸ τοῦ δήμου τόθ' αἱρεθέντες ἐπὶ τὰς ταφὰς ἄλλως πως, ἀλλὰ δέον ποιεῖν αὐτοὺς τὸ περίδειπνον ὡς παρ' οἰκειοτάτῳ τῶν τετελευτηκότων, ὥσπερ τἄλλ' εἴωθε γίγνεσθαι, τοῦτ' ἐποίησαν παρ' ἐμοί.) So versuchte dieser in seinem Epitaphios der verlorenen Schlacht und den Opfern Sinn und Berechtigung zu geben, indem er es der Tapferkeit der Toten zuschrieb, daß Philipp es nicht wagte, die Grenzen Attikas zu überschreiten. Demosth. 60.20; vgl. M. Pohlenz, Zu den attischen Epitaphien (cit. Pohlenz), SO 26, 1948, S. 58. Wohl im Hinblick auf das Abkommen von Korinth und den Plan eines gemeinsamen Perserfeldzuges (s. H. Bellen, Der Rachegedanke in der griechisch-persischen Auseinandersetzung (cit. Bellen), Chiron 4, 1974, S. 59) widersprach Philipp einer solchen Argumentation nicht.

[138] Der demosthenische Epitaphios, der in der Antike (Dion. Hal. Dem. 23 und 44) und dann vor allem in der Forschung des 19. Jahrhunderts (vgl. dazu u. a. die Urteile von Schäfer III 36 und Blass III.1 404–406) keine Anerkennung fand, konnte erst im Jahre 1928 von J. Sykutris insbesondere aufgrund sprachlicher und stilistischer Kriterien überzeugend als echt erwiesen werden. J. Sykutris, Der demosthenische Epitaphios, Hermes 63, 1928, S. 241–258, hier 252 ff. Bestätigung fand die Authentizität durch weitere Forschungen u. a. von P. Maas, Zitate aus Demosthenes' Epitaphios bei Lykurgos, Hermes 63, 1928, S. 258–260, Wüst 175 f. und Pohlenz 49 ff. (Eine Zusammenfassung der Sekundärliteratur zu dieser Thematik bei Jackson/Rowe 72 ff.) Inhaltlich darf man vor allem in dem zurückhaltenden Ton der Rede, der nur aus der Situation von 338 verständlich ist (s. im folgenden), einen Beweis für die Echtheit sehen.

[139] 60.20 κύριος τῶν ἐναντίων 60.21 ὁ προεστηκώς und ὁ τῶν ἐναντίων ἡγεμών. Es ist nicht auszuschließen, daß dem eine wechselseitige Sprachregelung, eine Übereinkunft, propagandistische Übergriffe einzuschränken oder zu vermeiden, vorausging Persönliche Angriffe des Demosthenes auf den Makedonenkönig blieben bis zu dessen Tode aus (vgl. u. a. das Bild Alexanders in der Kranzrede s. u. S. 103 ff.)

fällt der δαίμων, die Sterblichen müssen sich der τύχη beugen.[140] Mit dieser Argumentation gab er auch Rechenschaft über seine politische Mitverantwortung an der
Niederlage und wies die ihm daraus erwachsenen Vorwürfe zurück, denn wenn der
δαίμων, der κύριος πάντων, Sieg und Niederlage zuteilt, so sind notwendigerweise
alle Menschen vom Vorwurf der κακία freizusprechen.[141] Im Widerspruch zu dieser Argumentation versuchte er, über das irrationale Moment hinausgehend, die
Ursachen der Niederlage auch im taktischen Fehlverhalten einzelner Kommandeu-
re[142] der Thebaner zu suchen.[143] Mit keinem Wort ließ er erkennen, daß nach seiner
Meinung die wahren Ursachen für Philipps Sieg in dessen skrupelloser Politik lagen.[144] Statt dessen bescheinigte er dem König sogar als ausschlaggebend für seinen
Erfolg ἐμπειρία und τόλμη.[145]

In dieser Haltung des Demosthenes, die Historiker und Philologen so unwahrscheinlich dünkte, daß sie u.a. damit die Unechtheit des Epitaphios begründeten,
Resignation[146] oder gar Schmeichelei sehen zu wollen, hieße jedoch, die politische
Situation des Redners und Athens außer acht lassen. Demosthenes' Worte sind bestimmt vom Zwang des Augenblicks, d.h. der Rücksichtnahme auf die eigene noch
nicht gefestigte Stellung, der Generosität des Philippschen Friedens und nicht zuletzt der Präsenz makedonischer Waffen.[147]

Gegen Lysikles, der zusammen mit Chares verantwortlicher Stratege in der
Schlacht von Chaironeia gewesen war,[148] wurde eine Eisangelie eingereicht. Auf
der Hauptversammlung der geschäftsführenden Prytanie wurde er dann durch
Apocheirotonie des Amtes enthoben[149] und auf die Anklage Lykurgs hin von der

---

[140] 60.19 und 60.21.
[141] ..., ἅπαντας ἀφεῖσθαι κακίας ἀνάγκη τοὺς λοιπούς, ἀνθρώπους γ'ὄντας. 60.21.
[142] Wenn Demosthenes hier (60.22) zwischen thebanischen Bürgern und ihren Füh-
rern unterscheidet, so nimmt er Rücksicht auf die in Athen anwesenden exilierten Boioter.
Pohlenz 59ff. vermutet aufgrund der Existenz einer 2.Fassung des Passus 22, in der
die Erwähnung der Thebaner vermieden wird, daß Demosthenes die bei der Totenfeier
gehaltene Rede (1.Fassung) für die für ganz Hellas bestimmte Buchausgabe umarbeitete
und „entschärfte". Daß Demosthenes auf die neue, von Philipp abhängige, thebanische
Regierung besondere Rücksicht nahm, ist jedoch wenig wahrscheinlich.
[143] 60.22. Vgl. zu dieser Argumentation im folgenden die Anklage gegen den Athener
Lysikles.
[144] Vgl. u.a. Demosth. 2.6ff., 18.61.
[145] Demosth. 60.21.
[146] Bengtson 320, Wüst 170. Bereits Mitte 337 war Demosthenes als τειχοποιός wie
auch als ὁ ἐπὶ τὸ θεωρικόν (s.u. S.23ff.) tätig, bewies also dem entgegen uneinge-
schränktes politisches Engagement.
[147] Vgl. Pohlenz 56f., 67f.
[148] Diod. 16.85.2. Weitere Daten zur Person und politischen Stellung des Lysikles sind
nicht überliefert.
[149] Zur Verfahrensweise durch die attischen Behörden vgl. Busolt/Swoboda 1006ff.

Volksversammlung[150] zum Tode verurteilt.[151] Diese Entscheidung war ein politischer Erfolg der Antimakedonen. Sie entlastete sie von der Verantwortung für die Niederlage von Chaironeia. Der Sieg Philipps wurde als punktuelles Versagen der militärischen Führung, nicht als Konsequenz einer jahrelangen verfehlten Politik erklärt.[152]

Die Wahl des Demosthenes für den Nekrolog auf die Gefallenen, insbesondere aber die Kontinuität in der Besetzung der politischen Ämter bestätigen, daß den Antimakedonen ein größerer Vertrauensverlust zunächst erspart blieb: sie behielten die leitenden Stellungen in der Staatsverwaltung, in die sie im Sommer vor Chaironeia gewählt worden waren.[153] Kallias von Bate, ein Schwager Lykurgs, war als ταμίας τῶν στρατιωτικῶν[154] tätig, Demosthenes als Verwalter des Theorikon,[155]

---

[150] Die Volksversammlung hatte auch die Möglichkeit, das Verfahren an ein Geschworenengericht zu verweisen.

[151] Diod. 16.88.1. Offenbar aufgrund seines Einflusses blieb Chares, der seit nahezu 30 Jahren periodisch das Strategenamt ausgeübt hatte (vgl. Prosop. Att. II 417ff.), von einer Anklage verschont. s. Beloch, Gr. Gesch. III.1 609.

[152] s. Lykurg frg. 75 (Burtt): Ἐστρατήγεις, ὦ Λυσίκλεις, καὶ χιλίων μὲν πολιτῶν τετελευτηκότων, δισχιλίων δ'αἰχμαλώτων γεγονότων, τροπαίου δὲ κατὰ τῆς πόλεως ἑστηκότος, τῆς δ'Ἑλλάδος ἁπάσης δουλευούσης, καὶ τούτων ἁπάντων γεγενημένων σοῦ ἡγουμένου καὶ στρατηγοῦντος, τολμᾷς ζῆν καὶ τὸ τοῦ ἡλίου φῶς ὁρᾶν καὶ εἰς τὴν ἀγορὰν ἐμβάλλειν, ὑπόμνημα γεγονὼς αἰσχύνης καὶ ὀνείδους τῇ πατρίδι.

[153] Fußend auf der Angabe des Aristoteles (Ath. pol. 41.1), daß die Amtszeit gewählter Beamter die Periode zwischen zwei Panathenaienfesten umfaßte, wird Lykurgs Amtsantritt als ὁ ἐπὶ τῇ διοικήσει (zu Demosthenes und Kallias s. u. Anm. 154 u. Anm. 155) allgemein für die Zeit der Großen Panathenaien 338 (also 28. Hekatombaion, Ol. 110.3) angenommen (Ps.-Plut. mor. 842Bf.). Vgl. dazu F. W. Mitchel, Lykourgan Athens 338–322 (cit. Mitchel, Lykourgan Athens), Cincinnati 1970, S. 28 und S. 12 Anm. 34, Andreades 219 Anm. 3, Schäfer I 212 Anm. 2, Beloch, Attische Politik 230, Busolt/Swoboda 1147, F. Dürrbach, L'Orateur Lycurgue (cit. Dürrbach), Paris 1890, S. 21ff., S. Markianos, A Note on the Administration of Lycurgus (cit. Markianos), GRBS 10, 1969, S. 325, Anm. 3.
G. Colin, Note sur l'administration financière de l'orateur Lycurgue, REA 30, 1928, S. 189–200) ergänzt das Fragment VII (VIII) col. 28, Z. 4 (Burtt) der Hypereidesrede 5 durch ἔτους (S. 191) und nimmt aufgrund dessen Ol. 110.4 als Datum des Amtsantritts an (S. 199), korrigiert es jedoch in einer späteren Hypereidesedition (Paris 1946) wieder auf 338/7 (S. 223; Ergänzung nun μῆνας S. 262). J. Buchanan, Theorika (cit. Buchanan), New York 1962, S. 75 ff. bleibt ohne Angabe neuer Gründe bei Colins erster Ergänzung ἔτους, die auch Dürrbach, Contre Léocrate, Paris 1932, S. XXIII akzeptiert.

[154] Ps.-Plut. mor. 842 F. Das Amt kann seit dem Jahr 344/3 nachgewiesen werden. Vgl. Busolt/Swoboda 925 Anm. 3. Dem Inhaber oblag die Kontrolle der Kriegskasse.

[155] Quellenmäßig ist Demosthenes' Amtszeit lediglich für Ol. 110.4 (Aischin. 3.24, Demosth. 18.113) bezeugt. Wir dürfen jedoch eine Wahl des Demosthenes als ὁ ἐπὶ τὸ θεωρικόν (nach Schwahn 2237 ist das Amt seit dem „Demadesfrieden" wieder einjährig) auch und gerade für den Sommer 338, der entscheidenden Phase der Auseinandersetzung mit Philipp, für wahrscheinlich halten. s. Mitchel, Lykourgan Athens 29 im Anschluß an Buchanan 72 Anm. 1.

und Lykurg bekleidete als ὁ ἐπὶ τῇ διοικήσει ein Amt, das sicherlich als Fortsetzung der Machtkonzentration, die Eubulos durch Erweiterung seiner Zuständigkeit auf sich vereinigt hatte, anzusehen ist.[156]

Nur Demosthenes war bei der Ausübung seiner Funktion Angriffen ausgesetzt.[157] Nach vorübergehender Zurückhaltung[158] übernahm er jedoch bereits im Juni 337 wieder größere Aufgaben: im Zuge einer allgemeinen Bautätigkeit am athenischen Mauerring, die nach den Notarbeiten im Chaironeiajahr 337 einsetzte, stellte er am 29. Thargelion den Antrag, die Phylen für den 2. und 3. Skirophorion einzuberufen, um aus jeder einzelnen Epimeleten und Tamiai für die anstehenden Arbeiten zu wählen.[159] Er selbst übernahm in der φυλὴ Πανδιονίς das Amt eines τειχοποιός.[160] Für seine Aufgabe – er war für Befestigungen im Piräusbereich zuständig[161] – er-

---

[156]   Seine erste urkundliche Erwähnung stammt aus dem Jahr 306/7 s. IG II² 463 Z. 36. ὁ ἐπὶ τῇ διοικήσει. Inhaber dieses Amtes war Habron, ein Sohn Lykurgs. Vgl. B. D. Meritt, Greek Inscriptions (cit. Meritt), Hesperia 29, 1960, S. 3 f., SEG 19.119, Buchanan 77; zur Datierung s. W. K. Pritchett, Greek Inscriptions, Hesperia 9, 1940, S. 108–111.
       Für die Lykurgische Zeit sind seine genaue Bezeichnung und seine Kompetenzen nicht mehr faßbar. In den literarischen Quellen wird die Funktion Lykurgs bei Hypereides mit ταχθεὶς ἐπὶ τῇ διοικήσει τῶν χρημάτων (frg. 118 (Burtt) nach Apsines τέχν. ῥήτ. IX 545), bei Ps.-Plutarch mit τῆς κοινῆς προσόδου ταμίας (mor. 852 B; Dekret des Stratokles) und πιστευσάμενος τὴν διοίκησιν τῶν χρημάτων (mor. 841 B) sowie bei Diodor mit τὰς προσόδους τῆς πόλεως διοικήσας (16.88.1) charakterisiert. Als zusätzliche Angabe geht aus einer zeitgenössischen Inschrift (Meritt S. 2–4) hervor, daß der Inhaber des Amtes – in diesem Fall Xenokles von Sphettos, der nominell Lykurgs Nachfolge in der Periode von 334–330 antrat (s. Mitchel, Lykourgan Athens 29, Markianos 331) – [τὰ ἐ]πὶ τῆι διοι[κήσει τῆς π]όλεως καλῶ[ς καὶ εὐσεβ]ῶς ἐμέρισε[ν ... (Ergänzungen durch Meritt (vgl. S. 3); spätere Korrektur auf κ[α]τ[ασταθεὶς δ’ἐ]πὶ τῆι διοι[κήσει ... vgl. Inschrift S. 2). Busolt 1147 sieht die Aufgaben des Redners in der Erschließung neuer und der Steigerung vorhandener Finanzquellen sowie der Beaufsichtigung der Ausgaben. U. a. besaß Lykurg ein Mitspracherecht bei der Verpachtung von Bergwerken. Der Frage, ob Lykurg als ταμίας τῆς (κοινῆς) διοικήσεως tätig war (Busolt/Swoboda 1147, Schwahn RE IV A, 2, 1932, 2106 f.) und das Amt des ὁ ἐπὶ τῇ διοικήσει erst im Anschluß an seine Erfolge in der Wirtschaftspolitik (so Schwahn a. a. O. 2007) eingeführt wurde, kommt hier keine inhaltliche Bedeutung zu. Hinweis auf eine Kooperation zwischen Lykurg und Demosthenes bei der Verwaltung ihrer Ämter, darüberhinaus wohl sogar eine freundschaftliche Beziehung könnte die allerdings nur mit Vorsicht zu wertende Nachricht über Demosthenes’ Eintreten für die inhaftierten Söhne Lykurgs sein (Ps.-Plut. mor. 842 E, Ps.-Demosth. epist. 3; zu den Demosthenes-Briefen vgl. o. S. 13 f. Anm. 78).
[157]   Vgl. o. S. 20.
[158]   Vgl. Aischin. 3.159, Plut. Dem. 21.3.
[159]   Aischin. 3.27, Lib. Hyp. I. 1 zu Demosth. 18, vgl. Schäfer III 80 f., Wachsmuth 596. Die Versammlungen wurden von den drei vorsitzenden Epimeleten der jeweiligen Phyle festgesetzt. Ort der sog. ἀγοραὶ waren die Heiligtümer der Eponymoi. (s. Busolt/Swoboda 974 f.)
[160]   Aischin. 3.31, Ps.-Plut. mor. 845 F und 851 A. Neben diesem außerordentlichen Amt übte Demosthenes zumindest ab Juli 337 die Funktion des ὁ ἐπὶ τὸ θεωρικόν aus (s. o. S. 23 Anm. 155).
[161]   Ps.-Plut. a. a. O., vgl. Demosth. 18.300.

hielt er ἐκ τῆς διοικήσεως nahezu zehn Talente.[162] Nimmt man annähernd die gleiche Summe auch für die restlichen Phylen an, und berücksichtigt man ergänzende freiwillige Spenden,[163] so belief sich die Gesamtinvestition auf über 100 Talente.

Die Arbeiten, deren Umfang und Dauer aufgrund mangelhafter literarischer und epigraphischer Zeugnisse nicht genau bestimmt werden können,[164] erstreckten sich auf Instandsetzungs- und Reparaturarbeiten mit Stein- und Ziegelmaterial, sowie partiell auf die Anlage von προτειχίσματα und Gräben.[165] Die Baumaßnahmen setzten im Juni 337 ein, d.h. nur kurz nach der Zusammenkunft einer athenischen Delegation mit Philipp bei der 2. Sitzung des Korinthischen Bundes im Frühjahr. Eine Absprache mit dem König in der wichtigen Frage der Befestigung Athens liegt somit nahe, zumal die projektierten Arbeiten ohne makedonischen Einspruch zu Ende geführt wurden.[166]

Ebenfalls im attischen Monat Thargelion wurde das sogenannte Akarnanendekret gefaßt.[167] Ihm zufolge wurden die Akarnanen Phormion und Karphinas geehrt, weil sie den Athenern in der Schlacht von Chaironeia zu Hilfe gekommen waren und zusammen mit ihnen gekämpft hatten.[168] Zugleich wurde ihren Landsleu-

---

[162] Aischin. 3.31, vgl. 3.23.

[163] Demosthenes' Verdienste beim Mauerbau sind nicht nur in der technischen Überwachung der Arbeiten, sondern auch in den von ihm geleisteten Spenden zu suchen. Den privaten Aufwendungen für die Bauarbeiten kam vor allem Beispielfunktion zu. Zur Höhe der demosthenischen Spende s. Aischin. 3.17, Ps.-Plut. mor. 845D: 100 Minen; Ehrendekret bei Demosth. 18.118, Ps.-Plut. mor. 851 A: 3 Talente; vgl. dazu L. Schläpfer, Untersuchungen zu den attischen Staatsurkunden und den Amphiktyonenbeschlüssen der Demosthenischen Kranzrede (cit. Schläpfer), Rhetorische Studien, hrsg. v. E. Drerup, 21. Hft. Paderborn 1939, S. 80ff. und J. Mesk, Demosthenes als Teichopoios, PhW 59, 1939, S. 1266–68, die Aischines (100 Minen) größere Glaubwürdigkeit zubilligen.

[164] Die literarische Überlieferung ergänzt als einzige Inschrift ein Baubeschluß (IG II² 244; F. G. Maier, Griechische Mauerbauinschriften I (cit. Maier), Heidelberg 1959, S. 36ff.), der allerdings nur mit Wahrscheinlichkeit in das Jahr 337/6 datiert werden kann. Maier 40; vgl. P. Foucart, Une loi atheniénne du IVᵉ siècle, Journal des Savants 1902, S. 233–243 (Kommentierung der Inschrift). Literatur zu den Ausgrabungsfunden bei Travlos 163.

[165] Vgl. Judeich, Topographie 86, Maier 41, Travlos 158f.

[166] Im Hinblick auf die bevorstehende Invasion in Kleinasien und die damit verbundene Gefahr eines persischen Gegenschlags in Griechenland mußte Philipp sogar am Ausbau bzw. der Instandsetzung der Befestigungsanlagen seines wichtigsten griechischen Verbündeten interessiert sein.

[167] Tod Nr. 178, Hicks/Hill Nr. 149, Syll.³ 259, IG II² 237. Vgl. Schäfer III 50f., Helen Pope, Non-Athenians in Attic Inscriptions, Diss. New York 1935, S. 74, W. K. Pritchett/O. Neugebauer, The Calendars of Athens (cit. Pritchett/Neugebauer), Cambridge 1947, S. 42, B. D. Meritt, The Athenian Year (cit. Meritt, Athenian Year), Los Angeles 1961, S. 73–76. Zur Datierung s. Z. 1–4, vgl. Schäfer III 50, Hicks/Hill S. 285.

[168] καὶ νυνὶ βοηθήσαντ[ες μ]ετὰ δ[υνάμ]εως συνκατετάττοντο μετὰ Ἀθηναίω[ν ... Hicks/Hill a. a. O., Z. 11f. Chaironeia wird namentlich nicht erwähnt, doch ist m. E. auf-

ten, soweit sie ebenfalls am Kampf teilgenommen hatten, der Status von Metoiken zuerkannt,[169] ἕως ἂν κατέλθωσιν.[170]

Das Psephisma steht in Zusammenhang mit der Aufnahme u. a. der verbannten Thebaner und Bewohner Troizens,[171] d. h. eines umfassenden Versuchs, das Problem der im Gefolge von Philipps Vormarsch heimatlos Gewordenen zu lösen. Für Philipp mußte eine solche räumliche Konzentration von Antimakedonen ein Gefahrenherd sein.[172] Auch dieser großzügigen Gewährung des Asylrechts durch die Athener mag daher eine Einigung mit dem Makedonenkönig, vermutlich bereits im Separatfrieden von 338, vorausgegangen sein: Zugeständnisse an Athen waren einer Verständigung dienlich und konnten trotz des politischen Zündstoffes, den sie beinhalteten, die ökonomische Seite des Verbanntenproblems, die Versorgung der Flüchtlinge, klären helfen.

6. Innenpolitische Auseinandersetzung um das Verhältnis zu Philipp

Mit dem Winter 337/6 begann sich in Athen der innenpolitische Einfluß zugunsten der Promakedonen zu verschieben. Ihre Gegner verloren an Boden:[173] auf Vorschlag des Demades wurde im Januar/Februar 336 der Makedone Alkimachos, der sich offenbar anläßlich einer Gesandtschaftsreise in Athen aufhielt, mit der Verleihung der Proxenie geehrt, wie die Inschrift einer Stele mit dem Relief einer sitzenden Athena bezeugt.[174] Wenig später brachte wiederum Demades den Antrag ein,

---

grund des νυνὶ in Zeile 11 keine andere Schlacht möglich. Vgl. Tod 234 und Hicks/Hill 285 (Zweifel).

[169] Hicks/Hill Nr. 149, Z. 22 f.–31.

[170] Die Formulierung (Z. 24 f.) beinhaltet keinen Affront gegen Philipp, da die aufgenommenen Akarnanen bereits vor Chaironeia nach einem innenpolitischen Machtwechsel ihre Heimat hatten verlassen müssen (s. Busolt/Swoboda 1464, E. Oberhummer, Akarnanien, Ambrakia, Amphilochien, Leukas im Altertum, München 1887, S. 130, Anm. 3.)

[171] s. o. S. 17 Anm. 108.

[172] 335 ging die thebanische Erhebung von Athen aus. s. u. S. 40 f.

[173] Mitentscheidend für eine solche Entwicklung mag die aus Prestigegründen wohl bereits im Herbst 337 begonnene Übersetzung makedonischer Truppen nach Kleinasien gewesen sein. Athen verstand sicherlich die für das folgende Frühjahr geplante Offensive und ihre an die griechische Öffentlichkeit adressierte Begründung (Diod. 16.91.2; s. u. S. 32, vgl. Bellen 59) als Beweis des guten Willens des Makedonenkönigs, die Rachepläne von Korinth ohne Verzögerung zu realisieren.

[174] Hicks/Hill Nr. 152, Tod Nr. 180, IG II² 239, A. N. Oikonomides, Δημάδου τοῦ Παιανιέως ψηφίσματα καὶ ἐπιγραφικαὶ καὶ περὶ τοῦ βίου πηγαί (cit. Oikonomides), Platon 8, 1956, S. 113 f. Aufgrund des Hypereidesfragments 77 (Burtt), Ἀλκίμαχον καὶ Ἀντίπατρον Ἀθηναίους καὶ προξένους ἐποιησάμεθα wurde allgemein eine gemeinsame Ehrung Antipaters und Alkimachos' im Zuge der Friedensverhandlungen nach der Schlacht von Chaironeia unterstellt (vgl. Schäfer III 27, Berve II 23, D. K. Kanatsulis,

dem Olynthier Euthykrates die Proxenie zu verleihen.[175] Er zielte mit seinem Dekret, auch wenn detaillierte Hintergründe nicht bekannt sind, gegen die Antimakedonen, denn Demosthenes hatte den Olynthier in seiner politischen Propaganda
seit 348 als Beispiel eines Verräters und Helfers Philipps charakterisiert.[176] Nach der
Zerstörung Olynths war ihm im Gegensatz zu seinen Landsleuten die Aufnahme in
Athen verweigert worden.[177] Hypereides legte folgerichtig eine γραφὴ παρανόμων
ein.[178] Über die Entscheidung des Gerichts ist jedoch nichts bekannt.[179] Zum dritten
Mal innerhalb kurzer Zeit wurde Demades im Mai/Juni 336 im Sinne einer promakedonischen Politik tätig.[180] Diesmal wurden Ehrungen für einen uns aufgrund
des fragmentarischen Zustandes der Inschrift unbekannten Makedonen beschlossen: er hatte sich am Hofe Philipps für die Belange der Athener verwendet.[181]

Als Philipp die griechischen Poleis zur Hochzeit seiner Tochter Kleopatra nach
Aigai einlud, entsandte auch Athen im Sommer eine Delegation. Sie versicherte den

---

Antipatros als Feldherr und Staatsmann in der Zeit Philipps und Alexander des Großen
(cit. Kanatsulis), Hellenika 16, 1958/59, S. 32).

Eine solche Annahme ist durch die literarischen Quellen nicht zu belegen: bei Polyb.
5.10 und Just. 9.4.5 werden nur Alexander bzw. Antipater, nicht aber Alkimachos erwähnt. Dementsprechend wurde die Ergänzung des Proxeniedekretes Ἀλκιμάχ[ωι Ἀν-
τιπάτρωι] von Köhler und Hicks/Hill durch Kirchner und Tod ...[ωι προξενία] sowie
von Oikonomides ... [ου Πελλαίου] korrigiert. Alkimachos wurde aus aktuellem Anlaß,
d.h. anläßlich eines Besuches in Athen geehrt. (Das Relief der Stele unterstreicht die in-
ternationale Bedeutung des Dekrets, s. Hicks/Hill 289; vgl. dazu das Psephisma zum
Besuch des Rheboulas. s.u. S. 101 Anm. 8.

[175] Die Umstände sind bekannt aus den Fragmenten der Rede des Hypereides κατὰ
Δημάδου παρανόμων frg. 76,77 (Burtt).

Die Erwähung der Proxenie des Alkimachos erlaubt uns, die Rede ins Jahr 336 herab-
zusetzen. Als terminus ante quem ergibt sich aus dem Gebrauch des Präsens bei der iro-
nischen Schilderung der Verdienste des Olynthiers (frg. 76 (Burtt): δεδόχθαι αὐτὸν (gemeint ist Euthykrates) εἶναι πρόξενον, ὅτι τὰ Φιλίππῳ συμφέροντα καὶ λέγει καὶ ποιεῖ,
...) der Tod Philipps (Sommer 336).

[176] Vgl. Demosth. 19.263 ff., 8.40 und 9.56.

[177] Demosth. 19.267 Καὶ γὰρ ἂν καὶ ὑπερφυὲς εἴη, εἰ κατὰ μὲν τῶν Ὀλυνθίους προ-
δόντων (Euthykrates und Lasthenes) πολλὰ καὶ δείν' ἐψηφίσασθε, τοὺς δὲ παρ' ὑμῖν
αὐτοῖς ἀδικοῦντας μὴ κολάζοντες φαίνοισθε. Mit der ἀτιμία (vgl. Suda s.v. Δημάδης 3)
kann Euthykrates nicht bedacht worden sein, da er nicht athenischer Bürger war.

[178] s.o. Anm. 175.

[179] Für Schäfers Annahme (III 33 und 77), daß das Dekret aufgehoben wurde, gibt es
keine Anhaltspunkte.

[180] Hicks/Hill Nr. 153, Tod Nr. 181, IG II² 240, Syll.³ 262, vgl. Meritt, Athenian Year
77 (Datierung: Skirophorion). Die Ergänzung des (Namens) Demades als Antragsteller
darf als sicher gelten (Δ]η[μάδη]ς Δ[η]μέου Παιανιεὺ[ς εἶπεν, Hicks/Hill Nr. 153, Z. 7).

Am selben Tag wurde ein zweites Psephisma des Demades angenommen. Sein Inhalt
ist jedoch nicht mehr rekonstruierbar. Vgl. IG II² 241.

[181] Hicks/Hill Nr. 153, Z. 12–15. ... καὶ] ἐπιμελεῖται Ἀθηναί[ων τῶν ἀ|φικν]ο[υ-
μ]ένων ὡς Φίλιππον [πράττω|ν ἀγα]θὸν ὅ [τ]ι δ[ύνατ]αι Ἀθηναίοις π|αρὰ Φ]ιλίπ-
που, ...

Makedonenkönig der Loyalität Athens und überreichte ihm einen goldenen Kranz.[182] Die Antimakedonen fügten sich dieser pragmatischen Politik. Wie Hypereides eingestehen mußte, war es ihnen unmöglich geworden, für makedonische Persönlichkeiten dekretierte Ehren zu verhindern.[183] So wandte sich der Redner nicht gegen die πρόεδροι der Volksversammlung, in der die *honores* beschlossen worden waren bzw. gegen den Initiator des Dekrets. Er reichte nach Annahme des Psephismas lediglich gegen den Promakedonen Philippides[184] eine γραφὴ παρανόμων ein,[185] da dieser die πρόεδροι nach Ablauf ihrer Amtszeit bekränzen lassen wollte, δι]ότι κατὰ τοὺς νόμο[υς π]ροηδρεύκασιν.[186]

Versuche der Antimakedonen, durch eine offizielle Würdigung ihrer Politik wieder an Einfluß zu gewinnen, scheiterten. Ktesiphons Antrag, Demosthenes wegen seiner Leistungen beim Mauerbau, d. h. der Spenden und der technischen Überwachung der Arbeiten, sowie wegen seiner allgemeinen Verdienste um die Stadt zu ehren,[187] mußte von den Promakedonen als eine gegen sie gerichtete politische Demonstration verstanden werden. Aischines setzte zunächst durch eine Hypomosie die vorläufige Suspendierung des Antrages durch.[188] Wenig später reichte er die γραφὴ παρανόμων ein.[189] Auch wenn sie vorläufig im Zusammenhang mit den Ereignissen nach Philipps Ermordung nicht zur Verhandlung kam, hatte er sein Ziel, die öffentliche Auszeichnung seines Gegenspielers zu verhindern, erreicht.[190]

Einen weiteren Erfolg der Promakedonen nach der Suspendierung des Ehrendekrets des Ktesiphon scheint die Inschrift einer im Jahre 1952 auf der Agora gefun-

---

[182] Diod. 16.92.1 f. Die Erklärung des Herolds, Athen werde im Falle eines Attentats auf Philipp dem Täter kein Asyl gewähren, ist sicherlich ex eventu erdichtet.

[183] Dies geht aus Hyp. 2 col. 3 (Burtt) hervor. s. u. Anm. 185.

[184] Zur Person des Philippides Treves RE XIX. 2, 1938, S. 2198 f.

[185] Hyp. 2. Die Rede ist nur fragmentarisch erhalten. Die heftigen Angriffe auf Philipp lassen eine augenblickliche makedonische Schwäche vermuten, d. h. die Rede wurde wohl in der Zeit zwischen Philipps Tod und dem ersten Zug Alexanders nach Griechenland gehalten.
Die Bemerkung καὶ ἐν μὲν σῶμα ἀθάνατον (gemeint ist Philipp) ὑπ[είλη]φας ἔσεσθαι, col. 5 (8) ist eine Ironie des Redners, die die Kenntnis der Ermordung Philipps bei seinen Zuhörern voraussetzt.

[186] Hyp 2. col. 4.

[187] Aischin. 3.236, 3. 17–23, 3.237. Ausführlich dazu Schäfer III 83 Anm. 2, Ramming 118 Anm. 1. Die Wendung ὅτι διατελεῖ καὶ λέγων καὶ πράττων τὰ ἄριστα τῷ δήμῳ (3.49, 3.237) war eine in attischen Ehrendekreten übliche Motivformel (vgl. H. Wankel, Demosthenes-Rede für Ktesiphon über den Kranz (cit. Wankel), Heidelberg 1976, S. 12, Schläpfer 89 und 216 f.)

[188] Wankel 13 f.

[189] Aischin. 3.219.

[190] Der Prozeß wurde erst 330 unter völlig veränderten Konstellationen durchgeführt. Zu den Hintergründen des Verfahrens s. u. S. 103 ff.

denen Stele, das sogenannte Gesetz gegen Tyrannenherrschaft[191] zu bezeugen. Beantragt wurde es von Eukrates[192] aus Piräus im Frühjahr 336.[193] Ihm zufolge sollte jeder, der sich mit dem Ziel einer Tyrannis erhebe oder sie mit einführe oder die Demokratie stürze, straflos getötet werden können.[194] Mitglieder des Areiopags, die nach dem Sturz der Demokratie auf den Areiopag gingen oder Ratsversammlungen abhielten, sollten ἄτιμοι werden, ihr Vermögen dem Staat zufallen.[195]

Nur auf den ersten Blick unklar sind die Motive des Eukrates. Philipp hatte auf dem Kongreß von Korinth die Unverletzlichkeit der bestehenden Verfassung garantiert und in der Folgezeit auch jegliche Einmischung in die inneren Verhältnisse Athens vermieden. Die Wahl des Demosthenes für die Totenrede von 338, die Verstärkung und Erweiterung der Mauern sowie die Aufnahme antimakedonischer Flüchtlinge aus verschiedenen Poleis hatte er zumindest geduldet. Sein Konzept zielte, wie auch die großzügigen Friedensbedingungen gezeigt hatten, auf einen Ausgleich mit Athen. Anlaß zur Furcht, Philipp wolle die Demokratie stürzen, kann nicht bestanden haben. Zudem waren weder Phokion noch Aischines oder Demades Politiker, deren sich der König bei einem solchen Vorhaben hätte bedienen können.[196] Ein Gesetz zum Schutz der bestehenden Verfassung in Athen ließ sich mit dem Vertrag von Korinth vereinbaren. Nachdem der Makedonenkönig durch

---

[191] B. D. Meritt, Greek Inscriptions (cit. Meritt, Law against Tyranny), Hesperia 21, 1952, S. 355–359, G. Pfohl, Griechische Inschriften als Zeugnisse des privaten und öffentlichen Lebens, München o. J. S. 114–117. J. Pouilloux, Choix d'inscriptions grecques, Paris 1960, S. 121–124, SEG 12, 1955, S. 26 f. (Nr. 87), L. Braccesi, Il decreto Ateniese del 337–36 contro gli attentati alla democrazia, Epigraphica 27, 1965, S. 111. Eine ausführliche Analyse der Inschrift mit Berücksichtigung früherer attischer Antityrannendekrete bei M. Ostwald, The Athenian Legislation against Tyranny and Subversion (cit. Ostwald), TAPhA 86, 1955, S. 103–128 (s. dazu im folgenden).

[192] Meritt, Law against Tyranny 355, Z. 4 f. Eukrates' mehrfach angenommene Identität mit dem von Antipater 322 zusammen mit Himeraios und Aristonikos hingerichteten Athener gleichen Namens (Lukian, Demosth. Encom. 31; vgl. Meritt a. a. O. 357, Ostwald 123) muß schon aufgrund der zeitlichen Differenz zwischen dem Gesetz und der Strafaktion des Antipater Vermutung bleiben.

[193] Meritt a. a. O., Z. 1–3; s. Ostwald 120.

[194] Meritt a. a. O., S. 355 f., Z. 7–11.
ἐάν τις ἐπαναστῆι τῶι δήμωι ἐπὶ τυραννίδι ἢ τὴν τυραννίδα συγκαταστήσηι ἢ τὸν δῆμον τ|ὸν Ἀθηναίων ἢ τὴν δημοκρατίαν τὴν Ἀθήνησιν|καταλύσηι,ὅς ἂν τὸν τούτων τι ποιήσαντα ἀπο|κτείνηι ὅσιος ἔστω.

[195] Meritt a. a. O., S. 356, Z. 11–22. μὴ ἐξεῖναι δὲ τῶν βουλευ|τῶν τῶν τῆς βουλῆς τῆς ἐξ Ἀρείου Πάγου καταλελυ[μ]ένου τοῦ δήμου ἢ τῆς δημοκρατίας τῆς Ἀθήνησιν ἀνιέναι εἰς Ἄρειον Πάγον μηδὲ συνκα|θίζειν ἐν τῶι συνεδρίωι μηδὲ βουλεύειν μη|δὲ περὶ ἑνός. Ἐὰν δέ τις τοῦ δήμου ἢ τῆς δημοκρ|ατίας καταλελυμένων τῶν Ἀθήνησιν ἀνίηι τῶ|ν βουλευτῶν τῶν ἐξ Ἀρείου Πάγου εἰς Ἄρειον Π|άγον ἢ συνκαθίζηι ἐν τῶι συνεδρίωι ἢ βολεύηι περί τινος ἄτιμος ἔστω καὶ αὐτὸς καὶ γένος| τὸ ἐξ ἐκείνου καὶ ἡ οὐσία δημοσία ἔστω αὐτοῦ| καὶ τῆς θεοῦ τὸ ἐπιδέκατον.

[196] C. Mossé, A propos de la loi d'Eucrates sur la tyrannie (337/6 av. J.-C.), Eirene 8, 1970, S. 74.

seine Politik der Konzessionen führende attische Politiker für seine Rachefeldzugs-
pläne gewonnen hatte, wäre es für ihn widersinnig gewesen, gerade angesichts des
eben begonnenen Feldzuges, dessen offizielles Ziel die Befreiung griechischer
Städte war, in Athen eine Tyrannis zu errichten und das bisher Erreichte zu gefährden.[197] Im Gesetz des Eukrates wird daher der Versuch der Promakedonen gesehen
werden müssen, auch während der bevorstehenden Abwesenheit Philipps in Asien
die Lage in Athen stabil zu halten und Umsturzversuchen ihrer innenpolitischen
Gegner vorzubeugen.

Seit der Schlacht von Chaironeia[198] hatte sich das politische Gewicht 336 merklich
zugunsten der Promakedonen verschoben. Sie hatten die Initiative für eine Politik
des Ausgleichs und der Anerkennung des status quo übernommen. Die erste Entscheidung in dieser Richtung war bereits mit der Wahl Phokions zum Strategen gefallen. Die Ablehnung des Charidemos hatte vermutlich eine Fortführung oder Ausweitung des Kampfes mit Philipp vermieden. Ungeachtet dessen galten die Sympathien der Bevölkerung zunächst wohl noch den Antimakedonen. Sie behielten ihre
Ämter, in die sie im Sommer 338 gewählt worden waren. Die Niederlage wurde als
militärisches Versagen erklärt. Nicht Aischines, sondern sein Kontrahent Demosthenes hielt im Winter den Nekrolog auf die Gefallenen von Chaironeia – für den
Redner zweifellos ein wichtiger Vertrauensbeweis nach dem Scheitern seiner anti-

---

[197] Anders Ostwald 123 ff. (vgl. U. Hausmann, Griechische Weihereliefs, Berlin 1960,
S. 42). Die von ihm für seine These herangezogene Rede Ps.-Demosthenes 17 ist jedoch
in das Jahr 333 (s. u. S. 69 ff.) zu datieren. Hypereides' Angriffe auf die Makedonen, die
vermutlich erst in den Herbst des Jahres zu setzen sind (s. o. S. 49 Anm. 4), gehören zu
dem in der innenpolitischen Auseinandersetzung üblichen Repertoire. Eine aktuelle Bedeutung kommt ihnen nicht zu.
[198] Eine Chronologie der Ereignisse mag wie folgt lauten:
338. August: Schlacht von Chaironeia. Verteidigungsmaßnahmen in Athen. Ausbesse-
rung der Befestigungsanlagen. Wahl des Phokion zum Strategos. Gesandtschaftsreise
des Demosthenes. Zug Philipps nach Theben. September: Separatfriede zwischen Athen
und Philipp. Verleihung des Bürgerrechts an Antipater, Alexander und Philipp. Herbst:
Zug des Makedonenkönigs in die Peloponnes. Aufnahme antimakedonischer Verbann-
ter u. a. aus Theben, Akarnanien und Troizen in Athen. Spätherbst/Winter: Kongreß
von Korinth. Epitaphios des Demosthenes.
337. Frühjahr: 2. Sitzung von Korinth. Mai/Juni: Akarnanendekret. Demosthenes
Teichopoios. Beginn der Arbeiten an den Mauern der Stadt. Juli: Wahl des Demosthenes zum ὁ ἐπὶ τὸ θεωρικόν. Herbst: Übersetzung makedonischer Truppen nach Kleinasien. Proxenieantrag für Euthykrates.
336. Januar: Ehrung des Alkimachos. Januar/Februar: Bekränzungsdekret des Ktesiphon. Einspruch des Aischines. Frühjahr: Beginn der makedonischen Offensive in Kleinasien. Mai/Juni: Tyrannendekret des Eukrates. Juni/Juli: Ehrung für einen Makedonen
am Hofe Philipps. Sommer: Absendung einer athenischen Delegation nach Aigai. Ermordung Philipps. Herbst: Philippidesrede des Hypereides.

makedonischen Politik. Im Juni 337 wurde er mit der Überwachung von Bauarbeiten an der Befestigungsanlage betraut, wenig später erneut zum ὁ ἐπὶ τὸ Θεωρικόν
gewählt.

Die versöhnliche Politik Philipps hatte jedoch langfristig den Weg für eine stärkere Einflußnahme eines Demades oder Phokion geebnet. Der Makedonenkönig
hatte Athen einen günstigen Friedensvertrag gewährt, auf der Sitzung von Korinth
die bestehenden Verfassungen garantiert und auf jede Intervention in Athen verzichtet. Er respektierte die Aufnahme der flüchtigen Verbannten und die Erweiterung der attischen Befestigungsanlagen. In Athen honorierte man 337/6 den so gezeigten Verständigungswillen. Nachdem bereits Philipp, Alexander und Antipater
338 das Bürgerrecht verliehen worden war, wurden nun Ehrendekrete für Euthykrates, Alkimachos und verschiedene namentlich nicht genannte Makedonen beantragt. Eine athenische Delegation begab sich im Sommer nach Aigai. Die Bekränzung des Demosthenes an den Dionysien wurde ausgesetzt. Hypereides' Philippidesrede vom Herbst erweist nachträglich die Ohnmacht der Antimakedonen. Im
Sommer 336 war die Grundlage für eine Intensivierung der Beziehungen zu Philipp
geschaffen.

B. Alexanders Thronbesteigung und die
griechischen Aufstände

1. Die Ermordung Philipps

Als Philipp im Jahr 336[199] die Hochzeit seiner Tochter Kleopatra mit dem Molos-
serkönig Alexander feiern ließ, stand er trotz privater Kontroversen[200] und mögli-
cher oppositioneller Bestrebungen am makedonischen Hof[201] auf dem Höhepunkt

---

[199] Arr. 1.1.1, Marmor Parium, FGH 239, frg. 1, (Archon Pythodelos: 336/5: Terminus post quem: Mitte Juli 336).
[200] Zu den Auseinandersetzungen zwischen Philipp und Olympias sowie Alexander s.
F. Schachermeyr, Alexander der Große. Das Problem seiner Persönlichkeit und seines
Wirkens (cit. Schachermeyr), Wien 1973, S. 97 ff., J. R. Hamilton, Alexander the Great
(cit. Hamilton), London 1973, S. 40 f., Berve II 284, Lauffer 34 ff.
[201] Wirth 7; vgl. K. Kraft, Der ‚rationale' Alexander, (cit. Kraft), FAS 5, 1971, S. 39 f.
J. R. Ellis, Amyntas Perdikka, Philip II and Alexander the Great (cit. Ellis, Amyntas),
JHS 91, 1971, S. 15 ff. vermutet nach dem Tode Philipps eine Verschwörung zugunsten
des Amyntas, des Sohnes des 360 gefallenen Makedonenkönigs Perdikkas. Chr.
Habicht, Literarische und epigraphische Überlieferung zur Geschichte Alexanders und
seiner ersten Nachfolger, Akten des VI. Internationalen Kongresses für Griechische und
Lateinische Epigraphik, München 1972, Vestigia 17, 1973, S. 367 ff. macht dagegen Einwände geltend (S. 368), ohne sie jedoch näher auszuführen.

seiner Macht. Illyrien und Paionien waren unterworfen, Thessalien angegliedert, die Griechen erkannten seine Hegemonie an. Vermutlich bereits im Herbst 337 war ein makedonisches Expeditionskorps unter Attalos und Parmenion nach Asien übergesetzt,[202] um für das folgende Frühjahr eine Offensive vorzubereiten. Der offizielle Auftrag lautete, die griechischen Städte in Kleinasien zu befreien.[203] Diese Begründung zielte sicherlich auf die griechische Öffentlichkeit ab.[204] Philipp warb auch nach dem Beschluß des Perserzuges um griechische Sympathien.

Bevor er jedoch selbst mit dem Hauptkontingent nach Asien folgen konnte, wurde er bei den Feierlichkeiten in Aigai ermordet, wo er angesichts seiner bevorstehenden Abwesenheit Makedonen und Griechen die Geschlossenheit seines Hauses und die Stärke seiner Macht demonstrieren wollte.[205] Bekannt sind die Umstände des Attentates und die Person des Mörders.[206] Hintergründe und Motive der Tat bleiben jedoch im dunkeln.[207]

---

[202] Vgl. Diod. 16.91.1 f., Just. 9.5.9; E. Badian, Alexander the Great and the Greeks of Asia (cit. Badian, Alexander the Great), Ancient Society and Institutions. Studies presented to V. Ehrenberg on his 75th Birthday, Oxford 1966, S. 39 f., Judeich, Kleinasiatische Studien 302 ff.

[203] Diod. 16.91.2 ἐλευθεροῦν τὰς Ἑλληνίδας πόλεις.

[204] Besonders in Athen mußte die Erinnerung an die Invasion des Dareios wach werden, da dieser seinen Angriff als Strafexpedition für die Unterstützung des ionischen Aufstandes durch athenische und eretrische Schiffe deklariert hatte (vgl. Hdt. 5.105, 6.43 f., 6.94)

[205] Vgl. Diod. 16.91.6 διόπερ ἐξ ἁπάσης τῆς Ἑλλάδος μετεπέμπετο τοὺς ἰδιοξένους καὶ τοῖς ἑαυτοῦ φίλοις παρήγγειλε παραλαμβάνειν τῶν ἀπὸ τῆς ξένης γνωρίμων ὡς πλείστους. σφόδρα γὰρ ἐφιλοτιμεῖτο φιλοφρονεῖσθαι πρὸς τοὺς Ἕλληνας καὶ διὰ τὰς δεδομένας αὐτῷ τῆς ὅλης ἡγεμονίας τιμὰς ταῖς προσηκούσαις ὁμιλίαις ἀμείβεσθαι.

[206] Diod. 16.92.1 ff., Plut. Alex. 10.5, Just. 9.6.1 ff. Aristot. Pol. 5, 1311 b 1 ff.

[207] Eine Schuld oder moralische Mitverantwortung Alexanders und seiner Mutter bzw. zumindest Olympias' allein wurde u. a. von Schachermeyr 109 ff., Bengtson 328, Berve II 308 f., Beloch, Gr. Gesch. III.1 606 f. angenommen; (dagegen bereits H. Willrich, Wer ließ König Philipp von Makedonien ermorden?, Hermes 34, 1899, S. 174–182).

Eine neue Diskussion wurde durch E. Badians Aufsatz 'The Death of Philip II (cit. Badian, The Death of Ph.), Phoenix 17, 1963, S. 244 ff.' angeregt, in dem der Versuch unternommen wird, unter dem Aspekt des cui bono primär die Verantwortung Alexanders für den Mord zu erweisen. (Vgl. J. R. Hamilton, Alexander's Early Life (cit. Hamilton, Alexander's Early Life), G&R 12, 1965, S. 121, A. B. Bosworth, Philip II and Upper Macedonia, CQ 65, 1971, S. 93 ff., Ellis, Amyntas 24).

Zu überzeugen vermag Kraft (vgl. J. R. Fears, Pausanias the Assassin of Philip II, Athenaeum 53, 1975, S. 111 ff., Hammond, History of Macedonia 684 ff.) in der Widerlegung der Thesen Badians (Kraft 23 ff.: fehlendes Motiv Alexanders), nicht aber in seiner Argumentation für eine alleinige Täterschaft des Pausanias. Auch wenn Kraft dessen Verunglimpfung, das Motiv für einen möglichen Racheakt, unmittelbar vor den Anschlag auf Philipp zu datieren vermag (S. 33 ff.), erweist er damit noch nicht ein m. E. wenig wahrscheinliches isoliertes Handeln des Pausanias.

Um möglichen Widerständen im Heer[208] und einer Gefährdung seiner Position als Nachfolger Philipps vorzubeugen, handelte Alexander zielgerichtet und ohne Zögern. Gestützt auf die Anerkennung seines Thronanspruches vor allem durch Antipater und Parmenion[209] schaltete er die übrigen Prätendenten und Konkurrenten aus und sicherte sich so die unumstrittene Herrschaft: die Lynkesten Arrhabaios und Heromenes ließ er durch die Heeresversammlung aburteilen,[210] Attalos durch einen Agenten in Kleinasien ermorden.[211] Im Laufe des Jahres 335 schließlich wurde Amyntas, der Sohn des Perdikkas, liquidiert.[212] Wohl zu einem späteren Zeitpunkt, in Abwesenheit Alexanders, wurden Kleopatra und ihre Tochter ein Opfer der Olympias.[213]

2. Alexanders erster Griechenlandzug

Die Nachricht von der Ermordung Philipps kam für Demosthenes, so scheint es, nicht unerwartet,[214] jedoch ist nicht anzunehmen, daß man auf Seiten der Antimakedonen mit dem Eintreten eines solchen Ereignisses in absehbarer Zeit gerechnet hatte.[215] Demosthenes erfuhr in Athen vom Tode des Makedonenkönigs durch eine vertrauliche Botschaft des Charidemos,[216] der in der nördlichen Ägäis weilte[217] und über gute Beziehungen zu oppositionellen Kreisen an Philipps Hof verfügte.[218] Er nützte diese Information zu einer effektvollen Demonstration seiner antimakedonischen Gesinnung.[219] Offenbar suchte er den Eindruck zu erwecken, die makedonische Hegemonie sei ausschließlich von der Persönlichkeit Philipps abhängig.[220] Ge-

---

[208] Diod. 17.2.3, Plut. mor. 327 C, Just 11.1.1 ff.: vgl. Plut. Alex. 11.3.

[209] s. u. a. Schachermeyr 102, Wirth 7. Zur Begrüßung durch die makedonische Heeresversammlung vgl. F. Granier, Die makedonische Heeresversammlung, München 1931, S. 28 ff.

[210] Arr. 1.25.1, Diod. 17.2.1, Just. 11.2.1 f.; vgl. Schachermeyr 103, Wirth 7, Berve II 80, 169, Schäfer III 71.

[211] Diod. 17.5.1 ff., Curt. 7.1.1, 8.7.5; Berve II 94, 148, Schäfer III 100, Badian, The Death of Ph. 249 f. (335).

[212] Just. 12.6.14, Arr. succ. 22; s. Schäfer III 100 f. Anm. 3, Berve II 31, Ellis, Amyntas 21. s. auch o. S. 31 Anm. 201.

[213] Just. 9.7.12, Paus. 8.7.7.

[214] Aischin. 3.77.

[215] Das beweist das von Eukrates im Juni 336 eingebrachte Tyrannendekret.

[216] Aischin. 3.77; vgl. Plut. Dem. 22.1.

[217] s. Schäfer III 87, Berve II 406 f. Möglicherweise befand sich Charidemos in Makedonien selbst.

[218] Dies bestätigt der Umstand, daß Charidemos 335 als einziger Antimakedone Athen verlassen mußte; s. auch L. Braccesi, La trattative fra Alessandro e gli Ateniesi dopo la distruzione di Tebe (cit. Braccesi), Vichiana 4, 1967, S. 82.

[219] Aischin. 3.77, 3.160, Plut. Dem. 22.1 ff., Ps.-Plut. mor. 847 B.

[220] Vgl. u. S. 34 Anm. 224 sein Urteil über den Thronfolger Alexander.

gen diese Unterschätzung des Heerespotentials der Makedonen trat Phokion auf, um die Athener vor voreiligen Schritten zu warnen.[221] Trotz der Erwartung von Thronwirren am Hof in Pella,[222] verhinderte er einen Beschluß der Volksversammlung, Pausanias zu ehren und Dankopfer darzubringen.[223] Demosthenes vertraute darauf, daß Alexander, konfrontiert mit den Schwierigkeiten der Machtübernahme und eine breite Aufstandsbewegung in Griechenland vor Augen, auf eine militärische Machtprobe verzichten, d. h. die von seinem Vater errungenen Positionen aufgeben würde.[224] Er unterbreitete keine militärpolitischen Vorschläge und beschränkte sich darauf, Freiheitsproklamationen an verschiedene Poleis zu senden und Verbindung mit Attalos in Kleinasien aufzunehmen.[225]

Am makedonischen Hof glaubten selbst Freunde Alexanders nicht, die von Philipp dem makedonischen Machtbereich angegliederten Gebiete unter Kontrolle halten zu können.[226] Der Optimismus, mit dem Demosthenes sich als Gegner des jungen Königs exponierte, läßt sich daher vielleicht auch auf Kenntnisse von der Situation in Pella zurückführen. Ob Charidemos der einzige Informant war, muß Vermutung bleiben. Eine Verbindung zu Attalos jedenfalls bereits zu Lebzeiten Philipps ist undenkbar.[227]

Parallel zu den Aktivitäten der Antimakedonen in Athen brachen auf der Peloponnes Unruhen aus. Die Aitoler[228] beschlossen die Rückberufung der Verbannten

---

[221] Plut. Phok. 16.8. Φιλίππου δὲ ἀποθανόντος εὐαγγέλια θύειν τὸν δῆμον οὐκ εἴα· καὶ γὰρ ἀγεννὲς εἶναι ἐπιχαίρειν, καὶ τὴν ἐν Χαιρωνείᾳ παραταξαμένην πρὸς αὐτοὺς δύναμιν ἑνὶ σώματι μόνον ἐλάττω γενέσθαι. s. Gehrke 68.

[222] Vgl. Kraft 29.

[223] Plut. Phok. 16.8. Gehrkes Interpretation (S. 67 f. Anm. 3) des εἴα in col. 16.8 als imperfectum de conatu ist durch Plut. Dem. 22.2 und Arr. 1.10.5 nicht zu stützen.
Aischines erwähnt (3.160) einen Opferbeschluß der Boule. Ein solches Probouleuma aber erlangte erst nach Zustimmung der Ekklesia Gültigkeit. Vgl. auch Schäfer III 89 Anm. 2; unklar M. I. Sadler, Phokions Leben und Wirken im Lichte der Quellen (cit. Sadler). Diss. Wien 1974, S. 319.

[224] Aischin. 3.160. Alexander betitelte er als Μαργίτης. Aischin a. a. O., Marsyas von Pella, FGH 135 frg. 3, Plut. Dem. 23.2.

[225] Diod. 17.3.1 f., 17.5.1. Die Aktivitäten gingen ausschließlich von Demosthenes aus (Plut. Dem. 23.1, vgl. Ps.-Demad. ὑπ. τ. δωδ. 14, Aischin. 3.160), auch wenn Diodor dessen Initiativen mit Reaktionen des offiziellen Athen identifiziert.

[226] Plut. Alex. 11.3; vgl. Just. 11.1.5 f.

[227] Das gute Verhältnis zwischen Philipp und Attalos (vgl. Kaerst RE II.2, 1896, S. 2158) schließt sowohl eine Kontaktaufnahme von Seiten des Makedonen wie auch von Seiten des Demosthenes aus. Dagegen spricht auch der Bruch zwischen Alexander und Attalos im Jahre 337 (Satyros FHG III 161 frg. 5 bei Athen. 557 D, Plut. Alex. 9.6 ff., Just. 9.7.3, Curt. 8.8.7) nicht. Nach Philipps Tod mußte Attalos, schon um der eigenen Existenz willen entschiedener Feind Alexanders, jedoch als idealer Verbündeter für Demosthenes erscheinen.

[228] 338 hatten die Aitoler noch auf Seiten Philipps gekämpft (zum Bündnis mit Philipp s. Schäfer II 347 Anm. 1, 427, 443). Nach dem Sieg wurden sie erbitterte Feinde des

aus Akarnanien, in Ambrakia beseitigte man die makedonische Besatzung und demokratisierte die Verfassung, die Thebaner schließlich bereiteten die Rückeroberung der Kadmeia vor.[229]

Indes war Alexander nicht gewillt, sich mit wirkungslosen Demarchen[230] zufriedenzugeben und die Auflösung des makedonischen Herrschaftsbereiches hinzunehmen. Entgegen dem Rat seiner Vertrauten, die u. a. aufgrund der geographischen Zersplitterung des Unruheherdes[231] eine Niederlage als unvermeidlich ansahen,[232] entschloß er sich zur militärischen Demonstration, gegebenenfalls auch Konfrontation. Durch eine Umgehung des Tempepasses überraschte er die Thessaler.[233] Er erinnerte an die von Herakles ausgehende mythische Verwandtschaft und erreichte mit Versprechungen die Anerkennung als ἄρχων durch den Thessalischen Bund auf friedlichem Weg.[234] Nachdem er sein Heer durch thessalische Reiter verstärkt hatte,[235] zog er zu den Thermopylen, ließ sich die Hegemonierechte durch den Amphiktyonenrat bestätigen und verständigte sich mit den Gesandten aus Ambrakia, indem er der Stadt den Verzicht auf eine Erneuerung der von Philipp verfügten Besatzung zusagte.[236]

Wenig später stand Alexander vor Theben.[237] In Athen dachte man nicht an Widerstand. Über Proklamationen waren die Antimakedonen nicht hinausgekom-

---

Makedonenkönigs, da dieser ihnen das vor dem Kampf versprochene Naupaktos verweigerte. Ausführlich dazu neuerdings A. B. Bosworth, Early Relations between Aetolia and Macedon (cit. Bosworth, Early Relations) AJAH 3, 1977, S. 164 ff.

[229] Diod. 17.3.3 ff., s. u. a. Schäfer III 91 f., Hamilton 45, Berve I 237 f., II 63. Daß Demosthenes' Tätigkeit Wesentliches zum Aufflammen der antimakedonischen Aktionen beitrug, läßt sich nur für Theben aufgrund der Anwesenheit der Verbannten und analoger Geschehnisse im Jahre 335 vermuten.

[230] Vgl. Diod. 17.2.2.

[231] Im illyrisch-thrakischen Grenzgebiet gärte es bereits, auch wenn die Aufstände erst 335 (s. u. S. 37) ausbrachen. Vgl. Diod. 17.3.5 τῶν δὲ ὑπεροικούντων τὴν Μακεδονίαν ἐθνῶν οὐκ ὀλίγα πρὸς ἀπόστασιν ὥρμα καὶ πολλὴ ταραχὴ κατεῖχε τοὺς τῇδε κατοικοῦντας βαρβάρους.

[232] s. o. S. 34 Anm. 226.

[233] Polyain. 4.3.23. Vgl. Berve I 235, Schachermeyr 110, Lauffer 41.

[234] Diod. 17.4.1, Just 11.3.2. Bereits im Jahre 352 war Philipp zum Archon auf Lebenszeit gewählt worden (s. Hammond, History of Macedonia 220 ff., vgl. dazu M. Sordi, La lega tessala fino ad Alessandro Magno (cit. Sordi), Rom 1958, S. 249 ff.), ohne daß dies allerdings, wie von Alexander später behauptet (s. Diod. 17.4.1), eine Vererbbarkeit des Titels einschloß (s. Hammond a. a. O. 288 f.) Zur Struktur des Thessalischen Bundes vgl. Sordi 313 ff., J. A. O. Larsen, Greek Federal States, Oxford 1968, S. 12 ff.

[235] Aischin 3.161.

[236] Interpretation Berves II 237 f. nach Diodor 17.4.3. Die Garantie der Autonomie (Diod. a. a. O.) geschah sicherlich im Hinblick auf die Verträge von Korinth und ihre geplante Erneuerung.

[237] Diod. 17.4.4 f., Arr. 1.1.3.

men.[238] Die bei Gefahren üblichen präventiven Defensivmaßnahmen wurden nun getroffen, d.h. die Landbevölkerung evakuiert, die Besatzungen der Mauern alarmiert, die Befestigungsanlagen überprüft.[239] Demades trat nun wieder in den Vordergrund.[240] Eine Gesandtschaft wurde beschlossen, die Alexander die Loyalität Athens bekunden sollte.[241] Auch die Antimakedonen stimmten dem Psephisma zu. Offenbar gab es keine Alternative zur Politik des Ausgleichs. Demosthenes selbst befand sich unter den πρέσβεις, die mit Alexander verhandeln sollten.[242] Aus Furcht, sich durch seine Äußerung allzusehr kompromittiert zu haben, verließ er die Delegation jedoch bereits auf halbem Weg.[243]

   In Fortsetzung der Politik seines Vaters war Alexander an einem raschen und gütlichen Einvernehmen mit Athen interessiert.[244] Erneute Ehrungen für ihn zeigen die Erleichterung der Stadt über das Zustandekommen einer Einigung.[245] Mit der Einberufung der Bundesversammlung nach Korinth schloß Alexander seinen Feldzug ab. Für den geplanten Perserfeldzug ließ er sich in Nachfolge seines Vaters die Rechte eines στρατηγὸς αὐτοκράτωρ übertragen.[246] Noch im Herbst kehrte er nach Makedonien zurück.[247]

---

[238] Offenbar waren ihre Kräfte durch die Opposition der promakedonischen Gegengruppe paralysiert. Daß die Athener auf eine militärische Konfrontation noch besser als vor Chaironeia vorbereitet waren (so Lauffer 40), ist zu bezweifeln: Lykurgs Finanzpolitik war sicherlich noch nicht zum Tragen gekommen.

[239] Diod. 17.4.6, Ps.-Demad. ὑπ. τ. δωδ. 14. Wie Arr. 1.10.2 für Alexanders zweiten Griechenlandzug zeigt, wurde eine solche Entscheidung kurzfristig gefällt, also nicht etwa bereits auf die Nachricht von Philipps Tod hin.

[240] Ps.-Demad. ὑπ. τ. δωδ. 14.

[241] Just. 11.3.5, Diod. 17.4.6. Das Ultimatum Alexanders mit der Drohung einer Bundesexekution (so U. Wilcken, Alexander der Große und die indischen Gymnosophisten, SBB 1923, S. 150f.; vgl. Berve I 239f. aufgrund des Redefragments Pap. Ox. II, 216 col. I [βούλεσθε οὖν]|ἀπὸ μιᾶς ἐπιστολῆς ἀπει|λὴν δουλείας ἀντ᾽ ἐλευ|θερίας ἀντικαταλλάσσε|σθαι; Καὶ ποῦ τὸ περίμάχη||τὸν οἴχεται φρόνημα|τῆς ἡγεμονίας; Ἐπιζητῶ| γάρ, εἰ μήτι διαρμαρτάνω|τῷ λογισμῷ. Φησὶν ἡμῖν| πολεμήσειν καὶ ἡμεῖς||ἐκ[είνῳ] ... col. II ... Ἐν τοῖς ὅπλοις νικήσας| νεανικευέσθω (gemeint ist Alexander), ταῖς δ᾽ ἀπὸ| τῶν ἐπιστολῶν ἀπειλαῖς| τοὺς βαρβάρους ἐξαπατάτω.|Ἡ δὲ τῶν Ἀθηναίων πόλις| ἐπιτάττειν, οὐχ ὑπακούειν|[ἐπίσταται] ...) ist die Erfindung eines Rhetors der hellenistischen Zeit. Vgl. bereits K. Jander, Oratorum et rhetorum Graecorum fragmenta nuper reperta, Bonn 1913, S. 34. Non est dubium, quin haec oratio in Atheniensium contione habita non sit.

[242] Aischin. 3.161 (daraus Plut. Dem. 23.3 und Diod. 17.4.7); vgl. Dein. 1.82.

[243] s.o. Anm. 242. Diodor greift hier den Ereignissen voraus. Persische Geldmittel erhielt Demosthenes erst 335.

[244] Diod. 17.4.9.

[245] Arr. 1.1.3 ἀλλὰ Ἀθηναίους γε τῇ πρώτῃ ἐφόδῳ Ἀλεξάνδρου ἐκπλαγέντας καὶ πλείονα ἔτι τῶν Φιλίππῳ δοθέντων Ἀλεξάνδρῳ εἰς τιμὴν συγχωρῆσαι.

[246] Arr. 1.1.1f., Diod. 17.4.9, Just. 9.2.5, Plut. Alex. 14.1. Nach Bengtson 335 (s. ders., Die Strategie in der hellenistischen Zeit I (cit. Bengtson, Strategie), 2. Aufl. München 1964, S. 3ff., U. Wilcken, Alexander der Große und der Korinthische Bund (cit. Wilk-

3. *Der Makedonenkönig in Illyrien. Unruhen in Griechenland*

Zur Vorbereitung des Asienfeldzuges plante Alexander im Winter 336/5 nach der Sicherung seiner Herrschaft im Süden, auch die im Norden siedelnden Völker zu befrieden.[248] Im Frühjahr brach er von Amphipolis aus auf und erreichte nach erfolgreichen Kämpfen mit den Triballern im Haimosgebirge die untere Donau. Nachdem er durch eine Überquerung des Flusses die militärische Qualifikation seines Heeres für die Anforderungen eines größeren Landkrieges bewiesen hatte, wandte er sich noch im Sommer nach Illyrien, wo er zu einem teils sehr schwierigen Gebirgskrieg gezwungen wurde.[249]

Am persischen Königshof vollzog sich mit der Thronübernahme Dareios' III. der zweite Regentenwechsel innerhalb kurzer Zeit.[250] Nach der Schwächeperiode, die der Ermordung des Artaxerxes Ochos gefolgt war,[251] konsolidierte sich das persische Reich nun wieder:[252] bereits im Winter 336/5 begann Dareios zu rüsten.[253] Mit

---

ken, Alex. d. Gr. u. d. Kor. Bund), SBB 1922, S. 99 ff., Ryder 106) bedurfte es keiner Erneuerung des Korinthischen Bundes durch Alexander mehr. Ein Abschluß des Vertrages von 338/7 auf ewige Zeiten – Voraussetzung dieser These (s. Ryder a. a. O.) – ist durch Quellen jedoch nicht zu belegen. Für eine Erneuerung spricht hingegen nach Dobesch S. 79 Anm. 13 der Passus Arr. 2.14.6 (τὴν εἰρήνην, ἣν τοῖς Ἕλλησι κατεσκεύαοα) sowie m. E. Schol. zu Demosth. 18.89 p. 255,12 Dindorf (τῆς νῦν εἰρήνης] τῆς ἐπὶ Ἀλεξάνδρου. ἐσπείσατο γὰρ καὶ αὐτὸς πρὸς αὐτούς (gemeint sind die Athener), ὥσπερ ὁ πατὴρ, ὥστε αὐτοὺς αὐτονόμους εἶναι καὶ ἀφορολογήτους, ὅμως μέντοι ὑπακούειν αὐτῷ καὶ κατὰ γῆν καὶ κατὰ θάλασσαν.). s. auch A. Heuß, Antigonos Monophtalmos und die griechischen Städte, Hermes 73, 1938, S. 139 (ohne Angabe von Gründen).

[247] Diod. 17.4.9. Zum eventuellen Besuch des Orakels in Delphi auf der Rückreise vgl. W. Tarn, Alexander der Große, dt. Ausgabe Darmstadt 1968, S. 657 ff. (ἀνίκητος), Schäfer III 99, Schachermeyr 110 Anm 95, Hamilton 46 Anm. 4.

[248] Nach seiner Rückkehr waren in Pella Nachrichten von Unruhen bei den Illyrern und Triballern eingetroffen. s. Arr. 1.1.4.

[249] Quellen bei Schäfer III 103–110. Zum Verlauf des Feldzuges s. M. G. Y. v. Wartenburg, Kurze Übersicht der Feldzüge Alexanders des Großen, Berlin 1897, S. 3–12, N. Vulić, Alexanders Zug gegen die Triballer, Klio 9, 1909, S. 490/1, M. Neubert, Alexanders des Großen Balkanzug, Petermanns Geographische Mitteilungen 80, 1934, S. 281 ff., N. G. L. Hammond, Alexander's Campaign in Illyria, JHS 94, 1974, S. 66 ff. Weitere Literatur bei J. Seibert, Alexander der Große (cit. Seibert), Darmstadt 1972, S. 78 und 263 f.

[250] Arr. 2.14.5, Diod. 17.5.3 ff., Just. 10.3.2 ff. Dareios bestieg den Thron im Sommer 336. s. F. K. Kienitz, Die politische Geschichte Ägyptens vom 7. bis zum 4. Jahrhundert vor der Zeitwende (cit. Kienitz), Berlin 1953, S. 110, A. T. Olmstead, History of the Persian Empire (cit. Olmstead), Chicago 1948, S. 490; dagegen Judeich, Kleinasiatische Studien 303 (Winter 336).

[251] Noch 338 ging Ägypten verloren. 336 konnte man dem Vorstoß Philipps keinen energischen Widerstand entgegensetzen. Vgl Kienitz 109 f., Judeich, Kleinasiatische Studien 302 f.

[252] Vgl. Judeich, Kleinasiatische Studien 304. Zur unterschiedlichen Auffassung der Persönlichkeit Dareios' III. vgl. einerseits F. Schachermeyr 113 und 134 und G. Wirth,

Memnon verfügte er bei der geplanten Offensive gegen das makedonische Truppenkontingent in Kleinasien über einen erfahrenen griechischen Strategen.[254] Mitte Juli stieß Memnon durch das Idagebirge nach Kyzikos vor.[255] Parmenion und Kalas konnten die errungenen Positionen nicht halten. Kalas wurde nach Rhoiteion zurückgerufen,[256] Parmenion zog sich nach Abydos zurück.[257]

Die militärische Offensive der Perser wurde von einer diplomatischen ergänzt.[258] Mit Geld und Botschaften Dareios' versuchten persische Abgesandte, die Griechen zum Kampf gegen Alexander zu bewegen.[259] Der Vorstoß des Großkönigs richtete sich gegen den Korinthischen Bund.[260] Dessen Auflösung, d. h. der Abfall der griechischen Teilnehmerstaaten, hätte alle weitergehenden Pläne Alexanders frühzeitig zum Erliegen gebracht.

In offizieller Form nahmen nur die Spartaner, die nicht dem Korinthischen Bund angehörten, die Subsidien an.[261] In Athen lehnte die Volksversammlung die finanziellen Angebote des Großkönigs ab: angesichts der Schwäche des von zwei blutigen Thronwechseln erschütterten Perserreiches scheuten die Athener den Konflikt mit Alexander.[262] Das Geld erhielt nun in privater Eigenschaft Demosthenes.[263] Be-

---

Dareios und Alexander, Chiron 1, 1971, S. 144, andererseits H. Bengtson 337 und H. Berve II 128 f. Zum Regierungsantritt s. Berve II 117.

[253] Diod. 17.47.2.

[254] Vgl. Berve II 250 ff., Schachermeyr 132 ff.

[255] Diod. 17.7.3, Polyain. 5.44.5. Die Zeit folgert Badian, Alexander the Great 39 f. aufgrund der Diodorangabe über ein nur in den Tagen um den 20. Juli vom Idagebirge aus zu beobachtendes Naturphänomen (Diod. 17.7.6).

[256] Diod. 17.7.10, Judeich, Kleinasiatische Studien 306.

[257] Judeich a. a. O., Badian, Alexander the Great 41, 49. Im Herbst 335 befand sich Parmenion nach Diodor 17.16.2 in Makedonien. s. Schäfer III 114 Anm. 2, Judeich, Kleinasiatische Studien 306, Berve II 299. Trotz der augenblicklichen militärischen Schwäche mußte den Griechen das Engagement und der auch nach Philipps Tod ungebrochene Wille der Makedonen, die Pläne von Korinth zu realisieren, bewußt werden.

[258] Nach Diod. 17.7.2 bereits ab Winter 336/5.

[259] Arr. 2.14.6 (Brief Alexanders an Dareios).

[260] s. Arr. a. a. O. ... καὶ τῶν παρὰ σοῦ (Dareios) πεμφθέντων τοὺς ἐμοὺς φίλους διαφθειράντων καὶ τὴν εἰρήνην, ἣν τοῖς Ἕλλησι κατεσκεύασα, διαλύειν ἐπιχειρούντων, ... vgl. G. Dobesch, Zur Philia im Korinthischen Bund, Beiträge zur Alten Geschichte und deren Nachleben, Berlin 1969, S. 248.

[261] Arr. 2.14.5 f.; vgl. Plut. mor. 327 D. Die Nachricht ist mit Vorsicht aufzunehmen, da Alexander nach Wiederherstellung der Ordnung nach 335 sicherlich auf eine Beschuldigung von Mitgliedern des Korinthischen Bundes bewußt verzichtete, s. W. B. Kaiser, Der Brief Alexanders des Großen an Dareios nach der Schlacht bei Issos, Diss. Mainz 1956, S. 44. Wie bereits Kaiser a. a. O. 43 erkannt hat, erhebt Alexander die Vorwürfe gegen die Spartaner im Gegensatz zu den übrigen Bezichtigungen im Partizip Präsens. Es läßt sich daher vermuten, daß die Unterstützung durch Dareios 333 noch andauerte bzw. erst in diesem Jahr zur Ausführung kam.

[262] Dies geht m. E. aus Aischin. 3.239 hervor, auch wenn die Möglichkeit einer nachträglichen Interpretation des Redners nicht gänzlich auszuschließen ist. οὗτος μέντοι ὁ

reits vor Chaironeia hatte er zum persischen Königshof Kontakte geknüpft.[264] Aufgrund der vielfältigen, auf seinen Gesandtschaftsreisen zustandegekommenen Verbindungen zu Antimakedonen in Griechenland[265] war er im Konzept des Dareios der geeignete Mann, um den Widerstand gegen Alexander zu entfachen.

Die Möglichkeit, das persische Gold zielgerichtet und effektiv einzusetzen, fand sich noch im Sommer 335. Alexander hielt sich seit Frühjahr im Gebiet der Triballer und Illyrer auf. Nachrichten von dem Kampfschauplatz blieben aus.[266] Da der Krieg über Gebühr lang währte, verdichteten sich die Gerüchte, der Makedonenkönig sei in Illyrien besiegt worden.[267] Ein allgemeiner griechischer Aufstand versprach nun Erfolg. Anders als nach dem Tode Philipps war das jetzt in Illyrien dezimierte Makedonenheer nicht zu fürchten. Demosthenes hoffte, mit Unterstützung des Großkönigs die Makedonen auf ihr Mutterland zurückdrängen zu können und Athen als Führerin im Kampf[268] die Hegemonie über das griechische Mutterland zu sichern. Voraussetzung war, der Fama aus Illyrien Glaubwürdigkeit zu verleihen. In der Volksversammlung wartete Demosthenes mit einem angeblichen Augenzeugen auf, der bestätigte, daß Alexander den Tod gefunden hatte.[269] Offenbar suchte

---

αὐτὸς (Dareios) ἐγκαταληφθεὶς ὑπὸ τῶν νυνὶ παρόντων αὐτῷ κινδύνων, οὐκ αἰτούντων Ἀθηναίων, αὐτὸς ἑκὼν κατέπεμψε τριακόσια τάλαντα τῷ δήμῳ, ἃ σωφρονῶν οὐκ ἐδέξατο. ὁ δὲ κομίζων ἦν τὸ χρυσίον καιρὸς καὶ φόβος καὶ χρεία συμμάχων. Als Begründung diente die Verweigerung eines athenischen Hilfegesuchs durch Artaxerxes Ochos. (Aischin. 3.238; s. u. Anm. 264; vgl. Olmstead 487 f.) Die Absage Athens geht von der Position eines starken Makedonien aus. Sie dürfte somit in die Zeit zwischen der Erneuerung der Verträge von Korinth und den illyrischen Kämpfen im Sommer 335 fallen. s. u. Anm. 264.

[263] Dein. 1.10 und 1.18; vgl. Aischin. a.a.O.

[264] Vgl. Demosth. 9.71; Plut. mor 847 F; dazu Schäfer II 483 f.; Wüst 125 ff.; Beloch, Attische Politik 220. Mit Recht weist Wüst auf eine Überbewertung von Aischin. 3.238 hin. Der Großkönig war damals (341) an einem Abkommen mit Athen interessiert (Artaxerxes Ochos hatte bereits 2 Jahre vorher, 343, Verbindung mit Athen aufzunehmen versucht; s. Didymos 8.5, Diod. 16.44.1, Demosth. 12.6 und 10.34), verzichtete aber nun im Hinblick auf das noch gültige Bündnis mit Philipp (vgl. Arr. 2.14.2; Bengtson Staatsverträge II 321 f.) auf eine offizielle Unterstützung der Stadt. Die Gelder flossen lediglich in Privathand.
335 fand man darin eine willkommene Begründung, das Angebot des Dareios abzulehnen. Das Nichtzustandekommen eines förmlichen Vertrages im Jahre 341 wurde in eine überhebliche Abweisung umgedeutet. s. Aischin. a.a.O.

[265] Vgl. u.a. Demosth. 6.19 ff.

[266] Arr. 1.7.3.

[267] Arr. 1.7.2, Ael. var. hist. 12.57, Just 11.2.8, Ps.-Demad. ὑπ. τ. δωδ. 17. Vgl. Schäfer III 116 Anm. 1.

[268] Vgl. Ps.-Plut. mor. 847 C.

[269] Just 11.2.8 ,.,, qui (gemeint ist Demosthenes) Macedonum deletas omnes cum rege copias a Triballis adfirmaverit producto in contionem auctore, qui in eo proelio, in quo rex ceciderit, se quoque vulneratum diceret. Vgl. Ps.-Demad. ὑπ. τ. δωδ., 17 ... ἡνίκα Δημοσθένης καὶ Λυκοῦργος τῷ μὲν λόγῳ παρατατττόμενοι τοὺς Μακεδόνας

er die Ekklesia zu überzeugen, daß man nach dem Tode des Königs der Verpflichtungen des Korinthischen Bundes ledig sei.[270] Gleichzeitig bemühte er sich, andere griechische Poleis für eine Revolte zu gewinnen.[271]

Ein wichtiger Adressat seiner Agitation waren die in Athen lebenden Thebaner.[272] Sie nahmen Verbindung auf zu oppositionellen Bürgern in Theben.[273] Von Demosthenes mit Waffen versorgt,[274] kehrten die exilierten Boioter heimlich in ihre Stadt zurück und stürzten in einem nächtlichen Handstreich die Regierung der 300 Oligarchen.[275] Der Führer der Promakedonen Timolaos wurde ermordet.[276] In der sofort einberufenen Volksversammlung gewannen die Makedonengegner die Menge mit der Meldung vom Tode Alexanders rasch für sich. Anders als Athen hatte Theben seit Chaironeia unter einer Besatzung zu leiden[277] und war daher einer antimakedonischen Agitation eher zugänglich. Die Nachricht vom Tode Alexanders wurde als Erlösung angesehen und daher gerne geglaubt.[278] Demosthenes finanzierte als Privatmann mit den erhaltenen persischen Subsidien Waffenlieferungen.[279] Athen schritt nicht dagegen ein. Auf diesem Weg schien eine Unterstützung Thebens ohne Bruch der Verträge möglich, Athen bei einer Rückkehr Alexanders abgesichert. Schließlich setzte Demosthenes auch einen Hilfsbeschluß der Volksversammlung durch.[280] Die Absendung des Truppenkontingentes wurde jedoch verzögert: man wollte zunächst die weitere Entwicklung der Ereignisse abwarten.[281] Antipater hatte auf die Nachricht von den Unruhen in Griechenland diplo-

---

ἐνίκων ἐν Τριβαλλοῖς, μόνον δ' οὐχ ὁρατὸν ἐπὶ τοῦ βήματος νεκρὸν τὸν Ἀλέξανδρον προέθηκαν, ... Die Erwähnung des Auftritts Lykurgs findet sich nur bei Ps.-Demades. Sie entstammt wohl einer nach dem Tode Alexanders entstandenen Überlieferung, die die antimakedonischen Aktivitäten Lykurgs stark überbetont. s. u. S. 97 ff.

[270] Vgl. Schachermeyr 114. Demades scheint der Argumentation des Demosthenes widersprochen zu haben. Vgl. Ps.-Demad. a. a. O.

[271] Plut. Dem. 23.1, vgl. Ps.-Plut. mor. 847 C.

[272] Ps.-Demad. ὑπ. τ. δωδ. 17 (Δημοσθένης καὶ Λυκοῦργος) ... ἐν τῷ δήμῳ δ'ἀλείψαντες λόγοις εὐπρεπέσι Θηβαίων τοὺς παρόντας φυγάδων θυμοὺς ἐπ'ἐλπίδι τῆς ἐλευθερίας ἠκόνησαν, ...

[273] Vgl. Arr. 1.7.1.

[274] Plut. Dem. 23.1.

[275] Arr. u. Plut. a. a. O. Nach Arrian geschah dies während der Ereignisse bei Pelion, also im Hochsommer 335 (vgl. Hammond, Alexander's Campaign 80).

[276] Arr. 1.7.1. Zur Person und Rolle des Timolaos Demosth. 18.48, 295 Dein. 1.74; Polyb. 17.14.4; Berve II 374.

[277] Vgl. Dein 1.19, Arr. 1.7.2; Schachermeyr 114.

[278] Arr. 1.7.3. ὥστε, ὅπερ φιλεῖ ἐν τοῖς τοιοῖσδε, οὐ γιγνώσκοντες τὰ ὄντα τὰ μάλιστα καθ' ἡδονήν σφισιν εἴκαζον.

[279] Diod. 7.8.5, Plut. Dem. 23.1.

[280] Diod. 17.8.6. Ἀθηναῖοι δ' ἐψηφίσαντο μὲν βοηθεῖν τοῖς Θηβαίοις, πεισθέντες ὑπὸ Δημοσθένους ...

[281] Diod. a. a. O. Ἀθηναῖοι ... οὐ μέντοι γε τὴν δύναμιν ἐξέπεμψαν, καραδοκοῦντες τὴν ῥοπὴν τοῦ πολέμου.

matisch interveniert.[282] Seine Gesandtschaften mußten Zweifel am Tode des Königs wecken. Neben Demades mahnte nun vor allem Phokion zur Vorsicht.[283] Gegen Alexander selbst wollte man sich nicht engagieren und das Risiko einer militärischen Auseinandersetzung eingehen.

Auf Antipaters Nachricht über die Unruhen handelte Alexander sofort. Innerhalb von zwei Wochen erreichte er Theben.[284] Selbst als Boten seine Ankunft meldeten, war man in der Stadt nicht bereit, die Fama von seinem Tod zu korrigieren. Die Führer des Aufruhrs versicherten, es handle sich um einen anderen Alexander, um den Sohn des Aeropos.[285] Arkader und Eleer hatten sich bereits nach den Warnungen Antipaters vorsichtig verhalten.[286] Nun kehrten sie endgültig vom Isthmos zurück.[287] Phoker, Orchomenier und Plataier sahen die Gelegenheit, Rache an den

---

[282] Vgl. Dein. 1.18.

[283] Zu Demades vgl. Ps.-Demad. ὑπ. τ. δωδ. 17. Zu Phokion Plut. Phok. 17.1; Gehrke 69. Ob Phokion bereits gegen den Rüstungsbeschluß votierte, ist zweifelhaft. Der Stimmungsumschwung in Athen wurde durch die Demarchen Antipaters bewirkt. Auch die Arkader verharrten, obwohl sie die makedonischen Gesandten zurückwiesen, am Isthmos. Vgl. Dein. 1. 18–21.

[284] Diod. 17.8.2, Just 11.2.10.

[285] Arr. 1.7.6. Dieser stammte aus dem Fürstengeschlecht der Lynkestis (s. Berve II 17 f.) und war nach der Ermordung Philipps im Gegensatz zu seinen Brüdern (s. o. S. 33) geschont worden (Arr. 1.25.2, Curt. 7.1, 6 f., Just. 11.2.2)
In Verbindung mit der Nachricht vom Tod des Makedonenkönigs in Illyrien glaubte man in Theben, offenbar in Kenntnis von der innermakedonischen Opposition gegen Philipp und Alexander, der Lynkeste habe die Macht an sich gerissen.

[286] s. o. Anm. 283

[287] Vgl. Dein. 1.18 ff. Nach G. Barthold, Athen und Makedonien. Studien zum Vokabular der politischen Propaganda bei Demosthenes und seinen Gegnern (cit. Barthold), Diss. Tübingen 1962, Anm. S. 91 wollten die Arkader mit dem Vormarsch formal ihren Verpflichtungen gegen den Bundeshegemon gerecht werden, ohne direkt in den Kampf gegen Theben einzugreifen. Einer solchen Hypothese widerspricht die von ihnen nach der Zerstörung Thebens eilig betriebene Verurteilung der Initiatoren des Zuges (Arr. 1.10.1).
Die bei Deinarch erwähnte thebanische Gesandtschaft am Isthmos sollte in Anbetracht der überraschenden Bedrohung durch Alexander und des Ausbleibens jeglicher Verstärkung die Peloponnesier zum Weitermarsch bewegen. Deren Antwort (... καὶ φανερὸν ποιησάντων (erg. Ἀρκάδων) ὅτι τοῖς μὲν σώμασι μετ᾽ Ἀλεξάνδρου διὰ τοὺς καιροὺς ἀκολουθεῖν ἠναγκάζοντο, ταῖς δ᾽ εὐνοίαις μετὰ Θηβαίων καὶ τῆς τῶν Ἑλλήνων ἐλευθερίας ἦσαν Dein. 1.20) stellt eine vorsichtige Begründung des Rückzuges dar. Daß Demosthenes hierfür durch die Verweigerung einer, an der Gesamtsumme der persischen Gelder gemessen, bescheidenen Summe von zehn Talenten (Aischines: neun) verantwortlich zeichnete (Dein. a.a.O., Aischin 3.240), kann unter Berücksichtigung seiner ideellen und materiellen Hilfe für Theben als eine der üblichen Invektiven attischer Prozesse gewertet werden.
Die Wurzeln für die Aufstandsbereitschaft der Eleer, Arkader und Aitoler (Arr. 1.10.1 f.) sind bereits in der Neuordnung Philipps nach der Schlacht von Chaironeia zu suchen (vgl. Roebuck 83 ff.). Den Aitolern war das versprochene Naupaktos verweigert

Thebanern zu nehmen[288] und schlossen sich den Makedonen an:[289] die revoltierende Stadt blieb isoliert.

Unbeeindruckt vom Ausbleiben der Hilfstruppen setzten die Thebaner, die makedonische Besatzung auf der Kadmeia im Rücken, den Widerstandskampf fort. Die Entschlossenheit der Verbannten, die von Alexander keine Nachsicht zu erwarten hatten,[290] sowie möglicherweise eine Überschätzung der eigenen Kräfte bestimmten die Verweigerung der Kapitulation. In erbitterten und blutigen Kämpfen eroberte Alexander nun die Stadt: 6 000 Menschen wurden getötet, die überlebende Bevölkerung in die Sklaverei verkauft, die Stadt mit Ausnahme des Hauses des Dichters Pindar dem Erdboden gleichgemacht.[291] Das Strafgericht wurde offiziell von den Delegierten des Bundes beschlossen.[292] Namentlich die boiotischen Gegner der Thebaner plädierten für ein drakonisches Exempel.[293] Alexander wurde damit

---

worden (s. o. S. 61 Anm. 228); Arkadien und Elis hatten sich 338 Philipp bei seinem Einmarsch in die Peloponnes angeschlossen (vgl. Paus. 5.4.9; Schäfer III 42, Roebuck 84), wurden aber vom König nicht dafür entlohnt (zu Elis Roebuck a. a. O.).

Im Gegensatz dazu erhielten ihre südlichen Nachbarstaaten Tegea, Messenien, Argos und Megalopolis (zur Sonderstellung von Megalopolis im Arkadischen Bund vgl. Berve I 244) auf Kosten Spartas territoriale Gewinne (s. mit Quellenangabe Wüst 173 Anm. 5).

Unter ihnen sind die Πελοποννήσιοι zu vermuten, die 335 wahrscheinlich aufgrund ihrer Gegnerschaft zu Sparta Alexander gegen Theben unterstützen wollten. Von Demosthenes wurden sie mit persischem Gold von der Absendung ihrer Kontingente abgehalten. Ps.-Plut. mor. 851 B. καὶ ὅτι (erg. Demosthenes) ἐκώλυσε Πελοποννησίους ἐπὶ Θήβας Ἀλεξάνδρῳ βοηθῆσαι, χρήματα δοὺς καὶ αὐτὸς πρεσβεύσας·

[288]   Vgl. Just. 11.3.8.

[289]   Arr. 1.8.8, Diod. 17.13.5; vgl. Just. a. a. O., Plut. Alex. 11.11.

[290]   Arr. 1.7.11.

[291]   Nach F. Carrata, Cultura greca e unità macedone nella politicia di Filippo II (cit. Carrata), Turin 1949, S. 38 war die „fulminea distruzione di Tebe" ein bewußt geplanter Akt, um weiteren Aufständen vorzubeugen. Zum Ablauf des Geschehens vgl. u. a. Berve I 238 f., Kaerst 242 f., Schachermeyr 115 ff. A. Daskalakis, Alexander the Great and Hellenism (cit. Daskalakis), Thessaloniki 1966, S. 50 ff., Tarn, CAH VI 356 f., F. Schober, RE V. 2, 1934, S. 1481 ff., P. Chloché, Thèbes de Béotie. Des origines à la conquête romaine, Bibliothéque de la faculté de philosophie et lettres de Namur 13, 1952, S. 198, Hamilton, Alexander's Early Life 123. Quellen bei Schäfer III 119 ff. Gegen H. Volkmann, Die Massenversklavungen der Einwohner eroberter Städte in der hellenistisch-römischen Zeit, Abh. d. Geistes- und Sozialwiss. Kl., Akad. d. Wiss. u. d. Lit. in Mainz 3, 1961, S. 224 ff. und J. R. Hamilton, Plutarch Alexander (cit. Hamilton, Plutarch), Oxford 1969, S. 31 verwerfen W. W. Tarn S. 10 und W. L. Westermann, The Slave System of Greek and Roman Antiquity, Philadelphia 1955, S. 28 mit Recht die überlieferte Zahl von 30 000 in die Sklaverei verkauften Thebanern als stereotyp. Vgl. neuerdings zum Problem stereotyper und rhetorischer Zahlen A. Dreizehnter. s. o. S. 7 f. Anm. 33.

Zur Schonung des Hauses des Dichters Pindar vgl. Carrata 38. Nach H. U. Instinsky, Alexander, Pindar, Euripides, Hist. 10, 1961, S. 248 ff. war der primäre Grund ein von Pindar auf Alexander I. verfaßtes Gedicht. Die Geste beinhaltete wohl auch eine Verbeugung vor den kulturellen Traditionen der Griechen.

[292]   Diod. 17.14; Arr. 1.9.9, Just 11.3.8 ff.

[293]   s. o. Anm. 289. Mit der Begründung, Theben für seine traditionelle Freundschaft

von der alleinigen Verantwortung für die Vernichtung der Stadt, die als Abschreckung vor weiteren Aufständen durchaus in seinem Sinn lag, entlastet.

Die Nachricht vom Schicksal Thebens löste in der griechischen Öffentlichkeit einen Schock aus.[294] Der Makedonenkönig durfte hoffen, zumindest für die ersten Monate seiner bevorstehenden Abwesenheit in Kleinasien die Ruhe im griechischen Mutterland wiederhergestellt zu haben. Gleichzeitig konnte er auf ein weiteres Vorgehen gegen die aufständischen Peloponnesier und Aitoler verzichten[295] und sich insbesondere gegen Athen großzügig erweisen. So blieb der Weg für eine Klärung der athenisch-makedonischen Beziehungen und für eine friedliche Einigung offen.[296]

4. Demades und Alexander.
Verhandlungen nach der Zerstörung Thebens

In Athen war man wie in Theben vom Tode Alexanders überzeugt gewesen. Die Schnelligkeit, mit der der König gegen die Nachbarstadt vorging, gab den Athenern offenbar nicht einmal die Möglichkeit, sich über den Verlauf der Kämpfe zu informieren. Als die Nachricht von der Zerstörung Thebens Attika Anfang Herbst erreichte, feierte man dort gerade die Mysterien.[297] Die Feiern wurden sofort abgebrochen, die Stadt in Verteidigungsbereitschaft gesetzt, wie 338 und 336 die Landbevölkerung evakuiert, schließlich die Volksversammlung einberufen.[298]

Gegenüber Alexander, der nun nach Attika marschierte, versuchte Athen den Eindruck passiven Verhaltens im makedonisch-thebanischen Konflikt zu erwekken, die Unterstützung der Aufständischen als private Aktion des Demosthenes er-

---

mit dem Perserreich zu strafen, wurde eine ideologische Verbindung zum bevorstehenden Rachefeldzug (s. Bellen 43 ff.) hergestellt. vgl. Kaerst 243.

Betrachtete man sich in Makedonien bereits als seit Herbst 337 im Kriegszustand mit Persien befindlich, mußte der Aufstand der Thebaner nicht als Verstoß gegen die Bestimmungen der κοινὴ εἰρήνη, sondern als Hochverrat an den Bundesgenossen gewertet werden.

[294] Arr. 1.9.1; vgl. u. Anm. 295

[295] vgl. Arr. 1.10.1 f. Ἐς δὲ τοὺς ἄλλους Ἕλληνας ὡς ἐξηγγέλθη τῶν Θηβαίων τὸ πάθος, Ἀρκάδες μὲν, ὅσοι βοηθήσοντες Θηβαίοις ἀπὸ τῆς οἰκείας ὡρμήθησαν, θάνατον κατεψηφίσαντο τῶν ἐπαράντων σφᾶς ἐς τὴν βοήθειαν· Ἠλεῖοι δὲ τοὺς φυγάδας σφῶν κατεδέξαντο, ὅτι ἐπιτήδειοι Ἀλεξάνδρῳ ἦσαν· Αἰτωλοὶ δὲ πρεσβείας σφῶν κατὰ ἔθνη πέμψαντες ξυγγνώμης τυχεῖν ἐδέοντο, ὅτι καὶ αὐτοί τι πρὸς τὰ παρὰ τῶν Θηβαίων ἀπαγγελθέντα ἐνεωτέρισαν·

[296] Als Argumentation für die Alexandergegner kam der Vernichtung Thebens kaum propagandistische Bedeutung zu. In Athen vergaß man trotz des Bündnisses von 338 nicht der alten Feindschaft (vgl. Arr. 1.9.7) und der Rivalität zur boiotischen Nachbarstadt.

[297] Das Fest begann am 15. Boedromion (Anfang Oktober). s. L. Deubner, Attische Feste, Hildesheim/New York 1969, S. 72.

[298] Arr. 1.10.2 f.

scheinen zu lassen. Der Makedonenkönig bestand aber auf einer Klärung des zwiespältigen Verhaltens der Stadt. Einerseits hatte sie die Waffenlieferungen und die antimakedonische Propaganda des Demosthenes geduldet, sogar offiziell eine Hilfssendung beschlossen, andererseits jedoch war sie nicht zum offenen Widerstand übergegangen. Athen blieb jetzt nur der Verhandlungsweg. Auf Antrag des Demades wurde eine Delegation aus zehn als promakedonisch bekannten Politikern zusammengestellt.[299] Sie beglückwünschten Alexander zur wohlbehaltenen Rückkehr von den Kämpfen mit den Illyrern und Triballern und darüber hinaus, beredter Ausdruck der Furcht, zur erfolgreichen Niederschlagung der thebanischen Erhebung.[300]

Der König zeigte sich konzessionsbereit und empfing die Delegation nicht unfreundlich.[301] Eine athenische Hilfe für Theben war nicht zu leugnen. So beschränkten die Gesandten die Verantwortung für sie auf eine kleine Gruppe antimakedonischer Politiker.[302] Alexander war nun nicht mehr willens, sich wie 336 mit Treuebekenntnissen zu bescheiden und forderte die Auslieferung der makedonenfeindlichen Redner und Strategen.[303] Zusätzlich bestand er auf Einhaltung des gegen die überlebenden Thebaner verhängten Ächtungsverdikts.[304]

In der anstehenden Debatte der Volksversammlung, die über die Forderungen

---

[299] Arr. 1.10.3.

[300] Arr. a. a. O.

[301] Arr. 1.10.4, ὁ (Alexander) δὲ τὰ μὲν ἄλλα φιλανθρώπως πρὸς τὴν πρεσβείαν ἀπεκρίνατο ...; vgl. Gehrke 70 Anm. 14, 72 Anm. 26.

[302] Fraglich bleibt, wie man den Rüstungsbeschluß motivierte. Möglicherweise rechtfertigte man sich mit der Bereitstellung eines Truppenkontingentes, zu der die Verträge von Korinth im Falle einer Verletzung der κοινὴ εἰρήνη verpflichteten. (Vgl. IG II² 236 (Syll.³ I 260) Z. 17 ff.)

[303] Die Angaben von Zahl und Namen der Politiker, deren Auslieferung gefordert wurde, sind unterschiedlich. Arr. 1.10.4 nennt Demosthenes, Lykurg, Hypereides, Polyeuktos, Chares, Charidemos, Ephialtes, Diotimos und Moirokles. Die gleichen Namen finden wir unter Hinzufügung des Thrasybul als zehnten in der Sudaliste (s. v. ᾿Αντίπατρος: Das Auslieferungsverlagen wird hier fälschlich ins Jahr 322 verlegt und Antipater zugeschrieben). Plut. Dem. 23.4 (vgl. Phok. 17.2) führt acht Namen (Demosthenes, Polyeuktos, Ephialtes, Lykurg, Moirokles, Demon, Kallisthenes, Charidemos) an, wobei er sich auf die, wie er schreibt, δοκιμώτατοι τῶν συγγραφέων beruft, die im Gegensatz zu Duris und Idomeneus (zehn Namen) acht Personen erwähnten. Nur zwei Namen, Lykurg und Demosthenes, kennt Diod. 17.15.1. In zeitgenössischen Quellen ist lediglich von Demosthenes bezeugt, daß er dem Auslieferungskatalog angehörte (s. Demosth. 18.41 u. 322, Aischin. 3.161). Das Dekret des Stratokles aus dem Jahre 307/6 (Syll.³ 326, Z. 21 ff.; vgl. Ps.-Plut. mor. 852 Cf.), in dem Lykurg zum Hauptgegner Alexanders gestempelt wird, muß in seinen Aussagen mit Vorsicht gewertet werden, da Lykurgs antimakedonisches Engagement hier, wie noch zu zeigen sein wird, aus tagespolitischen Gründen, wenn nicht fingiert, so doch stark übertrieben wurde (vgl. u. S. 97 ff.).

Seit Schäfer III 138 f. Anm. 2 wurde in der Forschung der von Plutarch wiedergegebenen Namensliste (Dem. 23.4) ohne hinreichende Gründe (Hinweis auf die vom Autor

des Makedonenkönigs zu beraten hatte, machte sich Phokion zum Sprecher der makedonischen Interessen. Mit der Radikalität seiner Vorschläge, bedingungslose Auslieferung der antimakedonischen Politiker sowie Übergabe der flüchtigen Thebaner, stand er jedoch allein.[305] Dem Votum des Phokion traten Demosthenes und Lykurg in eigener Sache sowie Hypereides entgegen.[306] Bei der Abstimmung folgte

---

herangezogenen δοκιμώτατοι τῶν συγγραφέων) der Vorzug gegeben. Vgl. Berve u. a. II 377, neuerdings Gehrke 70 Anm. 15. Es besteht jedoch m. E. kein Grund, Plutarch, der im übrigen alle ihm verfügbaren Quellen – „von der besten bis zur schlechtesten" – unkritisch rezipiert (vgl. Tarn 595) gerade hier Zuverlässigkeit in der Quellenkritik zuzuschreiben (so auch Jacoby FGH IIC, S. 124), zumal er in seiner Phokionvita (9.6) wiederum die Zahl zehn anführt. Die Uneinheitlichkeit der in den Sekundärquellen insgesamt zwölf aufgeführten Namen (Πατροκλέα (Suda) ist nach Schäfer a. a. O. verschrieben für Μοιροκλέα) läßt vermuten, daß ein zeitgenössisches Dokument mit einer vollständigen Auslieferungsliste nicht überliefert wurde und spätere Historiker und Biographen die Namen prominenter Antimakedonen ergänzend einsetzten.

Aus Ps.-Plut. mor. 848 E (καὶ περὶ τῶν στρατηγῶν ὧν ᾔτει παρ' Ἀθηναίων (Hypereides) ἀντεῖπε, …) geht hervor, daß Hypereides in der Auslieferungsdebatte nicht in eigener Sache sprach (vgl. Berve II 377, Gehrke a. a. O., L. Braccesi, A proposito d'una notizia su Iperide, RFIC 95, 1967, S. 157 ff.)

Demon war 335 noch zu jung, um sich als Alexandergegner profiliert zu haben (vgl. Schäfer a. a. O.) Moirokles ist frühestens im Zusammenhang mit den Untersuchungen im Harpalosprozeß (Timokles frg. 4 (Edmonds II 603 f.) bei Athen. VII 341 f.) in Verbindung mit den Antimakedonen zu bringen (entgegen Berve II 266 ist aus Harp. s. v. Μοιροκλῆς nicht zu entnehmen, daß Moirokles als „eifriger Politiker der antimakedonischen Partei" tätig war).

Chares, Thrasybul und Ephialtes verließen kurz nach 335 Athen und schlossen sich den Persern an (vgl. mit Quellenangaben Berve II 404, 181, 160; Gehrke a. a. O.; Hamilton, Plutarch 32). Ihre spätere Einfügung in die Liste der Antimakedonen ist so leicht erklärbar.

[304] Vgl. Just. 11.4.9 f., Plut. Phok. 17.3 (zum „interdictum refugii profugorum" s. Diod. 17.14.3). Die Aufnahme Flüchtiger hatte die Volksversammlung unmittelbar nach der Zerstörung Thebens beschlossen (vgl. Plut. Alex. 13.1, Just. a. a. O.; Aischin. 3.156). Nachdem Alexander ihnen das Asylrecht zugebilligt hatte (s. u. S. 47), erhielten sie in Athen das Privileg der Isotelie. s. Harp. s. v. ἰσοτελής.

[305] Diod. 17.15.1 f., Plut. Phok. 17.2 f.; vgl. Phok. 9.6. Gehrke S. 74 idealisiert in seiner Biographie Phokion, wenn er ihn lediglich aus dem Bemühen um die Sicherheit Athens sprechen läßt und in der späteren Revidierung der Vorschläge das bewußte Akzeptieren einer persönlichen Niederlage im Interesse der Sache Athens sieht (vgl. Berve II 402). Dagegen lassen die Isolierung Phokions und auch, will man den Bericht Plutarchs nicht als bloße Anekdote abtun (s. Gehrke 161), die Theatralik seines Auftretens nicht ausschließen, daß seine Motive auch persönlicher Natur waren.

Mit seiner Aufforderung an Demosthenes, sich freiwillig für Athen zu opfern, zwang er ihn, wollte der Redner nicht einem ungewissen Schicksal in den Händen der Makedonen entgegensehen, sich als ἄνανδρος und δειλός (vgl. Diod. 17.15.2) bloßzustellen. Er selbst suchte seine innenpolitische Position zu stärken, indem er sich im Kontrast dazu als opferbereiter Patriot (Phok. 17.3. τὸ μὲν γὰρ αὐτὸς ὑπὲρ ὑμῶν ἁπάντων ἀποθανεῖν εὐτυχίαν ἂν ἐμαυτοῦ θείμην.) profilierte.

[306] Diod. 17.15.3, Plut. Phok. 9.6, Ps.-Plut. mor. 848 E, Plut. Dem. 23.5 f. (nach Aristobul v. Kassandreia).

die Bürgerschaft der Argumentation des Demosthenes und entschied, den Forderungen Alexanders nicht nachzukommen.[307] Den Ausschlag gab wohl die Notwendigkeit, das entwürdigende Verhalten der ersten Gesandtschaft durch eine der Vergangenheit der Stadt angemessene Haltung auszugleichen,[308] d. h. den lange gehegten Anspruch, sich für die Belange aller Griechen einzusetzen,[309] so noch möglich, zu wahren.

Alexanders Verhalten[310] kräftigte die pragmatische Überlegung, er werde auch bei einer Weigerung von einem zweiten Strafgericht Abstand nehmen und erleichterte so den Athenern diesen Entschluß. Zunächst jedoch wies der König das Dekret brüsk zurück.[311] Nachdem Gespräche zwischen Demosthenes und Demades zu einem Kompromiß geführt hatten,[312] beschloß die Volksversammlung ein zweites, geringfügig modifiziertes Psephisma.[313] Die Auslieferung wurde weiterhin verweigert. Als Ergebnis eines innerathenischen Arrangements verpflichtete sich jedoch Demosthenes zur Loyalität gegenüber den Verträgen von Korinth.[314] Zusätzlich sicherte die Delegation unter Führung des Demades[315] die Einleitung

---

[307] Diod. 17.15.2; s. Gehrke 72 Anm. 26.

[308] Vgl. Diod. 17.15.1.

[309] Vgl. Demosth. 60.18.23. In seiner dritten Philippika (9.45) reklamierte Demosthenes dieses Verhalten auch für die Vorfahren. οὐκοῦν ἐνόμιζον ἐκεῖνοι τῆς πάντων τῶν Ἑλλήνων σωτηρίας αὐτοῖς ἐπιμελητέον εἶναι·

[310] s. o. S. 44 Anm. 301

[311] Plut. Phok. 17.4.

[312] Diod. 17.15.3. Plut. Dem. 23.6. Zum Bestechungsvorwurf bereits Gehrke 73 Anm. 27.

[313] Diod. 17.15.4.

[314] So Beloch, Attische Politik 243; neuerdings Gehrke 73 Anm. 27.

[315] Diod. 17.15.3 ff.; vgl. Ps.-Demad. ὑπ. τ. δωδ. 26, Plut. Dem. 23.6 (Βουλευομένων δὲ τῶν Ἀθηναίων καὶ διαπορούντων, ὁ Δημάδης λαβὼν πέντε τάλαντα παρὰ τῶν ἀνδρῶν ὡμολόγησε πρεσβεύσειν καὶ δεήσεσθαι τοῦ βασιλέως ὑπὲρ αὐτῶν, εἴτε τῇ φιλίᾳ πιστεύων, εἴτε προσδοκῶν μεστὸν εὑρήσειν ὥσπερ λέοντα φόνου κεκορεσμένον. ἔπεισε δ'οὖν καὶ παρῃτήσατο τοὺς ἄνδρας ὁ Δημάδης, καὶ διήλλαξεν αὐτῷ τὴν πόλιν. Gehrke 73 Anm. 29 möchte hier im Anschluß an K. Ziegler (Plutarch, Leipzig 1959), der sich offenbar an der Phokionvita Plutarchs orientiert, δημάδης durch φωκίων ersetzt wissen. Es ist jedoch nicht ersichtlich, warum hier dem für seine „oftmals falschen und allzu leichtfertigen Konjekturen … bekannten" codex Matritensis (so auch Gehrke a. a. O) gegenüber den Handschriften UMA (Gruppe Y), die δημάδης überliefern, der Vorzug gegeben werden soll. M. E. schöpften Diodor (17.15.3 ff. Ἐπὶ τελευτῆς δὲ Δημάδης, πεπεισμένος ὑπὸ τῶν περὶ Δημοσθένην, ὥς φασι, πέντε ταλάντοις ἀργυρίου, συνεβούλευε μὲν σώζειν τοὺς κινδυνεύοντας, παρανέγνω δὲ ψήφισμα γεγραμμένον, φιλοτέχνως· … ὁ δὲ Δημάδης πρεσβεύσας καὶ τῇ τοῦ λόγου δεινότητι πάντα κατεργασάμενος ἔπεισε τὸν Ἀλέξανδρον ἀπολῦσαι τοὺς ἄνδρας τῶν ἐγκλημάτων καὶ τἆλλα πάντα συγχωρῆσαι τοῖς Ἀθηναίοις.) und Plutarch aus der gleichen Quelle, möglicherweise, wie der seit Demetrios Poliorketes zum Demadesbild gehörende Bestechungsvorwurf nahelegt, einem (von Theopomp beeinflußten) Autor des 3. Jahrhunderts.

Aufgrund seiner bisherigen Aktivitäten bei den Verhandlungen von 338 und 336 und

einer Untersuchung gegen die in Alexanders Augen kompromittierten Politiker zu.[316]

Der Makedonenkönig ging jetzt von seiner Auslieferungsforderung ab und billigte auch die Aufnahme der Thebaner in der Stadt.[317] Er bestand lediglich auf der Verbannung des Charidemos[318] und verzichtete so auf eine Kraftprobe. Seine Entschlossenheit hatte er bereits im Falle Thebens demonstriert. Mit einer Zerstörung Athens wäre der panhellenische Anspruch des geplanten Rachefeldzuges zur Farce geworden. Konzessionen ebneten jedoch den Weg zur Verständigung. Durch einen für Athen erfolgreichen Abschluß der Verhandlungen wuchs der Einfluß Phokions und insbesondere Demades'.[319] Eine von diesen Männern getragene Politik[320] stabilisierte die Ruhe zumindest in Mittelgriechenland wirksamer als die Präsenz makedonischer Waffen.[321]

---

des Ansehens, das er bei den Makedonen besaß, war Demades für diese Rolle prädestiniert.

Gehrke a.a.O. überbewertet Plut. Phok. 17.6ff. und damit die Funktion Phokions. 334 wurden allein Demades besondere Ehrungen durch die Athener zuteil. Vgl. Dein. 1.101.

[316] Diod. 17.15.3. Das Verfahren wurde später vom Areiopag niedergeschlagen. Vgl. Dein 1.10f.

Vermutlich war nie an eine Durchführung gedacht worden. Das Versprechen einer Untersuchung war ein rein formaler Akt, der es Alexander ermöglichen sollte, einzulenken, ohne seine Vorwürfe zurückzunehmen.

[317] Arr. 1.10.6, Diod. 17.15.3 ff., Plut. Dem. 23.6, Phok. 17.4 f. Vgl. u. a. Chloché, Démosthène et la fin de la démocratie athénienne (cit. Cloché, Démosthène), Paris 1957, S. 215 f., Daskalakis 57 f. Beloch, Attische Politik 242 f.

Offenbar suchte Alexander den durch das grausame Vorgehen gegen Theben in Griechenland erzeugten Schock wieder zu mildern.

[318] Arr. 1.10.6. Der Grund lag wohl in den Verbindungen des Charidemos zur innermakedonischen Opposition. Vgl. Aischin. 3.77, Braccesi 82.

Der Athener begab sich in den Dienst des Perserkönigs. s. mit Quellenangaben Berve II 407.

[319] Vgl. Plut. Dem. 24.1. Das οὗτοι bezieht sich auf Demades und seine Anhänger.

[320] Demades' promakedonische Einstellung hatte sich seit Chaironeia in zahlreichen Psephismata manifestiert. Zur positiven Haltung Alexanders gegenüber Phokion vgl. Plut. Phok. 17.10; Gehrke 74, Sadler 322.

[321] Das von Plutarch sowohl in der Alexander- (13.2) als auch in der Phokionvita (17.8) zitierte Apophthegma über die spätere Rolle Athens im Alexanderreich bestätigt, wenn auch die Aussage sicherlich anekdotisch überzogen ist, zumindest das Zustandekommen einer beiden Seiten zuträglichen Einigung (anders Hamilton 50, der nicht glaubt, daß Alexanders Konzessionen Athen dem König verpflichteten).

II. Lykurgs Reformprogramm und die Annäherung Athens an den Makedonenkönig

A. Die Entwicklung der Beziehungen zwischen Athen und Alexander bis zum Brand von Persepolis

1. Alexander und die griechischen Kontingente

Nach Alexanders Rückkehr von seiner zweiten Griechenlandexpedition drängte die Zeit zu schnellem Handeln. Einerseits mußte er weiteren Rüstungen[1] seines persischen Gegners zuvorzukommen versuchen, das Überraschungsmoment eines nach den Rückschlägen des vorausgegangenen Jahres für 334 noch nicht erwarteten Angriffs ausnutzen, andererseits aber auch durch einen raschen Beweis militärischer Fortüne einer möglichen weiteren Gefährdung seiner Positionen in Griechenland vorbeugen. Zudem war eine baldige Invasion in Kleinasien Beweis guten Willens, den von Philipp übernommenen Auftrag des panhellenischen Rachezugs zu realisieren.

Im Falle Athens hatte seine Diplomatie den Einfluß seiner bedeutendsten Gegner eingedämmt und durch die Stärkung der Promakedonen die Möglichkeit eines Verbündeten auf griechischem Boden eröffnet.[2] Dessen Loyalität war jedoch mit Alexanders baldiger Bewährung in der selbstgestellten Aufgabe des asiatischen Feldzuges verknüpft. Persische Erfolge, wie die Zurückschlagung der Invasionstruppen Parmenions und Kalas',[3] konnten einen Stimmungsumschwung bewirken

---

[1] Vgl. o. S. 37.

[2] Anders die Situation in Aitolien und auf der Peloponnes. Die Aitoler hatten den Verlust von Naupaktos (s. o. S. 34 f. Anm. 228) nicht verschmerzt und standen den Makedonen weiterhin feindlich gegenüber (vgl. Berve I 237, Schäfer III 202, Bosworth, Early Relations 164).

Obwohl es sich 336 und 335 zurückhaltend zeigte, bildete Sparta in den folgenden Jahren das Zentrum des antimakedonischen Widerstandes. Absprachen des Agis mit persischen Kommandeuren (Pharnabazos und Autophradates) sind erst für das Jahr 333 überliefert (Arr. 2.13.4 ff.) Da Dareios nach der Zerstörung Thebens und der Einigung zwischen Alexander und Athen zunächst nicht mehr auf Demosthenes setzen konnte, sind Kontakte zum Spartanerkönig aber schon für das vorausgegangene Jahr 334 wahrscheinlich. In Griechenland erstreckte sich Agis' Einfluß insbesondere auf Eleer, Achaier und Arkader (vgl. Aischin. 3.165, Dein. 1.34; Berve I 243 f.)

[3] s. o. S. 38

und in Athen die Hoffnung erwecken, man vermöge mit dem Großkönig als σύμ-μαχος an die alte Vormachtstellung in Griechenland anzuknüpfen.

Das Heer, mit dem Alexander im Frühjahr 334 den Hellespont überschritt und auf das er sich bei den ersten Kampfhandlungen zu stützen gedachte, bestand in seinem Kern aus makedonischen Elitetruppen. Zu diesen 12 000 Mann Fußvolk und 1 800 Reitern gesellten sich balkanische Leichtbewaffnete, thessalische Reiter, griechische Söldner und die Kontingente des Korinthischen Bundes, insgesamt ein Heer von nahezu 40 000 Mann.[4] In Makedonien blieben unter dem Kommando des Antipater als στρατηγὸς τῆς Εὐρώπης[5] 12 000 Pezhetairen und 1 500 Reiter,[6] Zeichen dafür, daß Alexander die Situation in Griechenland sowie im Norden Makedoniens keineswegs als bereinigt betrachtete, bzw. einen Gegenschlag des Großkönigs in Rechnung stellte.

Die Truppen des Korinthischen Bundes umfaßten 7 000 Mann Infanterie und 600 Reiter.[7] Die als gesichert geltende, überraschend geringe Zahl findet eine einfache Erklärung: Alexander plante nicht, die Ἕλληνες in entscheidenden Kämpfen einzusetzen. Die Kontingente, die die einzelnen Bündner zur Hauptmacht Alexanders entboten, rekrutierten sich in ihrer Masse nicht aus begüterten Politai[8] oder, wie im Falle Athens vermutet, Epheben,[9] sondern eher wohl aus dem Proletariat[10]

---

[4] Diod. 17.17.3 ff. (Kleitarch; nach Tarn 386 ff. „Söldnerquelle". s. dazu P. A. Brunt, Persian Accounts on Alexander's Campaigns, CQ 56, 1962 S. 141 ff.): 32 000 Fußsoldaten und 5 100 Reiter, Arr. 1.11.3 (Ptolemaios); vgl. Just. 11.6.2, Plut. mor. 327 Df. (Ptolemaios Lagou FGH 138 frg. 4: 30 000 und 5 000; Anaximenes FGH 72 frg. 29: 43 000 und 5 500; Aristobul FGH 139 frg. 4: 30 000 und 4 000); Polyb. 12.8.2 (Kallisthenes FGH 124 frg. 35: 40 000 und 4 500); Schäfer III 153 f., Beloch Gr. Gesch. III. 1 621, Bengtson 326 f., Berve I 103 ff., Schachermeyr 138 f., Hamilton 53, R. D. Milns, Alexander the Great (cit. Milns), London 1968, S. 45 ff., P. Green, Alexander the Great (cit. Green), Washington 1970, S. 86 ff., Wirth 9 ff., Tarn 12 ff. Neuerdings R. D. Milns, The Army of Alexander the Great, Entretiens Fond. Hardt 22, Genf 1976, S. 87 ff.
In jedem Fall sprechen die Zahlen gegen einen auf Dauer geplanten Krieg.
[5] Diod. 18.12.1; vgl. 17.118.1. Dazu Bengtson, Strategie 15 ff.
[6] Diod. 17.7.5. Bereits Anfang 333 unterstützte Alexander Antipater zusätzlich mit Geldmitteln. Curt. 3.1.20; vgl. Arr. 3.16.10 (Geldsendung 331).
[7] Kleitarch, auf den die Angaben Diodors (Diod. 17.7.4) zurückgehen, konnte sich auf griechische Informanten (Schachermeyr 153) stützen, an deren Kenntnis zumindest der Stärke des hellenischen Teiles des Alexanderheeres nicht zu zweifeln ist.
[8] s. im folgenden.
[9] Die Annahme von U. Kahrstedt, Das athenische Kontingent zum Alexanderzug (cit. Kahrstedt, Das athenische Kontingent), Hermes 71, 1936, S. 120–124, Athen habe 700 bis 800 Epheben zum Alexanderzug entsandt, ist, wiewohl sie in der neueren Forschung des öfteren rezipiert wurde (Bengtson 336 Anm. 3, Schachermeyr 138 Anm. 122), nicht zu halten. In den Epheben sah Lykurg die Zukunft der Stadt. Die Reorganisation und Erweiterung ihrer Ausbildung gehörte zu seinen wichtigsten Programmpunkten (s. u. S. 94 f. Anm. 310; vgl. auch die Bautätigkeit im Ilissosgebiet u. S. 87 f.). Daß Athen einen kompletten Jahrgang den Gefahren des Asienzuges ohne Widerstand aussetzte, ist daher

der Poleis, das aufgrund der abnehmenden Zahl von Märkten für den griechischen Export und dem damit verbundenen Rückgang der Beschäftigungsmöglichkeiten seit Mitte des 4. Jahrhunderts ständig wuchs.[11] Verarmten Bürgern, in den Städten meistenteils ohne Arbeit, bot sich im Heer Alexanders die Sicherung der materiellen Existenz[12] und darüberhinaus Aussicht auf die nebulösen Schätze des Perserreiches.[13]

Die Gründe für den Makedonenkönig, weitgehend auf den Einsatz dieser σύμ-

---

undenkbar. (Vgl. das Apophthegma des Demades (Sauppe II frg. 4): Καὶ Δημάδης δὲ ὁ ῥήτωρ ἔλεγε . . . ἐὰρ δὲ τοῦ δήμου τοὺς ἐφήβους . . .).

Unabhängig davon ist die von Kahrstedt aus der Stärke einer Phyle abgeleitete Gesamtzahl von Epheben willkürlich. Die Fluktuation innerhalb der verschiedenen Jahrgänge einer Phyle sowie Unterschiede zwischen den Phylen verbieten diese Methode des Rückschlusses (vgl. L. A. W. Yehya, The Athenian Ephebeia towards the End of the Fourth Century B. C., PACA 1, 1958, S. 44 ff.). Ein Querschnitt aus den Namenslisten der Jahre zwischen 334 und 323 (vgl. O. W. Reinmuth, The Ephebic Inscriptions of the Fourth Century B. C. (cit. Reinmuth, Ephebic Inscriptions), Leiden 1971, S. 5 ff.) ergäbe mit entsprechendem Vorbehalt eine Jahrgangsstärke von ca. 500.

[10] Ein Beleg hierfür ist m. E. der Verbleib vieler Ἕλληνες nach Entlassung der Bundestruppen im Heer Alexanders (Arr. 3.19.6 ὅστις δὲ ἰδίᾳ βούλοιτο ἔτι μισθοφορεῖν παρ' αὐτῷ, ἀπογράφεσθαι ἐκέλευσε· καὶ ἐγένοντο οἱ ἀπογραψάμενοι οὐκ ὀλίγοι). Trotz großzügiger Entlohnung (Diod. 17.74.3, Arr. 3.19.5, vgl. Plut. Alex. 42.5) schlossen sie sich dem Troß des Makedonenkönigs als ξένοι an und verzichteten auf die Rückkehr in ihre Heimatpoleis. Offenbar in Erwartung einer wirtschaftlich ungewissen Zukunft in Griechenland zogen sie die Strapazen des asiatischen Zuges vor.

[11] Dazu grundlegend M. Rostovtzeff, Gesellschafts- und Wirtschaftsgeschichte der Hellenistischen Welt I (cit. Rostovtzeff), Darmstadt 1955, S. 70 ff. bes. 75 ff. Vgl. Th. Pekáry, Die Wirtschaft der griechisch-römischen Antike (cit. Pekáry), Wiesbaden 1976, S. 38.

Eine Verknappung der Absatzmöglichkeiten, die Rostovtzeff als Ursache der Krise betrachtet, ist auch aus der Untersuchung von E. Schönert-Geiß über die Münzfunde des 4. Jahrhunderts ablesbar. (Die Geldzirkulation Attikas im 4. Jahrhundert v. u. Z., Hell. Pol. I 531 ff.)

Zum Ansteigen der Lebenshaltungskosten, Folge der aus dem Rückgang der Ausfuhren resultierenden Verteuerung der Importe und Ursache der Verarmung eines Teils der Bürgerschaft vgl. H.-D. Zimmermann, Freie Arbeit, Preise und Löhne (cit. Zimmermann), Hell. Pol. I 98 ff. Weitere Literatur bei Pekáry 41 f.

[12] Dies gilt nicht für die berittenen Truppen. Da für die kavalleristische Ausbildung (Reiterübungen waren in der Ephebenausbildung nicht vorgesehen: vgl. Aristot. Ath. pol. 42.3) allenfalls Zuschüsse gewährt wurden (vgl. Busolt/Swoboda 1186), fanden sich hier wohl vor allem Angehörige wohlhabender Schichten. Aufgrund höherer militärischer Effektivität, nicht „weil ihre Verwendung dem König minder gefährlich schien" (Berve I 143), kamen die ξύμμαχοι ἱππεῖς in den Schlachten am Granikos, bei Issos und bei Gaugamela zum Einsatz (vgl. Arr. 1.14.3; 2.9.1; 3.11.10 und 3.12.4).

Ob auch griechische Reiter bei Alexander blieben (Thessaler werden Arr. 3.25.4 erwähnt), ist unbekannt.

Eine Gruppe orchomenischer ἱππεῖς stiftete als Dank für die glückliche Heimkehr Zeus Soter ein Weihegeschenk (IG VII 3260; Hicks/Hill 163, Tod 197).

[13] Vgl. Demosth. 14.27.

μαχοι zu verzichten,[14] lagen somit wohl weniger, wie meistens angenommen,[15] im mangelnden Vertrauen auf ihre loyale Haltung als vielmehr im Wissen um die zu geringe Schlagkraft. Infolge ungenügender militärischer Praxis und Ausbildung, nicht zuletzt wohl auch fehlender Kampfmoral, war der militärische Wert dieses Bürgerheeres gegenüber den ξένοι gering zu veranschlagen.

Die Verträge von Korinth verpflichteten die Griechen zur Teilnahme am Zug. Auf eine Mitnahme der σύμμαχοι zu verzichten, war für Alexander daher nicht möglich. Die Wahrung des panhellenischen Anspruchs forderte zumindest ihre symbolische Beteiligung. Alexander wollte bei seinem Übergang seine Erfolge als griechische verstanden wissen, d.h. eine Identifikation der griechischen Öffentlichkeit mit seinen Eroberungsplänen herbeiführen. Die Möglichkeit, die Ἕλληνες gleichzeitig als Geiseln zu verwenden, durch die gegebenenfalls Druck auf die griechischen Heimatpoleis ausgeübt werden konnte, spielte wohl eine untergeordnete Rolle.

Da positive wirtschaftliche Auswirkungen des Zuges wie z.B. die Erschließung neuer Absatzmärkte erst langsam spürbar werden konnten, traf Alexander Vorsorge, um seine Pläne nicht von vornherein durch eine mögliche Erbitterung über die mit der Truppenabstellung verbundene ökonomische Belastung zu gefährden: er übernahm trotz eigener finanzieller Schwierigkeiten[16] und ohne Verpflichtung durch die Verträge von Korinth die Verpflegung und Besoldung der Kontingente des Bundes.[17] Es liegt nahe, daß es diese Belastung war, die ihn vorerst zum Verzicht auf die Anwerbung weiterer Söldner nötigte.[18] Um den Preis einer Schwä-

---

[14] In keinem der bedeutenden Kämpfe kam die Infanterie des Bundes zum Einsatz. Vgl. Berve I 142, Schachermeyr 138, U.Köhler, Die Eroberung Asiens durch Alexander den Großen und der Korinthische Bund (cit. Köhler, Die Eroberung Asiens), SBB 1898, S. 133, Wilcken, Alex. u. d. Kor. Bund 105.

[15] s. Berve I 142f., Schachermeyr 138, Bengtson 336, Dobesch 86. U.Köhler, Die Eroberung Asiens 133 sieht daneben auch mangelnde Leistungsfähigkeit der „Bürgermilizen" (vgl. U.Wilcken, Alex. d. Gr. u.d. Kor. Bund 104).

[16] Nach Arr. 7.9.6 betrug die Schuldenlast zu Beginn des Feldzuges 800 Talente (dagegen Onesikritos FGH 134 frg. 2: 200 Talente). In der Kriegskasse befanden sich 70 Talente (Aristobul FGH 139 frg. 4); der Proviant reichte lediglich für 30 Tage (Duris FGH 76 frg. 40). Vgl. dazu Berve I 302 ff., A.Andreades, Les finances de guerre d'Alexandre le Grand, Annales d'hist. écon. et soc. 1, 1929, S. 321 ff., R.Andreotti, Die Weltmonarchie Alexanders des Großen in Überlieferung und geschichtlicher Wirklichkeit, Saeculum 8, S. 124, Beloch, Gr. Gesch. IV. 1 41 ff., Schachermeyr 139.

[17] In Berücksichtigung der weitgespannten Pläne einer griechisch-makedonischen Waffengemeinschaft erscheint eine derartige Abmachung 337 undenkbar. Diese Alexander möglicherweise abgetrotzte Konzession, zusätzlicher Grund, die Zahl der Ἕλληνες begrenzt zu halten, erfolgte sicherlich erst 336 bzw. 335 angesichts der Vorgänge nach Philipps Tod.

[18] Den. ca. 20000 ξένοι auf persischer Seite (Arr. 1.14.4: die Zahl scheint sehr hochgegriffen, ist aber aufgrund der Quellensituation nicht durch eine plausiblere zu ersetzen)

chung seiner militärischen Schlagkraft muß sich demnach der Makedonenkönig, ungeachtet der Absicherung durch die bei Antipater verbliebenen Kontingente, um griechische Sympathien bemüht haben. Die aber konnte er letzten Endes nur mit überzeugenden Siegen in Kleinasien zu gewinnen hoffen.

Die Stellung der Kriegsschiffe zählte zu den Aufgaben der σύμμαχοι. Alexander scheint seine Forderungen auch hier bewußt niedrig gehalten zu haben. Er vermied es so, den Unmut der Griechen zu provozieren. Da er Versorgung und Entlohnung der Flotte bestritt,[19] legten ihm allerdings die eigenen finanziellen Möglichkeiten a priori Beschränkungen auf.[20] Mit der Entsendung von 160 Schiffen[21] blieben die Griechen weit hinter einer ohne Schwierigkeiten möglichen Unterstützung zurück. Besondere Rücksicht erfuhr Athen, das bei einer Kapazität von über 400 Schiffen[22] lediglich 20 zum Ἑλληνικὸν ναυτικόν beisteuern mußte.[23] Mit einem solchen Auf-

---

stand die vergleichsweise geringe Zahl von 5000 (Diod. 17.17.3) in Alexanders Heer gegenüber. Vgl. dazu H. W. Parke, Greek Mercenary Soldiers from the Earliest Times to the Battle of Ipsus (cit. Parke), Oxford 1933, S. 186 ff., G. T. Griffith, The Mercenaries of the Hellenistic World, London 1935 (Nachdruck Groningen 1968), S. 15 ff., G. F. Seibt, Griechische Söldner im Achaimenidenreich (cit. Seibt), Diss. Bonn 1977, S. 100. Weitere Literatur zur Frage der Truppenzahlen bei Seibert, Alexander 83 ff. und 265 f.

[19] Vgl. Arr. 2.20.1; Köhler, Die Eroberung Asiens 124. Eine Verpflichtung der Bundesmitglieder zur Selbstfinanzierung ihrer Seekontingente ist entgegen P. A. Brunt, Arrian (cit. Brunt), 1976, S. 454 aus Tod 192 (Hicks/Hill 158) nicht ablesbar. Zum einen standen den makedonischen Flottenkommandanten bei der Neuaufstellung des Seeverbandes im Frühjahr-Sommer 333 (die Inschrift ist in das Jahr Ol. 111.4 zu datieren) reichliche finanzielle Mittel zur Verfügung (Curt. 3.1.20), zum anderen ist die erwähnte Übernahme der Kosten für das zu entsendende Geschwader durch die Chier, wie auch der Zusammenhang des unverhohlenes Mißtrauen widerspiegelnden Schreibens Alexanders vermuten läßt (Z. 7 ff.), als Strafe für den Abfall der oligarchischen Partei an die Perser zu verstehen.

Letzterem Argument widerspricht auch die von A. J. Heisserer, Alexander's Letter to the Chians: A Redating of SIG³ 283, Hist. 22, 1973, S. 191 ff. vorgenommene Rückdatierung der Inschrift auf 334 nicht. Vgl. dazu H. Hauben, The Expansion of Macedonian Seapower under Alexander the Great (cit. Hauben, The Expansion), Anc. Soc. 7, 1976, S. 84–86 und neuerdings M. Jannelli, I rapporti giuridici di Alessandro Magno con i Chii, Studi di storia antica offerti dagli allievi a E. Manni, Rom 1976, S. 153 ff.

[20] Vgl. Arr. 1.20.1.

[21] Diese Zahl lassen Arr. 1.11.6 und Arr. 1.18.4 vermuten.

Nach Arr. 1.18.4 und 1.19.7 bestand die Flotte ausschließlich aus griechischen Schiffen. Die Anwesenheit makedonischen Personals (Arr. 1.18.8) spricht nicht dagegen. Nachrichten über die Verwendung makedonischer Schiffe (vgl. H. Hauben, Philippe II, fondateur de la marine macédonienne, Anc. Soc. 6, 1975, S. 51 ff.) existieren nicht.

Kahrstedts These (Das athenische Kontingent 123 Anm. 2), Justins abweichende Angabe über die Flotte (Just. 11.6.2: 182) schließe makedonische Schiffe ein, ist ein unbegründeter Versuch, dessen Zahlenvermerk zu stützen.

[22] IG II² 1627, Z. 266 ff. weist für 330/229 410 Trieren und Tetreren nach. Vgl. Andreades 346 Anm. 1.

[23] Vgl. Diod. 17.22.5.

gebot konnte Alexander eine offene Seeschlacht gegen die numerisch überlegene Flotte des Dareios[24] nicht riskieren, zumal dieser mit phoinikischen und kyprischen Einheiten über die technisch versierteren und erfahreneren Mannschaften verfügte.[25] Die Funktion der griechischen Schiffe beschränkte sich somit auf defensive Bereiche: Transport der Truppen und Belagerungsmaschinen, Sicherung der Küste parallel zum Aufmarsch des Landheeres und Öffnung des Zugangs zu den Kleinasien vorgelagerten Inseln. Während der Belagerung von Milet riegelte die Bundesflotte den Hafen ab und unterband damit eine Unterstützung der Stadt durch die zum Entsatz herbeigeeilten persischen Schiffe.[26] Nach Erfüllung dieser Aufgabe wurde sie von Alexander in die Heimat entlassen.[27] Finanzielle Probleme beim Unterhalt der Schiffe,[28] insbesondere aber die Übermacht des zum Kampfe drängenden feindlichen Flottenverbandes zwangen ihn zu diesem Schritt:[29] ein überzeugender persischer Seesieg mußte die Wirkung des Erfolges vom Granikos in Hellas paralysieren, die griechischen Poleis den Plänen eines die Ägäis beherrschenden Memnon zugänglich machen. Dem zog Alexander das Risiko eines ausschließlich zu Lande geführten Krieges vor. Für Transportzwecke,[30] Kurierdienste, eventuell auch Überwachungsaufgaben im Bereich des Hellespont behielt er einige wenige Schiffe, darunter das genannte attische Kontingent, zurück.

Man darf annehmen, daß dieser Maßnahme eine Übereinkunft mit Athen vorausging. Eine willkürliche Beschlagnahme ausschließlich athenischer Schiffe wäre dort nach der Einigung in den Verhandlungen von 335 als besonderer Affront empfunden worden. Angesichts einer drohenden Invasion Memnons aber die bisherige, auf Verständigung ausgerichtete Politik[31] umzukehren und Athen zu brüskieren, kann nicht Alexanders Absicht gewesen sein.[32] So läßt sich im Gegenteil vermuten,

---

[24] Arr. 1.18.5; vgl. 1.18.7. Brunt 453 hält die Zahl von 400 Schiffen für zu hoch gegriffen.

[25] Arr. a.a.O.; zur Personalstruktur der persischen Seestreitkräfte vgl. H. Hauben, The King of the Sidonians and the Persian Imperial Fleet, Anc. Soc. 1, 1970, S. 1 ff.

[26] Arr. 1.18.4,5.

[27] Arr. 1.20.1, Diod. 17.22.5.

[28] Arr. 1.20.1. Vgl. Schachermeyr 181, Lauffer 66; R. L. Fox, Alexander der Große (cit. Fox), Düsseldorf 1974, S. 173 beziffert die Kosten auf 160 Talente monatlich.

[29] Arr. 1.18.7 ff.

[30] Diod. 17.11.5 und 17.24.1. Um die schwer zu transportierenden, vor Milet eingesetzten Belagerungsmaschinen (Arr. 1.19.2) nach Halikarnassos zu bringen, bot sich der Seeweg an. Vgl. Fox 173. Angesichts persischer Schiffsübermacht wird man dieses Risiko jedoch vermieden haben. Vgl. Brunt 453.

[31] Vgl. dazu auch im folgenden Alexanders Maßnahmen nach dem Sieg am Granikos.

[32] In der neueren Literatur wird das Motiv der Geiselnahme allgemein akzeptiert. Vgl. u.a. Schachermeyr 181, Tarn 22, Hamilton 60, Brunt 453f., Lauffer 66, Hauben, The Expansion 81. Auf welche Weise Alexander mit der Einbehaltung von 20 Schiffen Athen, das über ein Potential von mehr als 400 verfügte (s.o. S. 52 Anm. 22), gegebenen-

daß der König in den Schiffen der Athener das zuverlässigste Kontingent der Bundesgenossen sah und es daher mit weiteren Aufgaben betraute.[33]

2. Bemühungen um Athen: propagandistische Vorbereitung und Auswertung der Kämpfe in Kleinasien

Neben umfassenden militärischen und technischen Vorbereitungen im Winter 335/334 hatte Alexander im Hinblick auf die griechische Öffentlichkeit auch Vorsorge für die propagandistische Auswertung seines Feldzuges getroffen. Zu diesem Zweck begleitete ihn neben anderen Wissenschaftlern der Historiograph Kallisthenes von Olynth,[34] ein Großneffe des Aristoteles, der eben erst mit der Veröffentlichung seiner Hellenika hervorgetreten war. Seine Aufgabe war es, den panhellischen Charakter des Unternehmens herauszustellen, bzw. die πράξεις Alexanders in diesen Rahmen einzupassen und bei der Kommentierung der bewaffneten Auseinandersetzungen die Überlegenheit des griechisch-makedonischen Heeres und das Genie des Strategos dem griechischen Publikum gebührend vor Augen zu stellen,[35] darüberhinaus den König als Vorkämpfer griechischer Ideale zu glorifizieren.[36] Entsprechend ihrer Bestimmung mußten die einzelnen Berichte in schneller Abfolge verfaßt werden,[37] um in Griechenland zur Publikation zu gelangen. Erster Adressat und Ausgangspunkt der Weiterverbreitung war als θέατρον τῆς δόξης[38] und als Wirkungsstätte des Aristoteles[39] Athen.

---

falls unter Druck setzen wollte, erscheint unklar. Bezeichnenderweise wurde das bei Alexander verbliebene Flottenkontingent im Mai des folgenden Jahres nicht erwähnt, als eine athenische Delegation in Gordion um die Entlassung gefangener Söldner bat (Arr. 1.29.5; s.u. S.63 f.). Auch die Rede 17 des Corpus Demosthenicum zählt das Zurückhalten der Schiffe nicht unter den Vertragsverletzungen Alexanders auf.

[33] Diodor unterstreicht in dem entsprechenden Passus den Status der athenischen Schiffe als Verbündete des Königs. Diod. 17.22.5 ..., ἐν αἷς ἦσαν αἱ παρ' Ἀθηναίων νῆες συμμαχίδες εἴκοσιν.

[34] Zu Biographie und Werk des Kallisthenes vgl. W.Kroll, RE X. 2, 1919, S.1674ff., Berve II 191ff., L.Pearson, The Lost Histories of Alexander the Great, London 1960, S.22ff.

[35] Im einzelnen erweist sich dies in der übertriebenen Schätzung persischer Heeresstärke. Vgl. FGH 124 frg. 35, Komm. IId, S.429.

[36] Vgl. M.Plezia, Der Titel und der Zweck von Kallisthenes' Alexandergeschichte, Eos 60, 1972, S.265 f.

[37] Vgl. Schachermeyr 151, Berve II 194, Jacoby FGH IId S.411. Weitere Literatur bei Seibert 233 f.

[38] Vgl. Plut. mor. 178 A.

[39] Aristoteles war Anfang 334 nach Athen gekommen und stand mit Kallisthenes bis zu dessen Tod in Verbindung (Berve II 194 f.). Er war zumindest bis zur Ermordung seines Neffen wichtigster Garant des politischen Einflusses der Makedonen in Griechenland. s. Jaeger, Aristoteles 333 ff.

Um sein Unternehmen als gemeingriechisches zu deklarieren, bediente sich Alexander einer Reihe von kultisch-symbolischen Handlungen. Vor der Abfahrt der Flotte opferte er in Elaius am Grab des Protesilaos,[40] des homerischen Griechen, der als erster asiatisches Land betreten hatte.[41] Für die Überfahrt wählte er die Route der Invasionstruppen des Xerxes.[42] Poseidon wurden während der Fahrt Opfer dargebracht,[43] Zeus, Athena und Herakles nach der glücklichen Landung.[44] Mit einem Speerwurf vom Schiff aus machte Alexander seinen Anspruch auf asiatisches Land geltend[45] und betrat, wie bei Homer Protesilaos, als erster Kleinasien. Dem Übergang schloß sich ein Besuch in Ilion und am Grab des Achill an.[46] Gezielt[47] knüpfte der König an die mythischen bzw. historischen asiatisch-griechischen Konflikte an.[48] Diese Verbindung von Gegenwart und hellenischer Geschichte konnte mit der entsprechenden Kommentierung des Kallisthenes[49] in Hellas und speziell in Athen, wo Isokrates bis 338 gelehrt hatte,[50] ihre Wirkung nicht verfehlen.

Notwendig für eine loyale Haltung der Griechen war desungeachtet ein schneller Sieg Alexanders. In Athen scheint man, wie Aischin. 3.163 zeigt, die Schwierig-

---

[40] Arr. 1.11.5.

[41] Hom. Il. 2.702.

[42] Arr. 1.11.6; vgl. I Idt. 7.33 ff.

[43] Arr. a. a. O.

[44] Arr. 1.11.7, Plut. Alex. 15.7.

[45] Diod. 17.17.2, Just. 11.5.10. Zur Bedeutung s. W. Schmitthenner, Über eine Formveränderung der Monarchie seit Alexander d. Gr., Saeculum 19, 1968, S. 31 ff., Schachermeyr 163 Anm. 164.

[46] Arr. 1.11.7 f., Plut. Alex. 15.7 ff., Diod. 17.17.3, Just. 11.5.12.

[47] Die Zeitspanne zwischen dem Erreichen des Hellespont (21 Tage nach dem Aufbruch aus Pella, also ca. Mitte April) und der Schlacht am Granikos (Ende Mai/Anfang Juni) legt nahe, daß Alexander zur sorgfältigen technischen und propagandistischen Vorbereitung des Übergangs noch einen längeren Aufenthalt in Sestos einschob.

[48] s. L. Edmunds, The Religiosity of Alexander, GRBS 12, 1971, S. 372 f.

Nach H. U. Instinsky, Alexander der Große am Hellespont, Godesberg 1949, hatte Alexander ausschließlich den Griechenlandzug des Xerxes vor Augen. Reminiszenzen sowohl an Homer als auch an den Perserkrieg des Xerxes schließen einander jedoch nicht aus. So bereits Dobesch 89 Anm. 35.

[49] Mit Recht weist Schachermeyr 164 Anm. 163 darauf hin, daß unsere Kenntnisse der Vorgänge ausschließlich auf Kallisthenes zurückgehen.

[50] Zu den panhellenischen Vorstellungen des Isokrates vgl. Rede V (Philippos) und ep. 2 (dazu u. a. K. Bringmann, Studien zu den politischen Ideen des Isokrates, Hypomnemata 14, Göttingen 1965, S. 96 ff., S. Perlman, Isocrates' „Philippus" – a Reinterpretation, Hist. 6, 1957 S. 306 ff. ders., Panhellenism, the Polis and Imperialism, Hist. 25, 1976, S. 25 ff., M. M. Markle, Support of Athenian Intellectuals for Philip: A Study of Isocrates' Philippus and Speusippus' Letter to Philip, JHS 96, 1976, S. 80 ff., Bellen 51 ff. Zur propagandistischen Wirkung des Redners vgl. F. Dümmler, Kleine Schriften I, Leipzig 1901, S. 101 f., J. Kessler, Isokrates und die panhellenische Idee, Paderborn 1911, S. 82 f., B. v. Hagen, Isokrates und Alexander, Philologus 67, 1908, S. 113 f. (neuerdings in: Isokrates (WdF CCCLI), Darmstadt 1976, S. 19 f.)

keiten des Krieges durchaus gekannt zu haben. Zwar war der Einfluß der Antimakedonen seit Herbst 335 zurückgedrängt, doch ein Eingehen auf die Werbung des
Dareios,[51] solange nur berechtigte Aussicht auf Erfolg bestand, noch im Bereich des
Möglichen. Mit einem baldigen Sieg gewann der Makedonenkönig hinsichtlich
Griechenlands Zeit. Geschickte Propaganda im Sinne panhellenischer Selbstdarstellung, so die Übertreibung persischer Verlustzahlen,[52] vermochte Überlegenheit
über die asiatischen βάρβαροι zu suggerieren. Zumindest vorübergehend, bis es
möglich würde, in Kleinasien oder den ostägäischen Inseln weitere spektakuläre
Vorteile zu schaffen, konnten so die persischen Bemühungen in Griechenland be-
einträchtigt und den Symmachieangeboten des Großkönigs die Attraktivität genommen werden.

So richtete Alexander nach der Schlacht am Granikos seinen Blick zunächst auf
Griechenland und den Korinthischen Bund. Die griechischen μισθοφόροι im
Dienst der Satrapen ließ er, während er auf die Verfolgung persischer Einheiten
verzichtete, in formeller Anlehnung an einen entsprechenden Bundesbeschluß nie-
derhauen, die Überlebenden nach Makedonien deportieren.[53] Obwohl Griechen,
hätten sie in Verletzung der gemeinsamen Beschlüsse der Griechen auf Seiten der
Barbaren gegen Griechen gekämpft.[54] Als Manifestation seines Sieges sandte er 300
persische Rüstungen nach Griechenland. Sie waren als Weihegeschenk für die
Athena auf der Akropolis bestimmt und mit der Inschrift Ἀλέξανδρος Φιλίππου
καὶ Ἕλληνες πλὴν Λακεδαιμονίων ἀπὸ τῶν βαρβάρων τῶν τὴν Ἀσίαν κατοι-
κούντων[55] versehen. Mit dieser Widmung machte er unter gebührender Herausstellung seiner eigenen Person die Schlacht zu einem panhellenischen Racheakt. In
augenfälliger Weise wurde der Unterschied zwischen Ἕλληνες und βάρβαροι betont. Offenbar sollte so mit Blick auf die immer noch drohende Gefahr einer grie-
chisch-achaimenidischen Allianz die Überlegenheit über die Perser als vorgegeben
erscheinen.

Auch die Wahl des Aufstellungsortes für die τρόπαια war nicht Zufall, sondern

---

[51] Aischin. a. a. O.

[52] s. o. S. 54 Anm. 35.

[53] Arr. 1.16.6.

[54] ὅτι παρὰ τὰ κοινῇ δόξαντα τοῖς Ἕλλησιν Ἕλληνες ὄντες ἐναντία τῇ Ἑλλάδι ὑπὲρ
τῶν βαρβάρων ἐμάχοντο. Arr. a. a. O. Möglicherweise wurde der Beschluß, der Söldner-
dienste im Heer des Dareios untersagte, erst nachträglich vom Synhedrion gefaßt, um
Alexanders Blutbad vor der griechischen Öffentlichkeit zu rechtfertigen.

[55] Arr. 1.16.7. Denkt man an die panhellenische Symbolik des Übergangs, so läßt sich
vermuten, daß die Zahl 300 nicht zufällig gewählt wurde. Alexander stellte den 300 getö-
teten Spartanern der ersten Schlacht des Xerxes auf europäischem Boden ebensoviele
gefallene Meder gegenüber. Das πλὴν Λακεδαιμονίων in der Aufschrift erhält somit besonderes Gewicht, da die Lakedaimonier mit der Teilnahme am Zug auch die Rache für
ihre Toten von 480 verweigerten. (Zum Motiv der Rache bei Alexander vgl. Bellen 59ff.)

programmatische Aussage. Der König entschied sich weder für eine der heiligen nationalen Stätten[56] oder für den Sitz des Bundes, Korinth, noch etwa für Pydna, wo im Athenaheiligtum die Stele mit den Verträgen zwischen Griechen und Alexander aufbewahrt wurde,[57] sondern für die Akropolis von Athen.[58] Obwohl das Geschenk an alle Griechen mit Ausnahme der Lakedaimonier adressiert war, wurde Athen als erste Macht der griechischen Welt anerkannt. Wohlkalkuliert stellte diese Maßnahme in der bisherigen Politik der Rücksichtnahme und der verbalen Auszeichnungen einen Höhepunkt dar.[59] Dem Selbstverständnis der Athener entsprechend würdigte Alexander unter Herausstellung des Gegensatzes zu Sparta die Verdienste Athens bei der Abwehr des Xerxes und wies die Stadt als seinen wichtigsten Partner aus. Den Bürgern ständig präsent als Symbol der Auszeichnung, aber auch der Stärke Alexanders, konnten die τρόπαια Befürworter einer Symmachie mit dem Perserkönig vorläufig verstummen lassen, zumal die Aussichten Alexanders auf einen erfolgreichen Vorstoß in Kleinasien nun günstiger schienen.

In Athen mag nun nach der neuerlichen Bevorzugung durch den König[60] zum erstenmal der Gedanke an eine in das makedonische Imperium integrierte Vormachtstellung der Stadt in Griechenland geweckt worden sein. Im Falle einer Eroberung Kleinasiens konnte Athen als stärkste griechische Handelsmacht seine wirtschaftlichen Positionen weiter ausbauen. Scheiterte Alexander, würde es noch möglich sein, mit der aus der führenden Stellung im Hellenischen Bund gewonnenen Autorität einen nationalen Aufstand gegen die dann geschwächte makedonische Fremdherrschaft zu inszenieren.

3. Athen nach Alexanders Aufbruch aus Pella

Nachrichten über die innenpolitische Situation in Athen und die Reaktion der verschiedenen Gruppierungen nach der Zerstörung Thebens und den Verhandlungen mit Alexander fehlen bezeichnenderweise. Offensichtlich war das politische Leben vorläufig paralysiert und die Stadt selbst gezwungen, die nächsten Schritte Alexanders abzuwarten. Im Winter 335/4 traf Alkimachos in Athen ein.[61] Über die Hinter-

---

[56] 479 wurden nach der Schlacht von Plataiai Weihegaben für den Sieg über die Perser in Delphi (Schlangensäule; vgl. Hdt. 9.81), Olympia (Statue des Zeus; Paus. 5.23.1) und im isthmischen Heiligtum (Standbild des Poseidon; Hdt. a.a.O.) aufgestellt.
[57] Tod 183, Z. 13f. ταῦτα δὲ εἰς στήλην λιθίνην ἀναγράψαντας τοὺς τεταγμένους ἐπὶ τῆι κοινῆι φ|υλ]ακῆι στῆσαι ἐμ Πύτνηι ἐν τῆς Ἀθη[νᾶς τῶι ἱερῶι].
[58] Die Schilde wurden zum Teil am Epistyl der West- und Ostseite des Parthenon befestigt. s. K. Gebauer, Alexanderbildnis und Alexandertypus, AM 63/64, 1938/39 S. 65f., Judeich, Topographie 87f.
[59] Vgl. Dobesch 90f.
[60] Vgl. Plut. Phok. 17.8, Alex. 13.2f.
[61] Anaximenes FGH 72 frg. 16. Die ursprünglich angenommene Datierung der Ge-

gründe seiner Entsendung, den Inhalt der von ihm gehaltenen Demourgia und die Entgegnung des Demosthenes sind keine Einzelheiten bekannt, der zeitliche Zusammenhang mit dem bevorstehenden Übergang nach Asien jedoch nicht von der Hand zu weisen. Da die Forderung nach Truppen- und Flottenstellung bewußt niedrig gehalten war und angesichts vorangegangener Ereignisse schwerlich besonderen Nachdrucks bedurfte, kann die Mission des Alkimachos, der in Athen ein gewisses Ansehen besaß und dem 336 die Proxenie verliehen worden war,[62] nur als weiteres Indiz für die Rücksichtnahme und Bevorzugung Athens interpretiert werden.

So nimmt es nicht wunder, wenn sich ab Frühjahr 334 die Lage in Athen normalisierte. Das Entgegenkommen Alexanders in den Verhandlungen vom Herbst, die maßvollen Truppenforderungen für die asiatische Expedition, vor allem aber die Aufstellung der τρόπαια aus der Schlacht vom Granikos auf der Akropolis waren Gesten, die Athen für den König zu gewinnen vermochten. Die makedonischen Erfolge eröffneten in Verbindung mit Alexanders ostentativ gezeigter Wertschätzung Athen neue Perspektiven. Politisch konnte bei loyaler Haltung die führende Rolle in Griechenland ausgedehnt und gefestigt, wirtschaftlich das attische Handelsnetz erweitert werden. Zuerst allerdings waren der weitere Vormarsch nach dem Sieg vom Granikos und die Gegenoffensive Memnons abzuwarten. Athen war nun bemüht, sein Verhältnis zu Alexander nicht zu trüben. Man wahrte gegenüber dem Makedonenkönig wohlwollende Neutralität: als während der Belagerung Milets Gesandte Hilfeleistung für ihre Stadt erbaten, verweigerte selbst ein Demosthenes, den die Ereignisse von 335 sicherlich nicht über Nacht zu einem überzeugten Promakedonen bekehrt hatten, die Unterstützung.[63]

Auch auf die innenpolitische Situation wirkte die Siegesmeldung vom Granikos zurück. Der Einfluß der Promakedonen festigte sich weiter. Auf Antrag des Kephi-

---

sandtschaft ins Jahr 333/2 (vgl. u. a. Schäfer III 174 Anm. 3) wurde von W. Florian, Studia Didymea, Leipzig 1908, S. 79 ff., widerlegt: Die Zuordnung des Fragments in Buch β' der Alexandergeschichte des Anaximenes zwingt, das Ereignis bereits ins Jahr 335/4 zu setzen. (Vgl. Berve II 23, Jacoby FGH IIc S. 109, ders., Die Alexandergeschichte des Anaximenes, Hermes 58, 1923, S. 457). Da Alkimachos von Alexander bereits im Frühjahr 334 mit Aufgaben in Kleinasien betraut wurde (Arr. 1.18.1 f.), muß seine Athener Mission noch in den Winter fallen.

[62] s. o. S. 26.

[63] An der historischen Substanz dieser Überlieferung (Gell. 11.9) zu zweifeln, besteht kein Grund, auch wenn sie mit einer in diesem Kontext wenig glaubhaften Anekdote verbunden ist (vgl. Schäfer III 102 Anm. 3).

Die Verproviantierung der persischen Flotte während der Belagerung Milets in Samos (Arr. 1.18.8; s. Beloch, Attische Politik 245, Mitchel, Lykourgan Athens 191) führte offensichtlich nicht zu einer Belastung der athenisch-makedonischen Beziehungen. Athen hatte keine Möglichkeiten, dieses Unternehmen zu verhindern.

sodotos beschloß die Volksversammlung gegen den Widerstand des Polyeuktos und auch Lykurgs besondere Ehren für Demades.[64] Dem Redner wurde die lebenslange Speisung im Prytaneion gewährt, sein Bronzestandbild auf der Agora aufgestellt.[65] Man würdigte damit nicht nur die Verdienste des Politikers bei den Verhandlungen vom Herbst 335, sondern seine gesamte seit 338 konsequent betriebene Politik der Verständigung mit Makedonien.[66] Mit seiner schon von Zeitgenossen gefeierten Eloquenz,[67] seiner Überzeugungskraft sowie mit zahlreichen Ehrungen für Makedonen hatte Demades es immer wieder verstanden, über die Invektiven eines Demosthenes hinweg Philipp und Alexander mit Athen zu versöhnen. Neben Phokion[68] war es vor allem ihm zu verdanken, daß die Stadt nach Chaironeia nicht in einen neuen militärischen Konflikt verwickelt wurde und statt dessen auf eine baldige Erholung von den Rückschlägen der Niederlage von 338 hoffen durfte.[69] Lykurgs Einspruch in der Rede gegen den Antragsteller[70] Kephisodotos[71] war weniger gegen die Sache gerichtet als gegen die Person des Demades. Er fürchtete wohl bei Realisierung der beantragten τιμαί eine Einschränkung eigener Machtpositionen durch den seit Alexanders Thronbesteigung ständig einflußreicher gewordenen Redner.[72]

Im Juli 334 wurde Lykurg als ὁ ἐπὶ τῇ διοικήσει bestätigt,[73] auch wenn die Geschäfte im folgenden Quadriennium bis zum Jahr 330 nominell von seinem Vertrauten, Xenokles von Sphettos, geführt wurden. In der Wahl des ταμίας τῶν στρατιωτικῶν[74] manifestierte sich erneut die Wirkung des makedonischen Sieges vom Granikos aber auch der von Alexander 335 gezeigten Verständigungsbereitschaft.

---

[64] Zum Einspruch des Polyeuktos vgl. Sauppe II 273f., frg. 1 und 2. Zur Person des Politikers vgl. o. S.44f. Anm.303, Berve II 323f., Prosop. Att. II 212. Aus Dein. 1.101 bzw. Plut. mor. 820 F geht hervor, daß dem Antrag des Kephisodotos stattgegeben, eine Bronzestatue aufgestellt, möglicherweise jedoch noch im 4.Jahrhundert wieder beseitigt wurde.

[65] Dein. a.a.O.

[66] Zu den Aktivitäten des Demades in der Zeit von 338 bis 334 vgl. Oikonomides 106 (Liste der Psephismata).

[67] Vgl. Theophrast bei Plut. Dem 10.2.

[68] s.o. S.10f.; vgl. Gehrke 66ff.

[69] Dies belegen die zahlreichen Reformen und Bauprojekte (s.u. S.79ff.), die ab 334 in Angriff genommen wurden.

[70] Lykurg 14 (Burtt), frg. 91, 18, 104.

[71] Bezeichnenderweise enthielt sich Demosthenes einer Eisangelie. Dieses Verhalten war, wie aus Dein. 1.101 geschlossen werden kann, für viele Athener überraschend und ist letztlich nur aus den Geschehnissen vom Herbst 335 zu erklären.

[72] Zur Tätigkeit des Demades s.o. Belege bei Oikonomides 106 und 109ff., Berve II 131f.

[73] s.o. S.24 Anm.156.

[74] Zur Bedeutung des Amtes vgl. E.Meyer, RE IV A, 1, 1931, S.263ff., Busolt/Swoboda 1145ff.

Als Nachfolger des Kallias von Bate, des Schwagers Lykurgs, übernahm nun Demades die Verwaltung der Kriegskasse.[75] Er und Lykurg kontrollierten somit in der
zweiten Hälfte der Dreißiger Jahre die finanzpolitische Verwaltung Athens und
nahmen letztlich mit der Verantwortung für Rüstungs- und Baumaßnahmen den
entscheidenden Einfluß auf die Entwicklung der Stadt. Inhaltliche Divergenzen hat
es in dieser Zeit nicht gegeben, persönliche Animositäten, die in den unterschiedlichen Charakteren der beiden Männer angelegt waren, sind belanglos. Vielmehr lassen sich sachbedingte Absprachen zwischen beiden Politikern vermuten. Wenn es
die Interessen Athens verlangten, repräsentierten Lykurg und Demades gemeinsam
das attische Staatswesen: im Jahre 330 befanden sie sich unter den zehn ἱεροποιοί,
die nach Delphi entsandt wurden,[76] ein Jahr später oblag ihnen die Aufsicht über die
Amphiareia von Oropos.[77]

4. Neue Möglichkeiten: wirtschafts- und handelspolitische Maßnahmen Athens

Mit Beginn von Ol. 111.3 (334/3) kristallisierte sich nach der Neubesetzung der
wichtigsten Verwaltungsämter eine neue Phase athenischer Politik heraus, die sich
bereits im Bewußtsein der Bevorzugung durch Alexander im Frühjahr abzuzeichnen begonnen hatte. Sie war, ohne daß sie ein Lavieren zwischen dem Großkönig
und dem Makedonenkönig beinhaltete,[78] von einem neuen Selbstbewußtsein
geprägt, das im Winter seinen Höhepunkt in der Flottendemonstration des Menestheus fand. Athen besann sich wieder auf seine eigentliche Stärke, die Flotte, und
die mit ihr verbundenen Möglichkeiten.

Im Frühjahr 334[79] war eine Sicherung und Intensivierung des Handels durch

---

[75] IG II² 1493, Plut. mor. 818 E; vgl. Meyer a.a.O. S. 267 Plut. Dem. 24.1. erhärtet,
daß Demades nun den Höhepunkt seines Ansehens erreicht hatte. Ausschließlich auf die
Verdienste des Demades bis zu jenem Jahr 334 nimmt bezeichnenderweise die pseudo-
demadische Rede Περὶ τῆς δωδεκαετίας trotz ihres Titels Bezug.

[76] Syll.³ 298, Z. 5 f. (Eine Verschiebung der Datierung nach unten ist möglich. Vgl.
Oikonomides 107). Es zeigt sich hier auch die von Lykurg stets geförderte Verbindung
von Religion und politischem Leben.

[77] Syll.³ 298, Z. 24 f. In Verbindung mit der Inschrift Syll.³ 297, derzufolge Demades
mit der delphischen Proxenie geehrt wurde, wird deutlich, in welchem Maße sich auch
er, dem aufgrund überlieferter Apophthegmata (vgl. Diels VIII, frg. 29 (Sauppe), Falco
frg. 71) ein nur vom finanziellen Eigennutz diktiertes Verhältnis zum Staat angelastet
wurde (vgl. Blass III.2 268), der Staatsräson und den insbesondere von Lykurg postulier-
ten Pflichten des aktiven Polites unterwarf.

[78] Vgl. die strikte Ablehnung des Hilfegesuchs der Milesier.

[79] IG II² 1623, Z. 276 ff. (vgl. Mitchel, Lykourgan Athens 32). Das Dekret fällt in das
Jahr des Archon Euainetos (335/4). Wie sich aus der, allerdings nicht letztgültig gesi-
cherten, Auslieferungsforderung Alexanders ergibt (s. o. S. 44 f. Anm. 303), weilte Dioti-

Maßnahmen zur Bekämpfung des seit Chaironeia wieder zunehmenden Piratenunwesens[80] eingeleitet worden. Der Stratege Diotimos wurde mit neu gebauten Trieren auf Antrag des Lykurg ausgesandt, um Handelsschiffe vor Überfällen zu schützen.[81] Seiner Mission blieb offensichtlich der Erfolg nicht versagt. Im Mai/Juni des folgenden Jahres wurde er, wiederum auf Betreiben Lykurgs, mit Ehrungen für die Erfüllung seines Auftrages ausgezeichnet.[82]

Diese Bemühungen um die weitere Stärkung Athens als Seehandelszentrum standen nicht isoliert. In Absprache mit Alexander[83] wurde die Flotte, u. a. ebenfalls zur

---

mos (zur Biographie s. Berve II 146, Prosop. Att. I 293) im Herbst 335 in Athen. Die Aussendung einer See-Expedition ist somit erst für das folgende Frühjahr (334) wahrscheinlich. Chronologisch würde dazu auch das Ehrendekret IG II² 414a aus Ol. 111.3 passen. s. dazu u. Anm. 82.

[80] Dazu u. a. H. A. Ormerod, Piracy in the Ancient World, Liverpool 1924, S. 118 ff., vgl. E. Ziebarth, Beiträge zur Geschichte des Seeraubs und Seehandels im alten Griechenland (cit. Ziebarth), Hamburg 1929, S. 17.
Die Seeräuber, mit denen auch die perserfreundlichen Tyrannen von Methymna und Eresos Aristonikos (Arr. 3.2.4, Curt. 4.5.19), Agonippos und Eurysilaos (Tod Nr. 191 Z. 12 f. und 51 ff.; vgl. dazu H. Friedel, Der Tyrannenmord in Gesetzgebung und Volksmeinung der Griechen (cit. Friedel), Würzburger Studien zur Altertumswissenschaft 11, Stuttgart 1937, S. 72 ff. in Verbindung standen, stellten auch für Alexander ein nicht leicht zu bewältigendes Problem dar (vgl. die Mission des Amphoteros im Jahr 332/1; Curt. 4.8.15). So war das Handeln Athens zweifellos im Sinne Alexanders.

[81] Die Aktualität des Seeräuberproblems findet in mythologischem Gewand ihren Niederschlag in einem 335/4 errichteten choregischen Denkmal, auf dem in einem über dem Architrav befindlichen Relief die Bestrafung der Piraten durch Dionysos und die Satyrn dargestellt ist. Vgl. Riemann, RE Suppl. VIII, 1956 (cit. Riemann), S. 281 ff., G. W. Elderkin, A Greek Structure: The Choregic Monument of Lysicrates, Art in America 35, 1947, S. 270 f.
Gestiftet wurde das von einem quadratischen Unterbau getragene Rundtempelchen, wie eine Inschrift auf der Ostseite des Epistyls verrät, von dem Athener Lysikrates anläßlich des Sieges des von ihm finanzierten Knabenchores bei den Dionysien (Riemann 267; IG II² 3042).
Nach einer Seeurkunde aus Ol. 113.4 (IG II² 1629 Z. 45) war Lysikrates Trierach und somit einer der 300 reichsten Männer Athens (vgl. Dein. 1.42). Seine monumentale Selbstdarstellung bringt neben dem Hinweis auf Probleme seines Berufsstandes eine zumindest einsetzende wirtschaftliche Prosperität zu Beginn des letzten Drittels des vierten Jahrhunderts zum Ausdruck.

[82] IG II² 414 a, Ps.-Plut. mor. 844 A; Ergänzung der fragmentarischen Inschrift durch E. Schweigert, Greek Inscriptions, Hesperia 9, 1940, S. 340 f. Zur Datierung Meritt, Athenian Year 83.
Auch wenn epigraphisch und literarisch keine Begründung der Ehrung überliefert ist, liegt die Verbindung mit der See-Expedition vom Vorjahr auf der Hand. Der Versuch, die Ehrung als Beweis antimakedonischer Aktivitäten zu interpretieren (Beloch, Attische Politik 245), ist nur mit Unkenntnis von IG II² 1623 Z. 276 ff. erklärbar. (τριήρεις αἵδε ἐξέπλευσαν μετὰ| στρατηγοῦ Διοτίμου ἐπὶ τὴν| φυλακὴν τῶν λειστῶν κατὰ| ψήφισμα δήμου ὁ εἶπεν| Λυκοῦργος Βουτάδης ... |ἐπὶ Εὐαινέτου ἄρχοντος).

[83] Hinweise hierauf ergeben sich möglicherweise aus der makedonischen Münzprägung (vgl. S. Perlman, The Coins of Philip II and Alexander the Great and their Panhel-

besseren Sicherung der Transportwege, vergrößert bzw. umgerüstet.[84] Für fremde Händler in Athen wurden die Aufenthaltsbedingungen durch Zugeständnisse verbessert.[85] Auf Antrag Lykurgs wurde kypriotischen Kaufleuten das selten gewährte Recht auf Erwerb von Land zum Bau eines Aphroditeheiligtums, wie offenbar auch kurz zuvor Ägyptern[86] zur Errichtung eines Tempels der Isis, bewilligt.

Freilich erwuchs im Herbst 334 dem nun wieder aufstrebenden attischen Handel eine erste ernsthafte Gefährdung durch eine makedonische Blockade der nordöstlichen Ägäis. Von dem im gleichen Jahr dem Korinthischen Bund beigetretenen Tenedos[87] aus wurden Schiffe, die vom Pontos nach Süden segelten, aufgebracht und auf der Insel festgehalten.[88] Die Überwachung erstreckte sich auf Lastschiffe. Of-

---

lenic Propaganda, NC 5, 1965, S. 63 ff.). So findet sich in einer frühen Emission ein Goldstater mit der Abbildung eines Kopfes der Athena mit Korinthischem Helm auf der Vorderseite, sowie einer geflügelten Nike mit Kranz in der rechten und Stylis in der linken Hand auf der Rückseite (Abb. bei G. F. Hill, Historical Greek Coins, London 1906, S. 105, gegen G. Kleiners, Alexanders Reichsmünzen, Abh. d. deutsch. Ak. d. Wiss., Philol.-Hist. Kl. 5, Berlin 1947, S. 12 ff. späte Datierung s. Perlman a. a. O. 64 im Anschluß an E. T. Newell, Royal Greek Portrait Coins, New York 1937 und A. R. Bellinger, Essays on the Coinage of Alexander the Great, Numismatic Studies 11, New York 1963, S. 1 ff.). Dieses Motiv, das in der makedonischen Prägung kein Vorbild besitzt, weist auf attischen Ursprung (zur möglichen Rezeption einer analogen Darstellung auf panathenaiischen Vasen des Jahres 336/5 s. E. Babelon, Le stylis, attribut naval sur les monnaies, Mélanges numismatiques 4, 1912, S. 210 ff.) und indiziert somit die Interpretation der Münze als Dokument realisierter oder beabsichtigter Zusammenarbeit Alexanders mit Athen zumindest, wie die Verwendung des Symbols der Stylis verdeutlicht, bei der Lösung maritimer Probleme (s. Perlman a. a. O. 65, 67).

[84] Eine numerische Verstärkung der Flotte lassen die Vergleichszahlen von 353 und 330 vermuten (vgl. IG II² 1613 Z. 302: 349 Schiffe und IG II² 1627: 410 Schiffe). Die genaue Anzahl der nach 338 neu gebauten πλοῖα ist nicht zu ermitteln. Im letzten Quadriennium der Lykurgschen Ära rüstete man nur partiell von der Triere zur Tetrere um, IG II² 1627, Z. 267 ff.: 392 Trieren, 18 Tetreren (330/329); IG II² 1629, Z. 801 ff.: 360 Trieren, 43 Tetreren, 7 Penteren (325/4); s. L. Casson, The Ancient Mariners (cit. Casson), New York 1959, S. 126, W. W. Tarn, Hellenistic Military and Naval Developments, Cambridge 1930, S. 131. G. Glotz, Histoire Greque IV (cit. Glotz), Paris 1938, S. 200 f. gibt irrtümlich für 330/329 Penteren statt Tetreren an und beziffert die Tetrerenzahl von 325/4 auf 55.

[85] Tod 189 Z. 26 ff., vgl. Kommentar.

[86] Z. 42–45. Die ausdrückliche Betonung weist auf die zeitliche Nähe dieses Präzedenzfalles.

... δεδόχθαι τῶι δήμ|ωι δοῦναι τοῖς ἐμπόροις‖ τῶν Κιτιέων ἔνκτησι[ν] χ[ω]ρίου ἐν ὧι ἱδρύσονται τὸ| ἱερὸν τῆς Ἀφροδίτης, καθ|άπερ καὶ οἱ Αἰγύπτιοι τὸ|τῆς Ἴσιδος ἱερὸν ἵδρυντ‖αι (Z. 38 ff.)

[87] Arr. 2.2.2; vgl. Berve I 247.

[88] Ps.-Demosth. 17.20; Schäfer III 175 f.

Im Sommer 333 war Tenedos vorübergehend wieder im Besitz der Perser (Arr. 2.2.3 und 3.2.3). Für die Maßnahme Alexanders kommen somit nur der Herbst 334 und der Frühling 333 in Frage (vgl. Schachermeyr 196 Anm. 212).

Für den früheren Zeitpunkt (Herbst 334) spricht, daß der pontisch-attische Getreide-

fensichtlich suchte Alexander die Versorgung Memnons aus dem Norden zu verhindern. Persische Schiffe stießen bis nach Samothrake und zur makedonischen Küste vor.[89] Um seine riesige Flotte zu verproviantieren, ließ Memnon sicherlich auch griechische Schiffe kapern. Mit der strengen Kontrolle des Hellespontverkehrs hoffte Alexander, ihn dieser Möglichkeit der Versorgung zu berauben.

Die Beschlagnahme von Frachtschiffen mußte jedoch vor allem in Athen, das rund fünfzig Prozent seines Getreideimports aus dem Pontos bezog,[90] eine ernsthafte Versorgungskrise hervorrufen. Die Stadt reagierte entsprechend energisch. Man beschloß, eine Flotte von 100 Trieren unter dem Kommando des Menestheus auszurüsten, um die Freigabe der Schiffe zu erzwingen und die Fahrt in den Piräus zu sichern.[91] Zu einer Ausführung des Psephismas kam es jedoch nicht. Die auf Tenedos festgehaltenen Schiffe wurden freigegeben. Die Flotte des Menestheus lief nicht aus. Athen war, wie auch die Ereignisse des folgenden Jahres zeigen, an einem Konflikt mit Alexander nicht interessiert. Die Beendigung der Kontrolle der griechischen Schiffe normalisierte das Verhältnis zum Makedonenkönig wieder. Von einer Verschlechterung der Beziehungen, geschweige denn einer Abwendung der Stadt von ihrer wohlwollenden Neutralität Alexander gegenüber auf die Seite Memnons, kann auch nach den Ereignissen dieses Herbstes nicht gesprochen werden.

5. Das μισθοφόροι-Problem und die Bildung einer zweiten hellenischen Flotte: neuerliche Verhandlungen mit Alexander

Im Frühjahr 333 brach eine Delegation zu Alexander nach Kleinasien auf, um mit ihm über die Freilassung der aus Athen stammenden μισθοφόροι zu verhandeln,

---

handel hauptsächlich in den Monaten September und Oktober abgewickelt wurde. Vgl. Demosthenes' (Apollodors) Rede gegen Polykles (Corpus Demosthenicum 50) passim; G. L. Cawkwell, A Note on Ps.-Demosthenes 17.20 (cit. Cawkwell, Pseudo-Demosthenes 17.20), Phoenix 15, 1961, S. 77.
Cawkwell, Pseudo-Demosthenes 17.20, S. 78, datiert den Vorfall in den Herbst 333 bzw. 332. Nach dem Tode Memnons im Frühjahr 333 war jedoch die Gefahr für Alexander in der Ägäis gebannt.

[89] Vgl. Plut. mor. 339E; Schachermeyr Kartenskizze 3 S. 197.
[90] F. Heichelheim, RE Suppl. VI (cit. Heichelheim), 1935, S. 836, 838, Demosth. 20.31 f. Wenn auch die absoluten Zahlen, die Demosthenes in diesem Zusammenhang angibt (20.32), umstritten sind (vgl. Heichelheim a. a. O.), so darf man die Prozentzahlen (50% der Einfuhren) durchaus für realistisch halten. Die angegebenen Werte beziehen sich auf die 50er Jahre. (s. J. H. Vince (ed.), Demosthenes I, London 1962, S. 487 ff.)
Zur Bedeutung des Bosporus-Handels s. auch S. Isager/M. H. Hansen, Aspects of Athenian Society in the 4th Century (cit. Isager/Hansen), Odense 1975, 21 f.
[91] Ps.-Demosth. 17.20.
Da die athenischen Getreideschiffe insbesondere auch durch die Kaperfahrten Mem-

die er nach dem Gefecht am Granikos gefangengenommen hatte[92] und die als Ersatz für die durch Aushebungen rar gewordenen einheimischen Arbeitskräfte in der makedonischen Landwirtschaft bzw. im Bergbau Verwendung finden sollten.[93] In Gordion, wo sich zurückkehrende Urlauber, angeworbene Söldner und das Gros des Heeres, das in einem Winterfeldzug Lykien, Pamphylien und Pisidien durchzogen hatte, wieder sammelten,[94] traf die Gesandtschaft auf den Makedonenkönig.[95] Die Athener vermieden es, im Gegensatz zu einer späteren Mission,[96] als Sprecher ganz Griechenlands aufzutreten und baten lediglich um die Freilassung ihrer Landsleute.[97]

Über die Frage der Kriegsgefangenen hinaus verband sich jedoch mit dem diplomatischen Vorstoß ein Test ihrer besonderen Beziehungen zum Makedonenkönig. Um so überraschender und bisheriger Politik entgegengesetzt kam die Ablehnung Alexanders. Zudem erfolgte sie in einer für ihn kritischen Situation, in der vieles von der Loyalität Athens abhing, nachdem Memnon eine Reihe von ägäischen Inseln erobert hatte, Verhandlungen mit den Kykladeninseln und Festlandsgriechen in Gange gekommen waren und eine Invasion des griechischen Mutterlandes bevor-

---

nons bedroht waren, stellte sich die, aufgrund der Quellenlage allerdings nicht zu beantwortende Frage, ob sich der Beschluß der Volksversammlung nicht gegen die persische Gefahr richtete.

[92] Arr. 1.16.2, Plut. mor. 181Af.

[93] Arrian verwendet den nicht exakt aufschlüsselbaren Terminus ἐργάζεσθαι, so daß man hinsichtlich des Verwendungszweckes auf Vermutungen angewiesen ist. Für einen Einsatz in den Bergwerken des Pangaiongebirges spricht sich P. Ducrey, Le traitement des prisonniers de guerre dans la grèce antique, Paris 1968, S. 82 aus.

A. Boeckhs Meinung, daß Bergwerksarbeit nur von Sklaven verrichtet wurde (Über die Laurischen Silberbergwerke in Attika, Ges. Kl. Schr. V, Leipzig 1871 S. 44), widerlegt S. Lauffer, Die Bergwerksklaven von Laureion (cit. Lauffer, Die Bergwerksklaven), Abh. der Akad. d. Wiss. Mainz, Geistes- und Sozialwiss. Kl. 11/12, 1955/56, S. 1112.

[94] Arr. 1.29.3 ff.; vgl. Schachermeyr 190.

[95] Arr. 1.29.5 f., Curt. 3.1.9.

[96] Vgl. Curt. 4.34.12.

[97] Dies geht eindeutig aus Arr. 1.29.5 hervor. ἐνταῦθα καὶ ᾿Αθηναίων πρεσβεία παρ᾿ ᾿Αλέξανδρον ἀφίκετο, δεόμενοι ᾿Αλεξάνδρου ἀφεῖναί σφισι τοὺς αἰχμαλώτους, οἳ ἐπὶ Γρανίκῳ ποταμῷ ἐλήφθησαν ᾿Αθηναίων ξυστρατευόμενοι τοῖς Πέρσαις καὶ τότε ἐν Μακεδονίᾳ ξὺν τοῖς δισχιλίοις δεδεμένοι ἦσαν. Auch bei Curtis Rufus 3.1.9 weist die kopulative Konjunktion „non modo, sed etiam" darauf hin, daß nur Freigabe der athenischen Söldner gefordert, von Alexander aber die aller Griechen in Aussicht gestellt wurde. „Superveniunt deinde legati Atheniensium, petentes ut capti apud Granicum amnen redderentur sibi. Ille non hos modo, sed etiam ceteros Graecos restitui suis iussurum respondit, finito Persico bello".

Nach der Schlacht am Granikos waren keine Athener freigekauft worden. Schäfers entsprechende Anmerkung (III S. 160, 2) beruht auf der falschen Datierung von CIA II 194. Das καὶ μάχη]ς τῆς ἐν ῾Ελλη[σπόντῳ γενομένης] Z. 7 f. bezieht sich nicht auf die Schlacht am Granikos, sondern die Niederlage des Euretion 323/2. s. IG II² 398a.

stand.[98] Trotz Kenntnis dieser Erfolge bzw. Pläne seines Gegenspielers bestand der König auf seiner Weigerung, schwächte deren Rigorosität aber zu dem Athen nicht allzusehr brüskierenden Versprechen ab, alle Griechen nach Beendigung des persischen Krieges[99] in die Heimat zu entlassen.

Unter den gegebenen Umständen lag für dieses diplomatische Ausweichen zweifellos ein gewichtigerer Grund vor als der Bedarf an Arbeitskräften, der mit der geringen Anzahl von Söldnern, geschweige denn den wenigen Athenern, nicht entfernt zu decken war. Zurückbehaltung der Gefangenen als Garantie für loyales Verhalten, ostentativ gezeigte Geiselnahme also, schien angesichts bisherigen Verhaltens Athens nicht nötig, hätte sogar eine der erwünschten entgegengesetzte Reaktion zeitigen können. Alexanders Blick galt vielmehr den ξένοι bei Dareios und mehr noch den griechischen Söldnermärkten, zu denen die Perser vorerst noch nahezu ungehindert Zugang hatten. Als stärkstes Element im Heer des Großkönigs stellten die Söldner die größte Gefahr für Alexander dar,[100] so daß er ihre Anwerbung wenn nicht unterbinden, so doch nach Möglichkeit einschränken mußte. Diesem Zweck diente seit der Schlacht am Granikos eine auf der Alternative Tod oder Zwangsarbeit beruhende Politik der Abschreckung,[101] die Alexander gerade in

---

[98] Arr. 2.1.1 ff., Diod. 17.29.1 ff.; vgl. Hamilton 63 f.

[99] Curt. a.a.O. Alexander wollte mit seiner Antwort (s.o. S. 64 Anm. 97) offenbar den panhellenischen Charakter des Asienzuges betonen: da die Rache für die Zerstörung der Heiligtümer durch Xerxes im Interesse aller Griechen lag, war es unumgänglich, Hellenen, die sich diesem Unternehmen entgegenstellten, zumindest bis zum erfolgreichen Abschluß des Feldzuges in Haft zu halten.

[100] Die Anzahl von 10–12000 Überlebenden nach der Schlacht von Issos (Arr. 2.13.2, 3.7.1, 3.16.2, Curt. 4.1.3; zum Schicksal der 8000 Griechen, die den Rückweg in die Heimat antraten E. Badian, Harpalus (cit. Badian, Harpalus), JHS 81, 1961, S. 25 ff.) läßt eine Streitmacht von mindestens 15000 vermuten (vgl. Tarn 28 f.). Hamilton 67 kommt auf eine Zahl von 20000 (vgl. Schachermeyr 204 Anm. 222: 16000–20000). Neuerdings wird die Stärke der Söldnerarmee des Dareios allgemein auf 30000 (vgl. Arr. 2.8.6) beziffert. s. Seibt 110 und 189, G. Wirth, Erwägungen zur Chronologie des Jahres 333 v. Chr. (cit. Wirth, Chronologie), Helikon 17, 1977, S. 35 f. Anm. 51, C. L. Murison, Darius III and the Battle of Issus, Hist. 21, 1972, S. 401 Anm. 7; dagegen Parke 184 zu niedrig: 10000. Ihre Schlagkraft und Effektivität betont Arrian 2.10.6 ff.; vgl. Schachermeyr 209 f., Wirth, Chronologie 52. Der an den Hof des Dareios geflüchtete Charidemos machte einen persischen Erfolg vom Einsatz der Ἕλληνες μισθοφόροι abhängig, und angesichts der Schlacht motivierte Alexander seine griechischen Soldaten in Issos speziell zur Auseinandersetzung mit ihren Landsleuten, indem er ihnen vor Augen hielt, daß diese um Lohn, sie aber für die Sache Griechenlands stritten (Arr. 2.7.4). Die letzten, auf persischer Seite verbliebenen 1500 Söldner, die sich 330 ergaben, verteilte er, um keinen Unruheherd im Heer entstehen zu lassen, auf verschiedene Mannschaftsteile (Curt. 6.5.6 ff.)

[101] Zur Rigorosität Alexanders in der Söldnerbehandlung Arr. 1.16.2, 6. Die nach der Erstürmung Milets auf eine Insel geflüchteten Söldner verschonte er, weil deren strategisch günstige Position und entschlossene Bereitschaft zum ausweglo-

Vorbereitung des Aufeinandertreffens mit Dareios keinesfalls aufweichen wollte.[102]

Unterdessen hatte sich auf dem westlichen Kriegsschauplatz, dem Alexander den Rücken zugekehrt hatte, die Lage zugespitzt. Zwar hatte Antipater für eine Anfang 333 unmittelbar drohende Krisensituation Vorsorge getroffen, indem er Proteas mit der Bildung einer Flotte zum Schutz der griechischen Ostküste und der vorgelagerten Inseln beauftragt hatte,[103] doch war diese Küstenpatrouille kaum in der Lage, einer noch für den Sommer 333 zu erwartenden Offensive Memnons Widerstand zu leisten. Sie konnte allenfalls Sondierungsaufgaben übernehmen und die Kontaktaufnahme einzelner persischer Verbände insbesondere mit den Bewohnern der Kykladen verhindern.[104] Ebenfalls noch von Gordion aus verfügte daher Alexander, nun im Besitz notwendiger finanzieller Mittel,[105] die erneute Bereitstellung griechischer Marineeinheiten.[106] Zur Einleitung entsprechender Schritte wurden Hegelochos und Amphoteros zum Hellespont entsandt.

Athen erfuhr den Gestellungsbefehl im Frühsommer des Jahres.[107] Die Tatsache, daß bereits im Vorjahr zwanzig athenische Schiffe bei Alexander verblieben waren, führte zu einer heftigen Kontroverse in der Volksversammlung. Sie erfuhr durch

---

sen Kampf unnötiges Blutvergießen befürchten ließ (Arr. 1.19.6). Ähnlich die Situation in Kelainai. Alexander schloß mit der griechisch-karischen Besatzung einen Übergabevertrag ab, um seinen Vormarsch nach Gordion nicht zu verzögern. Arr. 1.29.1 f., Curt. 3.1.1 ff.

[102] Vgl. Arr. 1.29.6 οὐ γὰρ ἐδόκει ἀσφαλὲς εἶναι ᾿Αλεξάνδρῳ ἔτι ζυνεστῶτος τοῦ πρὸς τὸν Πέρσην πολέμου ἀνεῖναί τι τοῦ φόβου τοῖς ῞Ελλησιν, ὅσοι ἐναντία τῇ ῾Ελλάδι στρατεύεσθαι ὑπὲρ τῶν βαρβάρων οὐκ ἀπηξίωσαν·

[103] Arr. 2.2.4. In diesen Zusammenhang gehört offensichtlich auch die Ps.-Demosth. 17.26 ff. erwähnte Ankunft eines makedonischen Schiffes im Piräus, dessen Kommandant um die Erlaubnis zum Bau von Schiffen in athenischen Docks bat. Sein Ansinnen wurde abgelehnt, ihm jedoch freie Ausfahrt bewilligt (17.27).
Mit der Bildung der Proteasflotte als Antwort auf die persische Gefahr zu Beginn des Jahres 333 und der Visite in Athen war, auch wegen der Schiffahrtsverhältnisse, nicht vor dem Frühling 333 zu rechnen (vgl. Hauben, The Expansion 82 Anm. 21, P. Briant Antigone le Borgne, Paris 1973, S. 61 Anm. 2).

[104] Im Frühsommer 333 gelang ihm die Zerschlagung eines aus 10 Schiffen bestehenden Flottenkontingents, das unter Befehl des Datames vor Siphnos ankerte (Arr. a. a. O., Berve I 160, II 238).

[105] Hegelochos erhielt 500 Talente, Antipater 600 für Defensivmaßnahmen in Makedonien und Hellas. Curt. 3.1.20.

[106] Arr. 2.2.3, Curt. 3.1.19. Vgl. Hauben, The Expansion 82 ff., Wirth, Chronologie 30.

[107] Berve II 127 Anm. 3 datiert das Ereignis ins Jahr 335/4 (vgl. Beloch, Attische Politik 245, Glotz 206). Unmittelbar nach der Zerstörung Thebens und den makedonischen Konzessionen ist eine Attacke gegen die vertraglich vereinbarte Flottenentsendung undenkbar. Sie paßt lediglich zur Hegelochosmission von 333 (Arr. 2.2.3, Curt. 3.1.19 f.) Dazu bereits Schäfer III 173 f., neuerdings Gehrke 76.

die Ablehnung der Bitte um Entlassung der Gefangenen zusätzlichen Zündstoff. Gegen eine neuerliche Abstellung von Trieren votierten Pytheas,[108] Demosthenes und Hypereides.[109] In ihrer Argumentation schlossen sie dabei einen späteren Krieg mit den Makedonen nicht aus.[110] Im Augenblick stand jedoch ein militärischer Widerstand gegen Alexander nicht zur Debatte: noch vor dem Eintreffen der Gesandten des Hegelochos in Athen hatte die Nachricht vom Tode Memnons bei der Belagerung von Milet die Stadt erreicht.[111] Der Plan einer Übertragung des Krieges nach Griechenland schien vorerst selbst den Alexandergegnern nicht mehr durchführbar.[112] Als Sprecher der Promakedonen plädierte Phokion vor der Boule für eine realistische Sicht der gegenwärtigen militärischen Konstellation.[113] Für ihn lagen die Möglichkeiten Athens in einer Kooperation mit den Makedonen. Ein bereits spürbarer wirtschaftlicher Aufschwung[114] kann seinen Worten Nachdruck verliehen haben. Ob aber die Volksversammlung seinem Vorschlag folgte, ist nicht zu belegen.[115]

6. Antimakedonischer Widerstand in Athen: Pseudo-Demosthenes 17

Während Alexander nach seinem Zug durch Kappadokien nahezu kampflos die kilikische Pforte erobert hatte und dann in Tarsos durch eine schwere Erkrankung festgehalten wurde, formierte sich in Athen eine erneute aktive Opposition gegen ihn, zu der die Angriffe gegen die Trierenabstellung nur den Auftakt gebildet hatten. Nachschubschwierigkeiten der Makedonen in Kilikien, Krankheit des Königs und der Aufmarsch des persischen Heeres hatten in Griechenland ein Bewußtsein augenblicklicher makedonischer Schwäche geschaffen[116] und alexanderfeindliche

---

[108] Zur Biographie s. Berve II 337f., Prosop. Att. II 255 f.

[109] Ps.-Plut. mor. 847 C und 848 E; Plut. Phok. 21.1, 2. Zur Person des Hypereides s. u. S. 140f.

[110] Vgl. Ps.-Plut. mor. 847 C ... ἀντεῖπεν, ἄδηλον εἰπών, εἰ οὐ κατὰ τῶν παρασχόντων χρήσεται.

[111] Als Hegelochos vor dem Aufbruch Alexanders nach Ankyra den Befehl zur Bildung der Flotte erhielt, war Memnon, ohne daß allerdings der Makedonenkönig davon Kenntnis hatte, bereits gestorben. s. Curt. 3.1.20f. „His (Hegelochus und Amphoterus) talenta ad belli usum quingenta attributa, ... ex foedere naves sociis imperatae, quae Hellesponti praesiderent. Nondum enim Memnonem vita excessisse (Alexander) cognoverat, in quem omnes intenderat curas, satis gnarus cuncta in expedito fore, si nihil ab eo moveretur.“

[112] Vgl. Schachermeyr 196.

[113] Vgl. Plut. Phok. 21.1.

[114] s. u. S. 78f.

[115] Bezeugt ist die Existenz einer hellenischen Flotte in Syll.³ 283, Z. 9–10. Offen bleibt die Größe des athenischen Verbandes.

[116] s. Aischin. 3.164.

Es wäre zu fragen, inwieweit die Erzählung vom vermeintlichen Giftanschlag auf

Aktivitäten forciert. Vermutlich zum ersten Mal seit Herbst 335 opponierte man in Athen offen gegen Alexander.

In der Rede 17 des Corpus Demosthenicum Περὶ τῶν πρὸς Ἀλέξανδρον συν-θηκῶν fordert ein uns unbekannter, der älteren Politikergeneration angehörender Redner,[117] die Aufnahme des bewaffneten Kampfes.[118] Er stellt sich dabei auf den Boden der Verträge, die gerade die Suprematie Makedoniens zementierten. Indem er Alexander permanente Vertragsverletzungen nachzuweisen sucht, erklärt er den Krieg gegen ihn als Konsequenz der Einhaltung der συνθῆκαι, als Eintreten für das δίκαιον, notwendig im Interesse aller betroffenen Griechen.[119] Trotz dieser Argu-

---

Alexander durch seinen Arzt Philippos von Akarnanien die kritische Situation im makedonischen Feldlager angesichts der bevorstehenden Schlacht widerspiegelt. (Arr. 2.4.7ff., Diod. 17.31.4ff., Curt. 3.6.1ff.)

Zur selben Zeit (ὀλίγον δὲ πρόςθεν τῆς μάχης τῆς ἐν Ἰσσῷ γενομένης) floh auch Harpalos. Arr. 3.6.7. Über seine Motive lassen sich jedoch nur Vermutungen anstellen (s. Berve II 76). Nach E. Badian, The First Flight of Harpalus, Hist. 9, 1960, S. 245 f. bewog ihn möglicherweise seine bevorstehende Entlassung als Vorsteher der Kriegskasse zur Flucht.

[117] Ps.-Demosth. 17.30. Die Rede wurde bereits im Altertum Demosthenes aberkannt; (Dion Hal. Dem. 57, S. 1126, 11, Harp. s.v. προβολάς, Schol. Ps.-Demosth. 17 (Dindorf 254); vgl. Schäfer III 206). Zur Verfasserfrage Schäfer III 210, Blass III.1 146 ff.

Umstrittener als bei jeder anderen Rede des Corpus Demosthenicum ist die Datierung. Zwischen 336 und 331 werden alle Jahreszahlen in Betracht gezogen. Vgl. dazu u.a. Schäfer (mit Angabe früherer Datierungsversuche) III 208f. (331), Beloch, Attische Politik 246 Anm.2 (331), Berve I 241 (331), Niese 55 Anm.6 (335), Barthold 93 (331), Ostwald 124 (336/5), Dobesch 100 (331), Cawkwell, Pseudo-Demosthenes 17.20 S.74f. (331), G.Wirth, Alexander zwischen Gaugamela und Persepolis (cit. Wirth, Zwischen Gaugamela und Persepolis), Hist. 20, 1971, S.618 Anm.9 (333), D.Brown, Das Geschäft mit dem Staat. Die Überschneidung des Politischen und des Privaten im Corpus Demosthenicum, Hildesheim/New York 1974, S.285 (335). s. im folgenden.

Die Bemerkungen der Demosthenes-Scholien führen nicht weiter. Vgl. Schol. Ps.-Demosth. 17 (Dindorf 256) ... εὔδηλον ἐκ τοῦ περὶ στεφάνου λόγου, ὃς πολὺ μεταγε-νέστερός ἐστι ταύτης τῆς δημηγορίας (Rede XVII) ὁ μὲν γὰρ εἴρηται ἐν ἀρχῇ τῆς κατὰ Ἀλέξανδρον καταστάσεως, ὁ δὲ περὶ τοῦ στεφάνου λόγος Ἀλεξάνδρου ὄντος ἐν Ἰνδοῖς ἢ ἐν Πέρσαις.

[118] Ps.-Demosth. 17.30.

[119] Von Vertragsverletzungen waren nach Meinung des Redners auch andere griechische Städte betroffen. παρὰ τοὺς ὅρκους ... καὶ τὰς συνθήκας τὰς ἐν τῇ κοινῇ εἰρήνῃ γεγραμμένας wurden on Alexander (also wohl 335) die Söhne des Philiades als Tyrannen nach Messene zurückgeführt (17.4). In den nordpeloponnesischen Städten Pellene und Sikyon setzte ὁ Μακεδών den παλαιστής Chairon bzw. einen παιδοτρίβης unbekannten Namens als Tyrannen ein. 17.10 σκέψασθε δ᾽, ὦ ἄνδρες Ἀθηναῖοι, ὅτι Ἀχαιοὶ μὲν οἱ ἐν Πελοποννήσῳ ἐδημοκρατοῦντο, τούτων δ᾽ ἐν Πελλήνῃ νῦν καταλέλυκε τὸν δῆμον ὁ Μακεδών ἐκβαλὼν τῶν πολιτῶν τοὺς πλείστους,τὰ δ᾽ἐκείνων τοῖς οἰκέταις δέδωκε, Χαίρωνα δὲ τὸν παλαιστὴν τύραννον ἐγκατέστησεν. 17.16 οὕτω τοίνυν ῥᾳδίως ἐπήνεγκε τὰ ὅπλ᾽ ὁ Μακεδών ὥστ᾽ οὐδὲ κατέθετο πώποτε, ἀλλ᾽ ἔτι καὶ νῦν ἔχων περιέρχεται καθ᾽ ὅσον δύναται, καὶ τοσούτῳ νῦν μᾶλλον ἢ πρότερον, ὅσῳ ἐκ προστάγματος ἄλλους θ᾽ ἑτέρωσε καὶ τὸν παιδοτρίβην εἰς Σικυῶνα κατήγαγεν. Der

mentation wird der wahre Grund der Rede erkennbar: die Krise der makedonischen Herrschaft, bedingt durch Nachschubschwierigkeiten und militärische oder strategische Nachteile.[120] Für den Redner stellt sie sich, im Sinne der Antimakedonen, als καιρός dar, als die günstige Gelegenheit, die makedonische Hegemonie zu brechen.[121]

Für die, vom Inhalt her gesehen,[122] überaus schwierige chronologische Fixierung der Rede bietet diese Betonung des καιρός (im übrigen ist eine derartige Agitation zu Zeiten höchster makedonischer Machtentfaltung auch kaum denkbar) wertvolle Hinweise. Auszugehen ist dabei von der Sicht der antiken Zeitgenossen, nicht des ex eventu wertenden Historikers.

Ein Bild davon, wie die athenische Öffentlichkeit Alexanders Schwierigkeiten und Erfolge in den ersten Jahren des Feldzuges einschätzte, zeichnet Aischines im Jahr 330 noch unmittelbar unter dem Eindruck der Geschehnisse.[123] Um Demo-

---

Wechsel in der Bezeichnung (17.4 Ἀλέξανδρος; 17.10, 16,17 ὁ Μακεδών) läßt vermuten, daß für die letzteren Maßnahmen nicht mehr Alexander, sondern als στρατηγὸς τῆς Εὐρώπης Antipater verantwortlich zeichnete (vgl. bereits Schäfer III 209). Der Zusammenhang mit der von 335 bis 333 betriebenen makedonischen Sicherungspolitik, im Falle der Hafenstadt Sikyon speziell wohl der Mission des Proteas von 333, liegt auf der Hand.

[120] Daß parallel dazu keine größere Aufstandsbewegung im Westen im Gange war, erhellt 17.13 (ἡ παραυτίχ᾽ ἡσυχία). Gegen eine Datierung in die Zeit des Agiskrieges spricht auch das im anderen Falle wenig wahrscheinliche Fehlen jeglicher Hinweise auf die Erhebung des spartanischen Königs.

[121] Ps.-Demosth. 17.9,30. Verstärkend tritt das diesem Topos entsprechende Schlagwort τὸ συμφέρον hinzu.

[122] Eine Datierung nach inhaltlichen Gesichtspunkten versucht lediglich Cawkwell, Pseudo-Demosthenes 17.20 S.74f. Der Autor glaubt nur an ein einmaliges Vorgehen Alexanders gegen die Tyrannen von Eresos und Antissa im Jahre 332 (vgl. Arr. 3.2.5f., Curt. 4.8.11) und setzt daher die Rede aufgrund des Passus 17.7 (ἀλλὰ καταγέλαστος ὁ λόγος, τοὺς μὲν ἐκ Λέσβου τυράννους, οἷον ἐξ Ἀντίσσης καὶ Ἐρέσου, ἐκβαλεῖν ὡς ἀδικήματος ὄντος τοῦ πολιτεύματος, τοὺς πρὸ τῶν ὁμολογιῶν τυραννήσαντας, ἐν δὲ Μεσσήνῃ μηδὲν οἴεσθαι διαφέρειν, τῆς αὐτῆς δυσχερείας ὑπαρχούσης.) in das folgende Jahr.

338 bzw. 336, möglicherweise auch erst in Zusammenhang mit Memnons Vorbereitungen zur Abwehr der Makedonen an die Macht gekommen (vgl. 17.7 ... τοὺς πρὸ τῶν ὁμολογιῶν τυραννήσαντας ...), wurden zumindest die Tyrannen von Eresos jedoch zweimal gestürzt, und zwar im Sommer 334 nach der Schlacht am Granikos vermutlich durch Alkimachos (Berve II 10) sowie im Frühjahr 332 durch Hegelochos (vgl. Berve a.a.O., H. Pistorius, Beiträge zur Geschichte von Lesbos im vierten Jahrhundert v.Chr., Bonn 1913, S.123, Friedel 74f., Tod 258f.).

Nach ihrer ersten Absetzung waren sie 333 mit Hilfe Memnons wieder in den Besitz der Macht gekommen (vgl. Diod. 17.29.2, Arr. 2.1.1), wobei sie, wie der allerdings nur fragmentarische Beginn der Inschrift Tod 191 (OGIS 8a) vermuten läßt, selbst an der Belagerung ihrer Polis beteiligt waren.

Von Antissa ist nur die Rückeroberung durch Memnon bezeugt (Diod. 17.29.2).

[123] Aischin. 3.163ff.

sthenes' Nimbus des Alexanderhasses zu entkräften, seine Passivität in entscheidenden Phasen zu belegen, rekapitulierte er die Momente nach Alexanders Aufbruch aus Hellas, in denen dessen Lage äußerst bedenklich, wenn nicht verzweifelt, somit Widerstand im griechischen Mutterland erfolgversprechend war. Den μισαλέξαν-δροι boten sich, wie es Aischines in deren Terminologie formuliert, τρεῖς κάλλιστοι καιροί:[124] zum einen während des makedonischen Übergangs nach Asien (334), dann während Alexanders Aufenthalt in Kilikien (Herbst 333) und schließlich zur Zeit der Unruhen auf der Peloponnes (331). Da die Jahre der Hellespontüberquerung und des Agiskrieges ausscheiden,[125] paßt der vom Verfasser der Rede 17 dringlich beschworene καιρός nurmehr in die Monate September/Oktober 333, die Zeit unmittelbar vor dem direkten Aufeinandertreffen Alexanders mit Dareios also.[126]

Diesen Zeitansatz bestätigt die in § 26–28 geschilderte makedonische „Schiffsvisite",[127] deren Zweck, Neubau von offensichtlich für Aufklärungsfahrten tauglichen μικρὰ πλοῖα und Rekrutierung von Mannschaften, nur mit der Mission des Proteas vom Frühjahr/Sommer in Zusammenhang gebracht werden kann.[128] In der zum Höhepunkt der Rede, dem Aufruf zum Widerstand, sich steigernden Argumentation wird dieses Ereignis, jüngste und in den Augen des Redners schwerste Vertragsverletzung, an den Schluß gesetzt, unmittelbar zur Konsequenz, dem Kriegsantrag,[129] überleitend. Das in § 26 einführend gebrauchte πρώην[130] betont noch einmal die Aktualität und reduziert den zeitlichen Abstand des Vorgangs zur Rede auf wenige Wochen: Pseudo-Demosthenes 17 wurde demnach spätestens im Herbst 333 verfaßt.

Erfolg blieb dem Psephisma des Redners versagt. Die Befürworter eines Ausgleichskurses waren einflußreich genug,[131] um das Abenteuer eines ungewissen Krieges zu verhindern. Endgültig zunichte machte die Hoffnungen der Antimakedonen[132] die bald danach eintreffende Nachricht vom Siege Alexanders in der Schlacht von Issos.[133]

---

[124] Aischin. 3.163.
[125] Die Blockade der nordöstlichen Ägäis durch die auf Tenedos stationierten makedonischen Einheiten und die Flottendemonstration des Menestheus (s. o. S. 62 f.) schließen als terminus post quem die Zeit vor dem Herbst des Jahres 334 aus.
[126] Vgl. Aischin. 3.164.
[127] Ps.-Demosth. 17.27.
[128] Arr. 2.2.4; s. o. S. 66.
[129] Ps.-Demosth. 17.30.
[130] a. a. O. 26. τὸ δὲ ὑβριστικώτατον καὶ ὑπεροπτικώτατον τῶν Μακεδόνων τὸ πρώην γεγενημένον ἐστί, ...
[131] Ihre politische Stärke spiegelt sich indirekt in der Rede wider. Vgl. u. a. 1, 5, 12, 13, 15, 17, 23 f.
[132] Zum Verhalten des Demosthenes in dieser Zeit: Aischin. 3.164.
[133] s. im folgenden.

7. Athen nach der Schlacht von Issos. Der Aufstand des Agis

Mit der Flucht des Dareios in diesem Kampf am Golf von Issos[134] war im November 333 für Alexander eine erste Vorentscheidung nicht nur in der Auseinandersetzung um asiatisches Land, sondern auch im Bemühen um Stabilisierung der Verhältnisse im griechischen Mutterland gefallen. Zum einen sicherte die persische Niederlage das bisher besetzte Gebiet, zum anderen ermöglichte sie Alexander, die Pläne von Milet, insbesondere die Eroberung der Küstenstreifen,[135] in die Tat umzusetzen. Nachdem bereits mit dem Tode Memnons und der anschließenden Abberufung der μισθοφόροι aus dem ägäischen Raum[136] das Vorhaben einer Überspielung des Krieges nach Griechenland aufgegeben worden war, verhinderte nun, Erfolg vorausgesetzt, die Abdrängung der verbliebenen persischen Flotte auch eine Unterstützung eines hellenischen Aufstandes mit Truppen, technischen Hilfsmitteln oder Geld.

Nicht zu unterschätzen war auch psychologisch der Eindruck, den der glänzende Sieg von Issos in den Poleis, insbesondere in Athen, hervorrief. Die radikalen Antimakedonen, die seit der Zerstörung Thebens innenpolitisch ins Abseits gedrängt, ihre Hoffnungen auf Hilfe von außen, d.h. einen Erfolg der Perser konzentriert hatten,[137] sahen sich in ihren Erwartungen desillusioniert. Für ihre Antipoden waren analog die Bedingungen geboren, um die in der bisherigen weitgehend neutralen Politik bereits verwurzelte Hinwendung zu den Makedonen zu forcieren. Offizielle Kontaktaufnahme mit dem Großkönig, wie sie aufgrund der Gefangennahme mehrerer Athener in Damaskos und später 330 in Hyrkanien vermutet wird,[138] wurde spätestens seit 335, vermutlich jedoch bereits früher, nicht mehr ver-

---

[134] Vgl. dazu neuerdings G.Wirth, Anmerkungen zur Schlacht von Issos, Studia in honorem V.Beševliev, Sofia 1978, o.S.
[135] Vgl. Arr. 1.16.6 ff.
[136] Arr. 2.2.1, Curt. 3.3.1, vgl. Arr. 2.1.3, Diod. 17.30.1 ff.; Parke 182 f.
[137] Vgl. Aischin. 3.164.
[138] Der Irrealis in Aischin. 3.163 ἄσμενος δ' ἂν ἡμᾶς εἰς τὴν συμμαχίαν προσεδέξατο διὰ τοὺς ἐπιφερομένους ἑαυτῷ κινδύνους. spricht für ein einseitiges Bemühen des Dareios im Frühjahr 334 und gegen das Interesse Athens an einem Dialog.
Die Gefangennahme des Iphikrates im Troß des Perserkönigs (vgl. Berve II 186, J.K.Davies, Athenian Properties Families 600–300 B.C. (cit. Davies), Oxford 1971, S.251) beweist nichts Gegenteiliges, denn seine – im Gegensatz zum Spartanerkönig Euthykles – zuvorkommende Behandlung durch Alexander schließt in ihrer Begründung (Ἰφικράτην δὲ φιλίᾳ τε τῆς Ἀθηναίων πόλεως καὶ ... ἐτίμησε Arr. 2.15.4) ein vertragswidriges Verhalten Athens aus. Iphikrates war wohl wie der später gefangengenommene Dropides bereits vor längerer Zeit als überzeugter Antimakedone an den persischen Königshof übergewechselt. (Gefangennahme des Dropides bei Arrian (3.24.4) im Jahre 330, nach Curtius (3.13.15) schon 333, zusammen mit Iphikrates). Der bei Curtius 6.5.9 zusätzlich erwähnte Demokrates, der seiner Inhaftierung angeblich durch

sucht und war nach Issos vollends sinnlos geworden. Auch unter Makedonengegnern[139] setzte sich nun die Erkenntnis durch, daß Athen in dem im Entstehen begrif-
fenen europäisch-asiatischen Kosmos nur in Einklang mit Alexander eine führende
Rolle spielen konnte. Einem solchen Ziel dienten in der Folgezeit im inneren Bereich religiös-politische Reformen und öffentliche Bauvorhaben, auf außenpolitischem Sektor aber eine überraschende Intensivierung diplomatischer Kontakte zu
Alexander und anderen führenden makedonischen Persönlichkeiten, um in Aus-
nutzung der von Alexander immer offerierten guten Beziehungen Vorteile für
Athen realisieren zu können.

Die offizielle Gratulation zum Sieg über die Perser beschlossen die Mitglieder
des Bundes im April 332 anläßlich der periodisch im Zeitraum von vier Jahren statt-
findenden Isthmia.[140] Die dem Hegemon zugedachten Ehrungen und der Umfang
der Delegation überstiegen dabei das bei entsprechenden förmlichen Ergebenheits-
adressen übliche Maß.[141] Offenbar sah man nach dem makedonischen Sieg bei Issos
sowie der Gewinnung Phoinikiens und somit der Seeherrschaft Alexanders Position
als gesichert an und hoffte, den König daher für Bitten zugänglich zu finden.

Unmittelbar nach seiner Rückkehr aus der Libyschen Wüste trafen die Abgesandten in Memphis auf Alexander. Rhodos, Chios, wie Curtius detailliert berichtet, brachten Beschwerden über die makedonische Besatzung vor, Mytilene forderte finanzielle bzw. territoriale Kriegsentschädigung.[142] Von den mutterländischen
Gesandten werden lediglich die Athener erwähnt. Mit ihrer anders als in Gordion

---

Selbstmord zuvorkam, ist wohl eine Fiktion des Autors oder möglicherweise eine Ver-
schreibung für Demochares (s. bereits Schäfer II 381 Anm. 1).

[139] Zum unterschiedlichen Verhalten der attischen Staatsmänner s. zusammenfassend
S. 137 ff.

[140] Curt. 4.5.11.

[141] Beschluß bzw. Eintreffen der griechischen Gesandtschaft wird in den Sekundärquellen dreifach bestätigt (Curt. 4.5.11, Diod. 17.48.6, Arr. 3.5.1), während analoge De-
krete bei vergleichbaren Anlässen (Schlacht am Granikos) mit Schweigen übergangen
werden.

Ob die IG II² 1496 col. III Z. 54 f. ... ἑτ[έρων]‖ στεφάνων δυοῖν, οἷς ὁ δῆμο[ς]‖ ὁ
'Aθηναίων ἐστεφάνωσε 'Aλέξα[νδρον], ... urkundlich erfaßte Ehrung Alexanders in
diesen Zusammenhang gehört, ist nicht zu entscheiden. In jedem Fall dokumentiert sie
Athens besondere Bemühungen um den König.

Aus dem in der gleichen Inschrift erwähnten Opfer der στρατηγοί für Ammon (col. II
Z. 296 f.) läßt sich nichts für die attisch-makedonischen Beziehungen gewinnen,
da die lapidare Notierung der Handlung nur Spekulationen (s. H.W. Parke, The Ora-
cles of Zeus, Oxford 1967, S. 219) Raum läßt.

(IG II² 338 Z. 13 f. ist für denselben Zeitraum (333/2) die Fertigstellung eines Brun-
nens (... ἐπειδὴ Πυθέας ... νῦν τήν τε πρὸς τῷ τοῦ Ἄμμωνος ἱερῷ κρήνην καινὴν ἐξῳ-
κοδόμηκεν καὶ ...) im Ammonheiligtum bezeugt. Eine Inschrift mit dem Ehrungsbe-
schluß für den Ausführenden Pytheas wurde im Hieron aufgestellt).

[142] Curt. 4.8.12 f.

auf Freilassung aller Gefangenen vom Granikos lautenden Bitte traten sie als Sprecher Gesamtgriechenlands auf. Alexander gab den Wünschen nach bzw. stellte ihre Erfüllung in Aussicht. Wenig später in Tyros wurden zumindest die athenischen Söldner freigelassen,[143] ohne daß dies Gegenstand neuerlicher, dort geführter Verhandlungen war.[144]

Noch während die Loyalitätsdeklarationen des Synhedrions Alexander überbracht wurden, breitete sich im Winter 332/331 auf der Peloponnes die vom Spartanerkönig Agis initiierte Aufstandsbewegung offen aus.[145] Für Athen war in dem zu erwartenden Konflikt Neutralität nicht möglich. Passives Verhalten beinhaltete über den militärischen Rahmen hinaus eine womöglich ausschlaggebende Schwächung des antimakedonischen Widerstandes und konnte von den Aufständischen nur als Unterstützung Alexanders gewertet werden. Von Antipater trafen Abgesandte in Athen ein.[146] Agis war möglicherweise persönlich anwesend,[147] um die

---

[143] Arr. 3.6.2. Der Zusammenhang mit der drohenden Auseinandersetzung mit Agis liegt auf der Hand. s. u. S. 75 f.

[144] Bezieht sich im entsprechenden Arrianzitat 3.6.2 der Relativsatz ὧν ἕνεκα ἐστάλησαν, wie m. E. naheliegt, nur auf das erste Glied des Hauptsatzes (καὶ οὗτοι τῶν τε ἄλλων ἔτυχον), so gehört die Gefangenenfrage nicht mehr zum Gesprächskatalog der im Frühjahr 331 in die phoinikische Hafenstadt abgesandten Delegation (s. im folgenden). Daß man in diesem Punkt zusammen mit den bei Curtius erwähnten Inselgriechen (4.8.12), entgegen Berve II 98 und 146, schon in Memphis vorstellig wurde, erhellt unabhängig davon Arr. 3.5.1, wo griechische Ergebenheits- und Bittadressen ausschließlich in der ägyptischen Stadt bezeugt sind, hingegen für Tyros nur die Ankunft der Paralos erwähnt wird. Auch die Legaten aus Milet fanden sich in Memphis ein (Strab. 17.1.43).

[145] s. Berve II 9. Zur Chronologie des Agiskrieges s. u. S. 76 f. Anm. 159.

[146] Eine Delegation Antipaters nach Athen ist Ps.-Plut. mor. 850 A bezeugt. ἡκόντων δὲ καὶ παρ' Ἀντιπάτρου πρέσβεων, ἐπαινούντων τὸν Ἀντίπατρον ὡς χρηστόν, ἀπαντήσας αὐτοῖς (Hypereides) εἶπεν, „οἴδαμεν ὅτι χρηστὸς ὑπάρχει, ἀλλ' ἡμεῖς γ'οὐ δεόμεθα χρηστοῦ δεσπότου." Sie paßt jedoch auch in die Zeit des Lamischen Krieges.

[147] Plut. mor. 191 E resp. 216 C (vgl. Plut. Lyk. 19.2 ohne Namensnennung) legt zumindest ein Zusammentreffen zwischen dem in außenpolitischen Fragen nach wie vor einflußreichen Demades und dem Spartanerkönig nahe. Eine exakte chronologische Fixierung läßt die Ungenauigkeit der Angabe wie im Fall von Ps.-Plut. mor. 850 A (s. o. Anm. 146) nicht zu. Aufgrund der Zuspitzung der Lage in Griechenland auf einen Entscheidungskampf hin, erscheinen m. E. jedoch Demarchen von Seiten der Makedonen und Spartaner für das Jahr 331 zwingend. Vgl. Glotz 206, Barthold 94 Anm. 1, E. Badian, Agis III (cit. Badian, Agis), Hermes 95, 1967, S. 182. Da Athen im März Verbindung mit Alexander in Tyros aufnahm, wäre der von Glotz 206 Anm. 128 nach Plut. mor. 818 E genannte Termin für den Besuch des Agis in Athen (Januar 331; vgl. Badian, Agis 182: Januar/Februar) möglich. Zu weit führt Barthold 194 Anm. 1, der Plut. Dem. 24.1, mor. 191 E (216 C), mor. 818 E sowie Pseudo-Demosthenes Rede 17 in Zusammenhang bringt und daraus für Januar 331 eine breit angelegte Debatte zwischen Pro- und Antimakedonen rekonstruiert. Zu den Plutarch-Stellen mor. 818 E und Dem. 24.1 s. u. S. 75 Anm. 155 und

Stadt für sich zu gewinnen. Die Sachzwänge ließen ein zögerndes Taktieren nicht zu, die Zeit drängte auf eine Antwort, da man ansonsten Gefahr lief, sich zwischen die Fronten zu stellen. So verlief Anfang 331 in den Diskussionen der Ekklesia der Klärungsprozeß in dieser Frage endgültig gegen Agis. Die Vorentscheidung war jedoch bereits mit der Schlacht von Issos gefallen, als die „Machtfrage" in der innenpolitischen Auseinandersetzung mit dem Sieg Alexanders zugunsten der Promakedonen beantwortet worden war.

Mit der Rede Περὶ τῶν πρὸς Ἀλέξανδρον συνθηκῶν waren die Tiraden der Antimakedonen verstummt: Hypereides war in der Folgezeit, soweit wir wissen, lediglich als Gesandter Athens in Elis tätig, um einen Ausschluß der Stadt von den Olympischen Spielen zu verhindern;[148] Lykurg, der ohnehin schwerlich der antimakedonischen Partei zuzurechnen ist, benötigte für sein repräsentatives Bauprogramm finanzielle Mittel, die nur in Friedenszeiten aufzubringen waren, und verfolgte spätestens seit 335 in seiner Verwaltungstätigkeit eine Politik, die an dem im Vertrag von Korinth garantierten Frieden, nicht an einem Krieg mit Alexander orientiert war; Demosthenes schließlich, Symbolfigur des Kampfes gegen Philipp, vollzog den Bruch mit der Vergangenheit.[149] Er, auf dessen Autorität und Netz von Verbindungen man im Lager des Agis sicher zählte, suchte Gespräche mit den Makedonen, um sich in Athen, nichts illustriert besser die Veränderung der politischen „Landschaft", nicht zu isolieren: Kallias von Chalkis reiste in seinem Auftrag zu Olympias,[150] sein Vertrauter Aristion knüpfte Kontakte zu Hephaistion und Alexander.[151]

Anm. 154. Die Rede 17 des Corpus Demosthenicum ist ins Jahr 333 zu datieren. (s. o. S. 67 ff.)

[148] Der Athener Kallipos war 332 wegen Betrugs beim Pentathlon von den Ἑλληνοδίκαι zu einer Geldbuße verurteilt worden. Hypereides erhob dagegen Einspruch. Seine Mission blieb jedoch erfolglos. Athen wurde von den nächsten Olympischen Spielen (328) ausgeschlossen. s. Paus. 5.21.5, Ps.-Plut. mor. 850 B; vgl. Sauppe II 294.
330 verhandelte Hypereides noch mit Abgesandten der Olympias in der Volksversammlung. Dabei wies er die Beschwerden der Königin wegen der Verletzung molossischen Gebietes durch eine Athener Delegation, die das Zeusheiligtum in Dodona besucht hatte, zurück, gestand aber gleichzeitig Olympias das Recht zu, ihrerseits dem Standbild der Hygieia in Athen eine Opferschale zu weihen. Vgl. Hyp. 4.19 ff. (Burtt)

[149] Vgl. G. L. Cawkwell, The Crowning of Demosthenes (cit. Cawkwell, The Crowning), Cl Q 63, 1969, S. 180.

[150] Hyp. 5 (Burtt) col. 20 (fragmentarisch).

[151] An den Angaben des Aischines zu zweifeln, gibt es keinen Grund, zumal Demosthenes in seiner Antwortrede die Vorwürfe mit Schweigen übergeht.
Aischin. 3.162, s. auch Marsyas von Pella, FGH 135, frg. 2 Ἀριστίων ... οὗτος Σάμιος μέν ἐστιν ἢ Πλαταιεύς, ὡς Δίυλλός φησιν, ἐκ μειρακυλλίου δ'ἑταῖρος Δημοσθένους, ἐπέμφθη δ' ὑπ' αὐτοῦ πρὸς Ἡφαιστίωνα ἕνεκα διαλλαγῶν, ὥς φησι Μαρσύας ἐν ε Τῶν περὶ Ἀλέξανδρον.
Die Mission des Aristion fällt wohl in den Winter 332/1. Bei Ankunft der Paralosbe-

Eine genügend starke Opposition, um das Steuer in Richtung eines Krieges mit Alexander zu wenden, konnte sich unter diesen Umständen nicht finden. Abgesehen von der militärischen Fragwürdigkeit[152] des Unternehmens war die Zukunft auch im Falle eines Erfolges des Agis ungewiß. Hegemoniale Bestrebungen, die man modifiziert weiterhin hegte, waren unter einem von Spartanern und Persern möglicherweise nach dem Modell des Antialkidasfriedens kontrollierten Griechenland[153] schwerlich zu verwirklichen. Die Entscheidung für Alexander stand so außer Frage.[154] Das vielfach angenommene Votum der Volksversammlung für eine militärische Hilfeleistung für Agis, die nur durch das demagogische Geschick des Demades unterlaufen worden sei, ist Fiktion.[155]

Anfang Frühjahr 331 entsandte Athen eine der sogenannten heiligen Trieren, die Paralos, – Indiz der Dringlichkeit und Bedeutung der Fahrt[156] – zu Alexander,[157]

---

satzung (Arr. 3.6.2) hielt sich der Plataier bereits im Heerlager Alexanders auf (Aischin. 3.162).

Offenbar hielt Demosthenes nach der Schlacht von Issos eine endgültige Niederlage des Großkönigs, auf den er bis dahin seine Hoffnungen gesetzt hatte (vgl. Aischin. 3.164), für unvermeidlich.

[152] Athen hatte seine Überlegenheit zur See verloren. Den athenischen Kriegsschiffen hätte Alexander die Flotte des Hegelochos und die kyprisch-phoinikische Flotte entgegenstellen können, die zusammen weit über 400 Trieren umfaßten. (vgl. Berve I 160 ff., Hauben, The Expansion 82 ff.)

Die Antipater im Lamischen Krieg noch zur Verfügung stehenden Schiffe reichten aus, um die athenische Seemacht bei Abydos und Amorgos vernichtend zu schlagen (vgl. Diod. 18.15.8 f., Plut. mor. 338 A, Demetr. 11.4, Marmor Parium, FGH 239 B frg. 9).

[153] Vgl. Arr. 2.1.4., 2.2.2.

Mit der im Königsfrieden beinhalteten Garantie der Autonomie suchte Memnon die Griechen für einen Aufstand zu gewinnen. Es ist jedoch fraglich, ob die Erneuerung des Vertrages von 386, die letztendlich die Hegemonie der Makedonen durch eine Kontrolle durch die Perser ersetzte, in Griechenland Eindruck erwecken konnte.

[154] Zur Haltung Athens: Diod. 17.62.7. (vgl. Plut. Dem. 24.1) Ἀθηναῖοι μὲν οὖν, παρὰ πάντας τοὺς ἄλλους Ἕλληνας ὑπ' Ἀλεξάνδρου προτιμώμενοι, τὴν ἡσυχίαν ἦγον· Selbst Demosthenes setzte sich nicht für Agis ein. Dein 1.34 f., Aischin 3.165. Vgl. Badian, Agis 182, Berve II 137, Treves 87 f. Seine Verbindungsaufnahme mit Hephaistion und Olympias zeigt, daß er ein Arrangement mit Alexander Ende 332/Anfang 331 in Erwägung zog.

Daß βραχέα συνεκινήθη in Plut. Dem. 24.1 ist m. E. eine Interpretation des Autors, um den in der späteren Überlieferung entstandenen Bild vom kontinuierlichen Widerstand des Demosthenes gegen die makedonische Fremdherrschaft (vgl. bereits die Inschrift auf dem Sockel seines im 3. Jahrhundert errichteten Standbildes: Plut. Dem. 30.5 εἴπερ ἴσην ῥώμην γνώμῃ, Δημόσθενες, εἶχες, οὔποτ' ἂν Ἑλλήνων ἦρξεν Ἄρης Μακεδών.) gerecht zu werden.

[155] Vgl. Plut. mor. 818 E (vgl. Kleom. 27.1). Die Anekdote ist ähnlich Demades frg. 13 (Sauppe) Produkt einer demokratiefeindlichen Überlieferung. Zugrundeliegen mag ihr als historischer Kern die Zurückweisung des Hilfegesuchs des Agis.

[156] Vgl. Plut. mor. 811 D ... ὥσπερ ἡ Σαλαμινία ναῦς Ἀθήνησι καὶ ἡ Πάραλος οὐκ ἐπὶ πᾶν ἔργον ἀλλ' ἐπὶ τὰς ἀναγκαίας καὶ μεγάλας κατεσπῶντο πράξεις, ...

um sich die loyale Haltung entsprechend honorieren zu lassen. Der König behandelte die Delegation mit größter Zuvorkommenheit, zeigte sich allen Wünschen der Athener zugänglich und ließ zusätzlich die aus Attika stammenden μισθοφόροι frei, die nach der Schlacht am Granikos nach Makedonien deportiert worden waren.[158]

Athen blieb im folgenden Sommer dem Aufstand fern. Agis unterlag, mehr oder minder isoliert, den Truppen des Antipater.[159]

Zur Paralos s. B. Jordan, The Athenian Navy in the Classical Period, Univ. f. Calif. Publ., Class. Stud. 13, Berkeley/Los Angeles 1975, S. 172 ff. Die Datierung ergibt sich aus dem Aufenthalt Alexanders in Phoinikien nach der Rückkehr aus Ägypten.

[157] Dem Ausbau eines Netzes diplomatischer Verbindungen dienten darüber hinaus auch Delegationen an Olympias (s. o. Hyp. 1.20: Ol. 112.1) und Kleopatra (Aischin. 3.242: Ol. 112.2; vgl. Lyk. Leokr. 26).

[158] Arr. 3.6.2.
Bezeichnend in diesem Zusammenhang Plut. Alex. 29.5. Im Frühjahr des gleichen Jahres war der Schauspieler Athenodoros von den Athenern wegen Nichteinhaltung seiner vertraglichen Verpflichtungen für die Dionysien (Febr./März 331; s. Berve II 15) zu einer Geldstrafe verurteilt worden. Als Sieger der in Tyros veranstalteten ἀγῶνες τραγικῶν bat er Alexander um Fürsprache. Dieser vermied jedoch eine Intervention in Athen, die dort als Einmischung in innere Angelegenheiten interpretiert werden konnte. Statt dessen zahlte er die verlangte Buße und demonstrierte so seine Anerkennung des Urteils. Auch dieser Respekterweis mußte von den Athenern als weiteres Indiz der besonderen Bevorzugung der Stadt durch den König verstanden werden.

[159] Diod. 17.63.1 ff., Curt. 6.1.1 ff., Just. 12.2.4 ff. Eine erschöpfende Darstellung gibt Badian, Agis 164 ff.
Die von Curtius 6.1.21 (Hic fuit exitus belli, quod repente ortum, prius tamen finitum est quam Dareum Alexander apud Arbela superaret) ausgehende Datierung des Aufstandes in die Zeit von Frühling bis Herbst 331 (vgl. Berve II 8 f., Badian, Agis 190 f., Wirth, Zwischen Gaugamela und Persepolis 629, E. N. Borza, The End of Agis' Revolt, CPh 66, 1971, S. 230 ff. und R. A. Lock, The Date of Agis III's War in Greece, Antichthon 6, 1972, S. 15 ff.) wurde von Cawkwell, The Crowning 170 ff. und neuerdings insbesondere A. B. Bosworth, The Mission of Amphoterus and the Outbreak of Agis' War (cit. Bosworth, Amphoterus), Phoenix 29, 1975, S. 27 ff. in Frage gestellt (Sommer 331 bis Frühjahr 330). Ausgangspunkt für Bosworths Datierung ist Arrian 3.6.3 (τὰ δὲ ἐν Πελοποννήσῳ ὅτι αὐτῷ νενεωτερίσθαι ἀπήγγελτο, Ἀμφοτερὸν πέμπει βοηθεῖν Πελοποννησίων ὅσοι ἔς τε τὸν Περσικὸν πόλεμον βέβαιοι ἦσαν καὶ Λακεδαιμονίων οὐ κατήκουον. Vgl. Badian, Agis 191). Aufgrund philologischer und inhaltlicher Analyse kommt der Autor zum Ergebnis, daß die Absendung des Amphoteros nur im Zusammenhang mit der Bildung einer Söldnerstreitmacht und der Besetzung Kretas durch Agis in Verbindung stehen kann, nicht aber mit dem Ausbruch von Feindseligkeiten und der Niederlage des Korragos, von denen der König erst im Dezember 331 erfuhr (Bosworth, Amphoterus 35). Dem widerspricht jedoch eindeutig der von Bosworth zu wenig beachtete Passus Arr. 3.6.2 (vgl. o. S. 75 f.) ἐνταῦθα ἀφικνεῖται παρ' αὐτὸν ἐξ Ἀθηνῶν ἡ Πάραλος πρέσβεις ἄγουσα Διόφαντον καὶ Ἀχιλλέα· ξυνεπρέσβευον δὲ αὐτοῖς καὶ οἱ Πάραλοι ξύμπαντες. καὶ οὗτοι τῶν τε ἄλλων ἔτυχον ὧν ἕνεκα ἐστάλησαν καὶ τοὺς αἰχμαλώτους ἀφῆκεν Ἀθηναίοις ὅσοι ἐπὶ Γρανίκῳ Ἀθηναίων ἑάλωσαν: die Ankunft einer athenischen Gesandtschaft mit der Paralos in Tyros. Die Dringlichkeit der Mission sowie die offenbar zahlreichen, über die Freilassung der Gefangenen vom Granikos hinausrei-

Eine von Philipp eingeleitete und von Alexander konsequent fortgesetzte Politik, die, aus welchen Gründen auch immer, in Athen mehr den möglichen Partner als den besiegten Feind sah, bewährte sich somit in der für den Makedonenkönig kritischsten Stunde, als seine Herrschaft gleichzeitig auf asiatischem wie griechischem Boden in Frage gestellt war.[160]

B. Die Baumaßnahmen und Reformen in der zweiten und dritten Penteteris Lykurgs

1. Finanzielle Voraussetzungen

Nach der materiellen und, aufgrund der nahezu dreißig Jahre lang abverlangten Bereitschaft zu Opfern, ideellen Erschöpfung der Bürger ging nach Beendigung des Peloponnesischen Krieges zu Beginn des vierten Jahrhunderts die Bautätigkeit im öffentlichen Bereich stark zurück. Vom Pompeion abgesehen[161] entstanden lediglich dringend notwendige militärische Anlagen.[162] Wie Demosthenes in seinen

---

chenden Wünsche der Athener und die prompte Nachgiebigkeit Alexanders lassen nur einen Schluß zu: die Gesandten brachten Nachrichten von den Unruhen in der Peloponnes und verbanden dies mit der Forderung nach Gegenleistungen als Anerkennung für eine neutrale Haltung der Stadt. Die von Arrian im Anschluß berichtete Absendung des Amphoteros ist die folgerichtig zu erwartende Einleitung von Gegenmaßnahmen durch den König: τὰ δὲ ἐν Πελοποννήσῳ ὅτι αὑτῷ νενεωτερίσθαι ἀπήγγελτο, Ἀμφοτερὸν πέμπει (βοηθεῖν) ...

[160] Die Rückgabe der geraubten Statue der Tyrannenmörder im Dezember 331 (Arr. 3.16.7 f.; zur Datierung Wirth, Zwischen Gaugamela und Persepolis 620) ist nicht nur als Reminiszenz an die Xerxesinvasion im Rahmen des Rachefeldzugprogramms anzusehen, sondern auch als symbolischer Dank für das Wohlverhalten Athens.
Eine nochmalige Erwähnung (Arr. 7.19.2) widerspricht dem genannten Zeitpunkt nicht. Möglicherweise erzwangen Transportschwierigkeiten eine Verzögerung der Übergabe. Zugedacht war die Statuengruppe ihrer Heimatstadt sicherlich bereits in Susa (vgl. dazu die Argumentation von Wirth. a.a.O. Anm. 22).

[161] s. Travlos 477, Judeich, Topographie 361. Das in der Nähe befindliche Brunnenhaus am Dipylon, dessen Errichtung man zunächst in kononischer Zeit vermutete (s. G. Gruben, Die Ausgrabungen im Kerameikos, AA 1964, S. 407), wurde nach Untersuchung der Baugrube aufgrund des Keramikbefundes in das 3. Viertel des 4. Jahrhunderts zurückdatiert (s. G. Gruben, Untersuchungen am Dipylon 1964–1966, AA 1969, S. 39). Es gehört daher möglicherweise wie der Neubau des Dipylon (s. Judeich, Topographie 136, vgl. Travlos 159) bereits in Lykurgsche Zeit. Noch ins ausgehende fünfte Jahrhundert sind dagegen verschiedene Agorabauten wie die sogenannte Südstoa I, die Stoa des Zeus, das Neue Bouleuterion oder die Münze zu setzen. Vgl. The Athenian Agora. A Guide to the Excavation and Museum (cit. Athenian Agora), 3. Aufl. Athen 1976, S. 27 f., 79, 158, 64, 153.

[162] Vgl. Travlos 158.

Olynthiaka bitter beklagte, wurden Privathäuser prunkvoller ausgestaltet als staatliche Bauten.[163]

Eine Änderung trat mit dem Angriff Philipps auf Olynth ein. Die Zerstörung der chalkidischen Metropole machte den Bürgern die drohende makedonische Gefahr bewußt und führte ihnen die Notwendigkeit von Investitionen für den Mauerbau vor Augen. Mit Eubulos an der Spitze der Verwaltung plante man nach 348 neben dem Ausbau der Befestigungswerke und Mauern Skeuothek und Dionysostheater. Erst Lykurg aber vermochte, wenn auch unter völlig veränderten Bedingungen, an die Blütezeit unter Perikles[164] anzuknüpfen.

Zumindest anfänglich, d.h. bis zur offiziellen Beendigung des Rachefeldzuges in Persepolis, mag Alexander der Stadt die Rolle einer kulturellen und geistigen Metropole in dem von ihm zu schaffenden Machtbereich zugedacht haben.[165] Wirtschaftliche Voraussetzungen für eine repräsentative Selbstdarstellung der Stadt waren gegeben. Zwar hatte Athen mit der Niederlage von Chaironeia faktisch die außenpolitische Souveränität verloren, doch erschloß eine ihr folgende und im Vertrag von Korinth besiegelte Friedensepoche außergewöhnliche finanzielle Ressourcen: Lykurg steigerte die Einkünfte des Staates auf ca. 1500 Talente jährlich.[166] Insgesamt gingen während seiner Amtszeit 18900 Talente durch seine Hände.[167] In eigener Verantwortung nahm er von Privatleuten Darlehen auf und stellte sie der Staatskasse zur Verfügung.[168] Πρόσοδοι lieferten die Sonderbesteuerung für Metoiken,[169] die Verpachtung von Staatsland[170] oder Konfiskationen.[171] Den Haupt-

---

[163] Demosth. 3.29.

[164] Vgl. Schachermeyr, Griechische Geschichte 172. Zu den unter Perikles entstandenen Bauten s. Judeich, Topographie 74 ff.

[165] Eine analoge Einschätzung Athens bereits durch Philipp legt Plut. mor. 178 A nahe.

[166] Dies ist aus Ps.-Plut. mor. 852 B (Psephisma) zu erschließen. Nach Ps.-Plut. mor. 841 B ergäbe sich als Durchschnittswert eine jährliche Einnahme von ca. 1 200 Talenten. Vgl. Andreades 398 Anm. 1, 401, Busolt/Swoboda 1148, C. Mossé, Athens in Decline 404–86 B.C. (cit. Mossé, Athens), London 1973, S. 82.
340 beliefen sich die jährlichen Einkünfte Athens noch auf lediglich 400 Talente. s. Demosth. 10.38, Theopomp, FGH 115 frg. 166 (Grenfell/Hunt 159). Zur Zusammensetzung der Einnahmen vgl. ausführlich Andreades 285 ff., Busolt/Swoboda 604 ff.

[167] s.o. Anm. 166.

[168] Ps.-Plut. mor. 841 D. Wie aus dem Beispiel des Neoptolemos von Melite (Davies 399 f., s.u. S. 85 Anm. 224) ersichtlich ist, unterstützten viele Besitzende tatkräftig das Lykurgsche Programm. Offenbar sahen sie in ihm und der Person Lykurgs die Garantie für eine stabile Ordnung, die militärische Abenteuer ausschloß und, wie die Zunahme von Seedarlehen vermuten läßt (s.u. Anm. 174), Anreiz zu durchaus riskanten Investitionen bot.

[169] Syll.³ 346 (IG II² 505); s.u. S. 88 Anm. 249.

[170] D.M. Lewis, Law on the Lesser Panathenaia (cit. Lewis), Hesperis 28, 1959, S. 239–247 (Fragment von IG II² 334).

anteil der Gewinne aber erbrachte, zumal die Erträge aus den Minen abnahmen,[172] der mit Beendigung der innergriechischen Kriege und der Sicherung der Schifffahrtswege durch die Verträge von Korinth[173] wieder aufblühende Handel.[174]

2. Die Projekte: Dionysostemenos – Asklepiosheiligtum – Pnyx – Agora – Tempel der Artemis Aristoboule – τρίποδες – Ilissosgebiet – Piräus – Amphiareion – Eleusis

Zu den ersten Projekten Lykurgs nach Abschluß der Befestigungsmaßnahmen zählte sicherlich das Theater des Dionysos, dessen vielfältige Nutzung für kulturelle und staatspolitische Zwecke einen Ausbau dringend anzuraten schien. Umstritten sind die einzelnen Bauphasen.[175] Unzweifelhaft in die Alexanderzeit ist das Steinauditorium in seiner heute noch erhaltenen Gestaltung zu datieren.[176] Wahrschein-

---

Dem Gesetz zufolge sollte der Erlös aus der Verpachtung von Staatsland für die Finanzierung der Kleinen Panathenaien verwendet werden.

[171] So brachte Lykurg u. a. den Minenbesitzer Diphilos (vgl. IG II² 1582, Z. 125/6) vor Gericht, da er παρὰ τοὺς νόμους die Sicherheitspfeiler (μεσοκρινεῖς) demontiert hatte. Ps.-Plut. mor. 843 D.
Diphilos wurde zum Tode verurteilt, sein Vermögen in Höhe von 160 Talenten eingezogen. Ps.-Plut. mor. a.a.O. Vgl. Schäfer III 302 Anm. 2, Mossé, Athens 82, Lauffer, Die Bergwerksklaven 29.

[172] So R.J. Hopper, The Attic Silver Mines in the Fourth Century B.C., ABSA 48, 1953, S. 200 ff. und M. Crosby, The Leases of the Laureion Mines, Hesperia 19, 1950, S. 189 ff., hier 190.3, nach den erhaltenen Poletai-Listen. Isager/Hansen 43 datieren den Rückgang in der Ausbeutung der Minen auf 328.
Dem widerspricht entgegen Mitchel, Lykourgan Athens 33 Anm. 125 auch Hyp. 4.36 (Burtt) nicht. Die Passage τοιγαροῦν αἱ καινοτομίαι πρότερον ἐκλελειμμέναι διὰ τὸν φόβον νῦν ἐνεργοί, καὶ τῆς πόλεως αἱ πρόσοδοι αἱ ἐκεῖθεν πάλιν αὔξονται, ἃς ἐλυμήναντό τινες τῶν ῥητόρων ἐξ[απ]ατήσαντες τὸν δῆμον καὶ δασμολ[ογή]σαντες τοὺς ἐκ[εῖθεν] ist m. E. nur so zu verstehen, daß nach einem deutlichen Abfall der Förderung, möglicherweise auch aufgrund zu hoher Besteuerung der Minenbesitzer nun (die Rede wurde um 330 gehalten) eine Wende eingetreten war und die Einnahmen des Staates aus den Minen wieder zu steigen begannen.

[173] Ps.-Demosth. 17.19, 26, 28.

[174] Erfolgreiche Expeditionen gegen Seeräuber, Bemühungen um ausländische Händler, die zahlreichen ἐμπορικαὶ δίκαι und vor allem der Wohlstand einzelner Kaufleute (s. o. Monument des Lysikrates S. 61 Anm. 81) spiegeln, selbst wenn genaue Zahlen nicht vorliegen, das Ansteigen der Ex- und Importe wider. Auch ist für die Zeit von 338 bis 322 eine deutliche Zunahme von Seedarlehen, Indiz für die Lukrativität des Handels, zu beobachten: Die Hälfte aller uns aus dem 4. Jahrhundert als gesichert bekannten Fälle von Darlehen dieser Art muß dieser Epoche zugerechnet werden. Vgl. E. Erxleben, Die Rolle der Bevölkerungsklassen im Außenhandel Athens im 4. Jahrh. v. u. Z. (cit. Erxleben), Hell. Pol. I 462 ff. Nr. 2–11. Zum allgemeinen Aufschwung der griechischen Wirtschaft in der Alexanderzeit s. (mit Literaturangaben) Rostovtzeff 98 ff.

[175] Der Versuch einer Gliederung der einzelnen Bauperioden bei Travlos 537 ff. erscheint als wenig geglückt; s. dazu W. Zschietzschmann, RE Suppl. XIII, 1973, S. 127.

[176] Auch die lange Zeit für einen Umbau des 1. Jahrhunderts v. Chr. gehaltene Prohe-

lich von Eubulos als Ersatz für die aus dem 5. Jahrhundert stammenden Holzbänke in den vierziger Jahren begonnen,[177] wurde sein Ausbau von Lykurg nach einer kriegsbedingten Unterbrechung wieder aufgenommen und zu Ende geführt. Eine Terrassenstützmauer trennte Theater und das vorgelagerte Heiligtum. An ihrer Nordseite errichtete man im Bezirk des Theaters eine rechteckige Steinbühne.[178] Im Bereich des Temenos ließ Lykurg eine dorische Stoa errichten, die sich im Norden und Osten an die Umfassungsmauer anlehnte und mit ihrem südwestlichen Teil den alten Dionysostempel tangierte. Sie war ausschließlich für die Zwecke des Heiligtums bestimmt. Ein Zugang zum Theater, respektive zum später entstandenen Skenengebäude, existierte nicht.[179]

Ein baldiger Abschluß der Arbeiten an dem in seinem Endstadium 17 000 Besucher fassenden Steinauditorium darf vermutet werden, da dem Theater ein wichtiger Platz in Lykurgs kulturpolitischem Programm zukam, das u. a. eine stärkere Beteiligung des Bürgers, eine Erweiterung der Agone und eine Rückbesinnung auf die klassischen Dichter des 5. Jahrhunderts beinhaltete. So wurde auf Antrag des Redners ein Gesetz beschlossen, das die Aufstellung von bronzenen Porträtstatuen der drei großen Tragiker Aischylos, Sophokles und Euripides im Theater vorsah.[180] Originalabschriften ihrer Werke sollten verfertigt, archiviert und von einem γραμματεύς mit den Texten der Schauspieler bei den Aufführungen verglichen werden, um einer Verfälschung der Tragödien vorzubeugen. Durch ein weiteres Gesetz führte Lykurg einen ἀγὼν τῶν κωμῳδῶν an den Chytren ein[181] und knüpfte auch damit an eine in Vergessenheit geratene Tradition an.[182] Vermutlich ab 334 bildete das Theater schließlich den feierlichen Rahmen für die offizielle Überreichung der Waffen an die Epheben, die ihr erstes Dienstjahr abgeschlossen hatten.[183]

---

drie konnte neuerdings von M. Maaß, Die Prohedrie des Dionysostheaters in Athen, Vestigia 15, München 1972, S. 22 ff. als lykurgisch erwiesen werden.

[177] Auf den Baubeginn vor 338 läßt das ἐξηργάσα[το von Syll.³ 326, Z. 19, schließen. Im Unterschied dazu Z. 19 f. ... τὸ γυμνάσιον ... [... κατεσκεύ]ασεν (Ergänzung der Inschrift nach Ps.-Plut. mor. 852 C). Vgl. zur Datierung Judeich, Topographie 312, I. Hill, The Ancient City of Athens (cit. Hill), Chicago 1969, S. 113, A. W. Pickard-Cambridge, The Theatre of Dionysos in Athens, Oxford 1946, S. 136 ff.

[178] Vgl. Travlos 548.

[179] Travlos 537 und Abb. S. 541; eine Unterbringung von Theaterbesuchern, wie Mitchel, Lykourgan Athens 41 meint, war daher nicht möglich.

[180] Ps.-Plut. mor. 841 F. Zu den Bildnissen des Sophokles und Euripides vgl. Mitchel, Lykourgan Athens 47 Anm. 97, G. M. A. Richter, The Portraits of the Greeks, London 1965, Bd. I, S. 124 ff., Abb. 611 ff., H. Sichtermann, Sophokles, (Opus nobile XV), Bremen 1959, S. 9 f., K. Schefold, Die Bildnisse der antiken Dichter, Redner und Denker, Basel 1943, S. 88 u. 92.

[181] Ps.-Plut. a. a. O.

[182] ἀναλαμβάνων τὸν ἀγῶνα ἐκλελοιπότα Ps.-Plut. mor. a. a. O.

[183] Vgl. Aristot. Ath. pol. 42.4.

Westlich an das Dionysostheater schloß sich das Asklepiosheiligtum an, im Osten von der Umfassungsmauer des Theaters und im Norden vom Burgfelsen begrenzt. Die Brecciafundamente der Stoa und der Ostwand des davor gelagerten Tempels des Zeus Asklepios und der Hygieia legen eine Entstehungszeit in der zweiten Hälfte des 4. Jahrhunderts nahe.[184] Als unteres Datum ist der Beginn des Lamischen Krieges anzunehmen. Unter Demetrios Poliorketes beschränkte man sich, nachdem sich die Stadt wirtschaftlich von den Folgen des Krieges erholt hatte, auf die Errichtung von Nutzbauten.[185] Nach oben grenzt die Vollendung des Zuschauerraums des Dionysostheaters die Bauzeit ein: wie die Anlage des über das Temenosrechteck hinausgeschobenen Ostflügels der Stoa und des dort entstandenen Wasserabflußkanals verdeutlicht, wurde die Steinumfassung der Cavea bereits in die Planung des Heiligtums einbezogen. Die Erbauung der Stoa und vermutlich auch des Tempels läßt sich daher mit Wahrscheinlichkeit auf die Jahre der Dodekaetia von 334 bis 322 reduzieren.

Die Halle maß 49,96 auf 9,75 m.[186] Wie schon aus der Existenz der Treppenaufgänge hervorgeht, wies sie zwei Geschosse auf. Die Fassade gliederte sich in 17 Säulen dorischer Ordnung, der Innenraum war, in doppeltem Abstand, von ionischen Säulen unterteilt. Die Rückwand durchbrach der Zugang zu einer Asklepiosquelle. An der Nordostecke war in einem quadratischen Mauergeviert der heilige Bothros angelegt, überdacht von einem von vier Porossäulen getragenen Baldachin.[187]

Zu dem in seiner Vorbereitung wohl größten Projekt der Zeit nach Chaironeia zählt der Neubau bzw. die Umgestaltung der Anlagen auf der Pnyx. Nachdem im Jahre 403/2 eine Änderung der Sitzanordnung erfolgt war, d. h. Bema und Zuhörerraum ihren Platz getauscht hatten und die Besucher nun mit dem Rücken zur Stadt gewandt saßen,[188] richtete man das Augenmerk auf die Vergrößerung des Auditoriums.[189] Der Radius des Halbrundes wurde von 42 auf 62 Meter ausgedehnt,

---

[184] Judeich, Topographie 321 f. In römischer Zeit wurde in der SW-Ecke eine weitere Stoa errichtet; Plan des Heiligtums bei J. Travlos, Ἡ παλαιοχριστιανικὴ βασιλικὴ τοῦ Ἀσκληπλείου τῶν Ἀθηνῶν, Ephem 39–41, S. 61 und Travlos (Bildlexikon) 129 Abb. 171 (mit Ergänzung des Aufgangs). Lit. bei Judeich, Topographie 320 Anm. 3, Travlos 128.

[185] s. Judeich, Topographie 89.

[186] G. Allen, L. D. Caskey, The East Stoa in the Asclepieum at Athens, AJA 15, 1911, S. 33.

[187] s. Travlos 127, Rekonstruktionsversuch 132 Abb. 176.

[188] Travlos 466

[189] Die zunächst vorgenommene Datierung ins zweite nachchristliche Jahrhundert (The Pnyx in Athens, Hesperia 1, 1932, S. 215 ff.; vgl. E. Meyer, RE XXI.1, 1951, S. 1119) hat H. A. Thompson im Rahmen seiner Behandlung des Gesamtkomplexes revidiert. H. A. Thompson (R. L. Scranton), Stoas and City Walls on the Pnyx (cit. Thompson, Stoas), Hesperia 12, 1943, S. 269 ff., hier 293. Vgl. Hill, Athens 197.

was einer Erweiterung der Fläche um mehr als 100 Prozent entsprach.[190] Auf der Fläche oberhalb des Zuschauerraumes wurde die Errichtung zweier großer Stoen geplant.[191] Der Baubeginn fiel in das letzte Quadriennium der Lykurgschen Verwaltungstätigkeit.[192] Vorgesehen war eine Westhalle[193] von ca. 148 auf 16 Meter und eine Osthalle[194] mit den Ausmaßen von ca. 66 auf 16 Meter. Die Stoen unterteilten sich in eine „Besucherhalle", um den Besuchern der Pnyx Schutz vor Wetterunbilden zu gewähren, und eine dahintergelegene Ladenkette.[195] Im Zwischenraum der beiden Stoen, genauer in der Verlängerung der östlichen, war ein Propylon vorgesehen.[196] Die Arbeiten gediehen jedoch nicht über die Fundamente hinaus. Der Lamische Krieg erzwang ihre Einstellung. Axial über dem Bema, im Mittelpunkt eines von den Stoen und dem Auditorium gebildeten Hofes, stellte man den Altar des Zeus Agoraios, des Schutzgottes der Volksversammlung, auf.[197]

Dem Ausbau der Anlagen auf der Pnyx lag zweifellos ein einheitliches Konzept zugrunde. Als Versammlungsplatz der Ekklesia kam der Pnyx eine wichtige Bedeutung im politischen Leben Athens zu. Die Vergrößerung des Zuschauerraumes sollte die Bequemlichkeit für die Besucher erhöhen, die projektierten Stoen sollten Schutz vor Regen und Hitze garantieren, die in ihnen untergebrachten Läden schließlich die Möglichkeit zum Handel bieten. Die Maßnahmen zielten darauf, den Besuch der Volksversammlung attraktiv zu gestalten und auf diesem Weg eine größere Anzahl von Bürgern an den Entscheidungen der Ekklesia und damit an den außen- und innenpolitischen Kernfragen zu beteiligen.

---

[190] Travlos 475.

[191] Thompson, Stoas a. a. o.

[192] Aufgrund von Architekturresten und Scherbenfunden gelangt Thompson, Stoas 293 auf einen Zeitpunkt nach 330.

[193] Thompson, Stoas 272–280; Fundamentbett 149,32 m zu 19,30 m.

[194] A. a. O. 280–286; Fundamentbett 66,30 m zu 17,30 m (ursprüngliche Konzeption 65,80 m zu 13,22 m).

[195] Sicherlich läßt sich die Planung solch großzügiger Anlagen für Handelszwecke auch als weiteres Indiz für die allgemeine Erwartung von Stabilität und wirtschaftlicher Prosperität verstehen.

[196] So Thompson a. a. O. 286–289. Anhaltspunkte für eine genaue Rekonstruktion sind nicht vorhanden.

[197] Seine Überreste wurden auf der Agora gefunden, wohin man ihn überführt hatte, nachdem die Volksversammlung ins Theater des Dionysos verlegt worden war. Die scheinbare Unvereinbarkeit von Entstehungszeit und Aufstellungsort wurde bereits von R. Stillwell, Architectural Studies, Hesperia 2, 1933, S. 140 ff. erkannt; vgl. Thompson, Stoas 300 Anm. 38 und Excavations in the Athenian Agora 1951 (cit. Excavations 1951), Hesperia 21, 1952, S. 91–93. Die Weihung des aufgefundenen Altars an Zeus Agoraios legt Schol. Aristophanes, Equites 410 nahe: Ἀγοραῖος Ζεὺς ἵδρυται ἐν τῇ ἀγορᾷ καὶ ἐν τῇ ἐκκλησίᾳ Vgl. The Athenian Agora 69. R. E. Wycherley, The Athenian Agora III, Princeton 1957, S. 123.

Mehr noch als der Pnyx kam der Agora eine zentrale Rolle im öffentlichen Leben der Stadt zu. Sie war täglicher Treffpunkt der Bürger. Zwar wurden auf der Agora keine Volksversammlungen mehr abgehalten und damit politische Entscheidungen gefällt, doch tauschte man dort Informationen und Meinungen aus. Die Agora war Standort der Verwaltungs- und Gerichtsgebäude. Neue Gesetze wurden auf ihr angekündigt und veröffentlicht. So nimmt es nicht wunder, daß sie nach der baulichen Vernachlässigung in Perikleischer Zeit wieder im Mittelpunkt des Interesses stand.

Im Nordosten des Platzes, zum Teil auf dem Boden der heute wieder rekonstruierten Stoa des Attalos, wurde mit der Errichtung eines Peristyls begonnen.[198] Es entstand anstelle älterer Gebäude aus dem Ende des 5., respektive Anfang des 4. Jahrhunderts, die entweder verfallen oder für die ihnen zugedachte Nutzung zu klein geworden waren. Mit einem Innenhof von 39 × 39 m und einem Säulengang von 9,50 m Breite,[199] Gesamtmaßen also von 58 m im Quadrat,[200] stellte es in der Planung das bisher größte Projekt der Agora dar. Aufgrund von Keramikfunden konnte seine Entstehungszeit mit Sicherheit in die Lykurgsche Ära gelegt werden.[201] Da exakte Anhaltspunkte fehlen, erweist sich eine Bestimmung seiner Funktion als schwierig. Zuerst als Gymnasion respektive Marktgebäude apostrophiert,[202] identifizierte man es, nachdem bei Grabungen im Jahre 1953 in einem der älteren Baureste[203] Gerichtsstimmarken gefunden wurden, wie den Vorgängerbau als Gerichtsgebäude.[204] Die Bauarbeiten am Peristyl wurden wie im Fall der Stoen auf der Pnyx vor Fertigstellung des Projektes abgebrochen.[205]

An der Westseite der Agora, unterhalb des Theseions, wurde zwischen der Zeusstoa und dem Metroon in der Alexanderzeit der Neubau des Apollontempels beschlossen, nachdem das erste Heiligtum bereits im Persersturm zerstört worden war. Überreste des jüngeren Tempels wurden bei Ausgrabungen im Jahre 1876 entdeckt und von W. Dörpfeld[206] zunächst als Stoa Basileia bezeichnet und ins 6. bzw. 5. Jahrhundert datiert. Das Problem der Zuweisung des Tempels zu einer bestimm-

---

[198] T. L. Shear, The Campaign of 1936, Hesperia 6, 1937, S. 354. Zusammenfassend zur Agora H. A. Thompson, R. E. Wycherley, The Agora of Athens. The History, Shape, and Uses of an Ancient City Center, 1972.
[199] H. A. Thompson, Excavations in the Athenian Agora 1949 (cit. Thompson, Excavations 1949), Hesperia 19, 1950, S. 321.
[200] Vgl. Plan bei Travlos 521.
[201] H. A. Thompson, Excavations 1951, S. 99. Vgl. R. E. Wycherley, The Stones of Athens, Princeton 1978, S. 58 f.
[202] Vgl. Thompson, Excavations 1949, S. 322 f.
[203] Zur Lage s. Travlos 521.
[204] H. A. Thompson, Excavations in the Anthenian Agora 1953, Hesperia 23, 1954, S. 58–61; vgl. Mitchel, Lykourgan Athens 42.
[205] Travlos 520, Thompson, Excavations 1951, S. 100.
[206] AM 21, 1896, S. 107–109.

ten Gottheit[207] wurde durch die bei weiteren Ausgrabungen entdeckte Kolossalstatue des Apollon von Euphranor gelöst.[208]. Die Entstehungszeit des Bauwerkes läßt sich aus der besonderen Art der Verklammerung der Mauern sowie der Statue des Euphranor ableiten und auf die Spanne von 338–325 begrenzen.[209] Nach den aufgefundenen Steinresten handelte es sich um einen Antentempel mit einem Grundriß von ca. 10 auf 16 m.[210] In dem durch die Nordwand des Naos und die Ostwand des Adyton gebildeten Winkel wurde noch vor dem Apollon-Tempel ein wesentlich kleineres Heiligtum des Zeus Phratrios und der Athena Phratria errichtet.[211] Seine Bauzeit ist, obwohl es mit dem Apollonheiligtum einen einheitlichen Gesamtkomplex bildet, nicht genau zu ermitteln.[212] Das im Torso erhaltene Kultbild des Euphranor war in der Cella des Apollon Patroos-Tempels untergebracht, die bei Pausanias[213] erwähnten Statuen des Leochares und Kalamis wahrscheinlich im Pronaos.[214] Literarisch bezeugt ist die Vergoldung des dem Gott gewidmeten Altars vor der Front des Tempels.[215] Auf eine Weissagung des Gottes von Delphi hin führte sie in Privatinitiative Neoptolemos von Melite durch und erhielt dafür die öffentlichen Ehrungen der Bekränzung.[216]

Ein neuer Aspekt in der Frage der Datierung des Monuments der Eponymen ergibt sich aus einer 1974 gefundenen Inschrift, die den Inhalt des Schreines eines unbekannten Heros auflistet. Der nun von S. I. Rotroff publizierten Agorainschrift zufolge weihten unter dem Archon Euthykritos Boule und Demos den ἐπώνυμοι ἥρωες zehn Silberbecher.[217] Da als Anlaß dieser besonderen Stiftung nur der Ab-

---

[207] Vgl. dazu H. A. Thompson, The Apollo Patroos of Euphranor, Ephem 3, 1953/54, S. 30–44.

[208] S. T. L. Shear, The Campaign of 1934, Hesperia 4, 1935, S. 352–354, H. A. Thompson, Buildings of the West Side of the Agora (cit. Thompson, Buildings), Hesperia 6, 1937, S. 104.

[209] Die beim Bau zur Anwendung gekommene Kombination von |———| und |_____| Klammern war hauptsächlich in den Jahren unmittelbar nach Chaironeia gebräuchlich. Die Kultstatue des Heiligtums, die zweifellos von Euphranor stammt (vgl. Paus. 1.3.1), kann nicht nach 325 geschaffen worden sein, da der künstlerische Höhepunkt des Malers und Bildhauers bereits in die sechziger Jahre fiel (Plin. nat. 34.50), s. Thompson, Buildings 102–104.

[210] Vgl. Travlos Abb. 126/127 S. 98.

[211] Ca. 3.50 auf 5.00 m; vgl. Thompson, Buildings 84 ff. und 104 f.

[212] Thompson, Buildings a. a. O. setzt es in die vierziger Jahre, dem Agora-Führer zufolge (Athenian Agora 28) entstammt es der Lykurgschen Ära.

[213] 1.3.4.

[214] Travlos a. a. O.

[215] Plut. mor. 843 F; s. Judeich, Topographie 345, Mitchel, Lykourgan Athens 35, Thompson, Buildings 110. Eine Bekränzung des Neoptolemos ist IG II² 1496 col. II Z. 44 ff. bezeugt. Vgl. Demosth. 18. 114.

[216] Plut. a. a. O. Zu Neoptolemos von Melite s. u. S. 85 Anm. 224.

[217] S. I. Rotroff, An Anonymous Hero in the Athenian Agora (cit. Rotroff), Hesperia 47, 1978, S. 196 ff.

schluß der Arbeiten am Monument angenommen werden kann,[218] läßt sich die bisher als Entstehungszeit vermutete Zeitspanne zwischen 350 und 325[219] auf die Jahre der zweiten und dritten Amtsperiode Lykurgs reduzieren. Das parallel zur Front des Metroon errichtete Monument diente insbesondere der Vermittlung von Informationen über kommunale Ereignisse: Anschläge mit Mitteilungen über vorgeschlagene oder beschlossene Gesetze,[220] über Rechtsstreitigkeiten oder die Erfassung bestimmter Jahrgänge für den Kriegsdienst,[221] wurden auf dem Sockel unterhalb der Statuen der zehn Heroen angebracht.

Unweit der Agora, an der Straße zum Piräischen Tor, im Demos Melite, hatte Themistokles nach dem zweiten Persersturm der Artemis Aristoboule ein eigenes Tempelchen gewidmet.[222] Das Heiligtum verfiel und Lykurg blieb es vorbehalten, seinen Wiederaufbau anzuregen bzw. durchzuführen. Er verband dabei den Akt der Pietät gegenüber der Göttin, die als Beschützerin des Gemeinwesens einen besonderen Platz in seinem religiösen Programm einnehmen mußte, mit der Reverenz an den Stifter Themistokles, d.h. an die Epoche, deren Repräsent dieser war, an die Zeit der siegreichen Perserkämpfe. Finanziert wurde das Vorhaben, wie eine im Tempel aufgefundene Inschrift auf einer Votivsäule aus pentelischem Marmor erweist,[223] wieder hauptsächlich von Neoptolemos aus Melite.[224] Sein Beispiel zeigt, wie gut es

---

[218] Vgl. Rotroff 208 f.

[219] Daraufhin weisen die Verwendung von Brecciagestein, das in Athen erst nach der Jahrhundertmitte in Gebrauch kam, sowie die Erwähnung des Denkmals in der Athenaion Politeia des Aristoteles (53.4), die zwischen 329/8 und 322 geschrieben wurde. Vgl. Travlos 210, T.L. Shear Jr., The Monument of Eponymous Heroes in the Athenian Agora, Hesperia 39, 1970, S. 189 ff.

[220] Vgl. Demosth. 24.23.

[221] Vgl. Aristot. Ath. pol. 53.7.

[222] Zu den Ausgrabungen s. J. Threpsiades, E. Vanderpool, Themistokles' Sanctuary of Artemis Aristoboule (cit. Threpsiades), Archaiologikon Deltion 19, 1964, S. 26–36, Travlos 121–123; der Fund von schwarzfigurigen Krateren sichert die Identifizierung des Tempels als des von Plutarch Them. 22 dem Themistokles zugeschriebenen. Die heute noch existierenden Überreste entstammen größtenteils dem 4. Jahrhundert.

[223] Die Inschrift (Agora Inventary No. I 1969, publ. v. Threpsiades 31 f.) gliedert sich in zwei Teile: einer kurzen Widmung des Neoptolemos an Artemis sowie den Antrag des Hegesippos, Neoptolemos für seinen Einsatz für Athen und insbesondere den Demos Melite zu bekränzen. Aus der Erwähnung des Stifternamens ergibt sich als Zeit der Restaurierung die 2. und 3. Amtsperiode Lykurgs.

[224] Neoptolemos von Melite wird literarisch bereits um die Jahrhundertmitte erwähnt. Nach Demosthenes' Aussage (21.215) war er τις σφόδρα πλουσίων. Sein öffentliches Wirken fällt jedoch ausschließlich in die zwölfjährige Amtszeit Lykurgs. Neben dem Wiederaufbau des Tempels der Artemis Aristoboule übernahm er um 330 die Kosten für die Vergoldung des Apollonaltars auf der Agora (s. o. S. 84, vgl. Davies 400). In den catalogi debitorum apodectis solutorum sind für 326/5 Zahlungen von 1500 und 500 Drachmen vermerkt (IG II² 1628 Z. 380 ff. und Z. 418, IG II² 1629 Z. 899 ff. und

Lykurg als Garanten stabiler Verhältnisse gelang, gerade die begüterten Bürger Athens für die Belange der Stadt zu engagieren und sie zu materiellen und ideellen Opfern[225] zu bewegen.

Im Rahmen der innerstädtischen Bautätigkeit ist, mit Vorbehalt, auch die Ausschmückung der Straße der Tripoden zu nennen. Die „τρίποδες "[226] führte vom Prytaneion am Fuß des Burgberges entlang um dessen Ostflanke und endete am Propylon des Dionysostemenos. Seit Ende des 5., Anfang des 4. Jahrhunderts diente sie zur Aufstellung choregischer Anathemata. Nahezu unversehrt hat lediglich das oben erwähnte Monument des Lysikrates die Geschicke der Stadt überdauert. Bei den von A. Philadelpheus und G. Welter geleiteten Ausgrabungen[227] im Jahre 1921 wurden in seiner unmittelbaren Nähe auf der westlichen Straßenseite (antike und moderne Straße sind in diesem Abschnitt identisch) sieben Basen weiterer Anathemata gefunden, die alle ebenfalls in die zweite Hälfte des vierten Jahrhunderts zu datieren sind. Ihrer Größe nach zu urteilen standen die von ihnen getragenen Monumente dem des Lysikrates kaum nach.[228] Obwohl nicht aus öffentlichen Mitteln finanziert,[229] ihrer Bestimmung nach privater Natur, d.h. Selbstdarstellung erfolgreicher Choregen, fügen sie sich in die allgemeine architektonische Ausschmückung der Stadt ein[230] und sind darüberhinaus Indiz eines beginnenden wirtschaftlichen Aufschwungs.[231]

Z. 938 f.), die er als Trierach anstelle der Ausrüstung von Schiffen leisten mußte. Eine Stiftung auf der Akropolis bezeugt IG II² 4901, die Weihung eines Kranzes an Athena IG II² 1496 Z. 43 f.

[225] U. a. nahm Neoptolemos 330 zusammen mit Demades und Lykurg als ἱεροποιός an einer Reise nach Delphi teil. Syll.³ 296, Z. 4.

[226] Vgl. Paus. 1 20.1.

[227] s. dazu den Bericht von G. Welter, Die Tripodenstr. in Athen (cit. Welter), AM 47, 1922, S. 72–77.

[228] Vgl. insbesondere die nördlich gelegene Basis Nr. 2 in der Rekonstruktionszeichnung von Travlos S. 567, deren Steinquader auf der heute den „Lysikratesplatz" umführenden Straße belassen wurden.

[229] Die angemessene Aufstellung des im Wettkampf der Phylenchöre als Preis gewonnen bronzenen Dreifußes oblag der Verantwortung des siegreichen Choregen. s. H. Riemann 267.

[230] Vgl. Welter 75.

[231] Zeichen von Wohlstand sind die stattlichen Grabreliefs dieser Zeit, wie z. B. die Monumente für die Familie des Prokleides (Nationalmuseum Athen, Inv. Nr. 737; Höhe mit Basis 2.25, Breite 1.30 m), für Aristonautes (Inv. Nr. 738; Höhe 2.48, Basis 43 cm) oder zwei athenische Frauen, (Inv. Nr. 870; 1.70 : 1,20 m bzw. Inv. Nr. 820; 1.55 : 1.09 m). s. dazu S. Karouzou, National Archaeological Museum. Collection of Sculpture, Athen 1968, S. 119 f., 125 f., 109, 125 (Die Datierung des Aristonautesdenkmals ist umstritten).

Literarisch und epigraphisch bezeugt ist die Bautätigkeit innerhalb des Ilissos-
gebietes. Lykurg vollendete bzw. errichtete dort im Bezirk des Lykeion ein Gymnasion und eine Palaistra.[232] Sie dienten neben anderweitigem Unterricht speziell der
athletischen Ausbildung der Epheben.[233] Teile des Fundaments der Ringschule wurden 1965 bei Grabungen als erste archäologische Spuren des 4. Jahrhunderts in diesem Gebiet zu Tage gefördert.[234] Vor der Palaistra ließ Lykurg eine Säule mit dem
Rechenschaftsbericht über seine zwölfjährige Amtsperiode aufstellen.[235] Mit der
Wahl dieses Platzes bekundete er auf diese Weise noch kurz vor seinem Tod die besondere Rolle, die dieser Anlage und damit der Erziehung und Ausbildung der
Athener Jugend in seinen Augen zukam.[236]

Südöstlich dieser Anlage, am linken Ufer des Ilissos, entstand das Panathenai-
sche Stadion für die während der Großen Panathenaien auszutragenden Laufwett-
bewerbe.[237] Raummangel und der Wunsch, die Agone einem breiteren Publikum
zugänglich zu machen, nötigten Lykurg zu dieser Verlegung der Spiele von der
Agora und damit zum Bau des Παναθηναϊκὸν στάδιον. Er verlieh damit dem
Hauptfest des attischen Staates, zu dessen Programm die vermutlich penterische
Feier der gymnischen Agone zählte, einen noch glanzvolleren Rahmen.

Der Zeitpunkt des Abschlusses der Arbeiten, d. h. also im wesentlichen der Abtra-
gung und Aufschüttung von Erdmasse sowie der Markierung des Kampfplatzes
durch Steinschwellen,[238] läßt sich aufgrund einer Inschrift des Jahres 330/329 genau ermitteln.[239] Im Sommer 329 beantragte Lykurg die Ehrung des Eudemos von
Plataiai, weil dieser zum Bau des Stadions und des Panathenaiischen Theaters χίλια
ζεύγη bereitgestellt hatte.[240] Gemäß eines Versprechens hatte er die freiwillig über-
nommene Aufgabe vor den Παναθήναια erfüllt.[241] Das Stadion war also bereits im

---

[232] Ps.-Plut. mor. 841 D, 852 C (Psephisma), IG II² 457, Z. 7 f., Paus. 1.29.16. Der genaue Standort ist unbekannt. Nach Travlos 345 Nähe des heutigen Syntagma-Platzes.
[233] Unmittelbar voraus ging eine Reform der Ephebie. s. u. S. 94 f. Anm. 310.
[234] So vermutet zumindest Travlos 345.
[235] Ps.-Plut. mor. 843 F.
[236] Vgl. Mitchel, Lykourgan Athens 38 f.
[237] Ps.-Plut. mor. 841 D, IG II² 457 b, Z. 7.
[238] Ps.-Plut. a. a. O. τὴν κρηπῖδα περιέθηκεν; vgl. dazu A. Köster, Das Stadion
von Athen, Berlin 1906, S. 14, E. Ziller, Ausgrabungen am panthenäischen Stadion,
Zeitschr. f. Bauw. 20, 1870, S. 485; weitere Literatur bei Judeich, Topographie 417, Travlos 498.
[239] IG II² 351, Tod 198, Z. 2.
[240] Tod 198, Z. 10 ff. Λυκοῦργος Λυκόφρονος[Βουτά]δης εἶπεν·ἐπειδὴ |[Εὔδημ]ος
... νῦν [ἐπ]ι[δέδ]ω[κεν]|εἰς τὴν ποίησιν τοῦ σταδ[ί]ου |καὶ τοῦ θεάτρου τοῦ Παναθη-
[ναϊ]|κοῦ χίλια ζεύγη καὶ ταῦτα |πέπομφεν ἅπαντα π[ρὸ Π]αναθη||ναίων καθὰ ὑπ-
έ[σχετο, δ]εδόχθ[αι]|τῶι δήμωι ἐπαι[νέσαι Ε]ὔδημ[ον. ... Zur Interpretation des Be-
griffes ζεύγη s. Dürrbach 107, Mitchel, Lykourgan Athens 34.
[241] Tod 198 Z. 18 ff. s. o. Anm. 240.

August 330, als die Großen Panathenaien gefeiert wurden,[242] fertiggestellt. Ähnlich wie im Fall des Tempels der Artemis Aristoboule trugen auch hier freiwillige Leistungen von Bürgern zur Kostendeckung des Unternehmens bei. Während Eudemos einen Teil der anstehenden Arbeiten übernahm, stellte ein gewisser Deinias unter ausdrücklicher Betonung seiner Übereinstimmung mit Lykurg das Gelände der Stadt als Schenkung zur Verfügung.[243]

Unter der Ägide Lykurgs entwickelte sich Ende der dreißiger Jahre eine Blüte der Privatinitiative. Männer wie Deinias, Lysikrates, Eudemos, Neoptolemos oder Pytheas von Alopeke[244] trugen auf eigene Kosten zur Ausgestaltung der Stadt bei, andere vermögende Bürger stellten Darlehen für die Staatskasse zur Verfügung.[245] Offenbar stimmte ein Großteil der wohlhabenden Athener mit der Politik Lykurgs überein und sah, wie die Vergabe von Darlehen zeigt, in ihm den Garanten für einen wirtschaftlichen Aufschwung der Stadt.[246]

Im Bereich des Piräus, im Hafen von Zea,[247] führte Lykurg mit dem Architekten Philon[248] das größte Bauvorhaben des Eubulos, die Skeuothek, zu Ende. Geplant war das Bauwerk spätestens seit 347/6.[249] Das ἐξηργάσα[το in der postumen Ehrung für Lykurg[250] macht wieder, wie im Falle des Dionysostheaters, eine kriegsbedingte Unterbrechung wahrscheinlich. Restbestände von Materialien, die für den Bau nicht benötigt wurden, sind für 330/329 bezeugt.[251] Möglicherweise wurden die Arbeiten also in diesem Jahr zumindest teilweise beendet.[252]

---

[242] Die gymnischen Agone wurden in jedem 3. Jahr der Olympiade gefeiert. Vgl. L. Ziehen, RE XVIII.3, 1949, S. 475 f.

[243] Ps.-Plut. mor. 841 D.

[244] s. u. S. 90.

[245] Ps.-Plut. mor. 841 D.

[246] In diesem Zusammenhang sei auch ein Weihegeschenk erwähnt, das die Athener um 330 dem delphischen Gott stifteten. Die an der Spitze einer Akanthussäule dargestellten tanzenden Mädchen (Fouilles de Delphes IV a, Abb. 60–62 a) erkannte neuerdings J. Bousquet als Töchter des Kekrops, ein Thema, das ganz dem Lykurgschen Programm der Wiederbesinnung auf den attischen Mythos entspräche (vgl. J. Bousquet, Delphes et les Aglaurides d'Athenes. BCH 88, 1964, S. 655 ff.; zur Vielzahl früherer Interpretationen vgl. F. Schober, RE Suppl. V. 1931, S. 86). Zu verstehen ist das über 10 m hohe Anathema (vgl. Rekonstruktion von Schober a. a. O. 85) als Demonstration neuen Athener Reichtums.

[247] IG II² 1668 (Syll.³ 969) Z. 4 f.

[248] s. u. Anm. 253.

[249] Nach Syll.³ 346 (IG II² 505) Z. 13 ff. zahlten die Metoiken Nikandros und Polyzelos seit dem Jahr 347/6 εἰσφοραί und zwar εἴς [τε] τὴν οἰκοδομίαν τῶν νεωσοίκων καὶ τῆς σκευοθή[κ]ης.

[250] Syll.³ 326, Z. 17 ff. τὴν δὲ σ|[κευοθήκην καὶ τὸ θέατρον τὸ] Διονυσιακὸν ἐξηργάσα|[το; vgl. Ps.-Plut. mor. 852 C (Psephisma).

[251] IG II² 1627 b, Z. 279 ff.

[252] Wurde die laut Syll.³ 346 erhobene εἰσφορά von 10 Talenten jährlich nur für den

Das Arsenal, Philons bedeutendstes Werk,[253] überdauerte nur bis zum Mithridatischen Krieg. Im Jahr 86 zerstörte es Sulla bei seiner Einnahme Athens von Grund auf.[254] Obwohl Überreste (noch) nicht gefunden wurden, läßt es sich aufgrund einer ausführlichen Bauanweisung[255] in etwa rekonstruieren.[256] Es erstreckte sich in einer Länge von 400,5 Fuß und maß in seiner Breite 55,5 Fuß.[257] Sein Innenraum war durch je 35 Säulen in 3 Schiffe unterteilt. In den äußeren wurde Ausrüstung, Segel und Takelwerk für die Flotte gelagert, das mittlere blieb als δίοδος τῷ δήμῳ frei.[258] Zwar stand die Funktionalität des Bauwerkes im Vordergrund, auf architektonischen Schmuck wurde weitgehend verzichtet, doch verbanden Eubulos und Lykurg mit der Errichtung der Skeuothek wohl auch propagandistische Absichten. Den im Piräus einlaufenden Fremden mußte der monumentale Bau sichtbarer Beweis der maritimen Stärke Athens sein.

Für die Unterbringung der Schiffe wurde die Anzahl der Neosoikoi erhöht.[259] Ol. 112.3 existierten insgesamt 372 Navalia, die sich auf die Häfen Zea (196), Munichia (82) und Kantharos (94) verteilten.[260] In der Folgezeit wurden, wie die Inschriften IG II² 1628 von 326/5[261] und IG II² 1631 von 323/2[262] bekunden, keinerlei Neubauten oder Umstationierungen mehr vorgenommen. Da der Vergleichswert zum Navaliabestand von Ol. 112.3 noch ins Jahr 354 zu datieren ist,[263] ist die genaue zeitliche Fixierung der Erhöhung nicht möglich. Die Sondersteuer, die Eubu-

---

angegebenen Zweck verwendet, müssen die Arbeiten an der Skeuothek bis nach dem Tode Lykurgs angedauert haben, da die tabulae curatorum navalium bekunden, daß mit dem Jahr 330/329 die Errichtung von νεώσοικοι eingestellt wurde.

[253] Zur Verantwortlichkeit Philons für den Bau vgl. Cic. de orat. I 62, Strab. 9.1.15 (395 C), Plinius nat. 7.125; eine Schrift des Architekten erwähnt Vitruvius (7.12): „de aedium sacrarum symmetriis et de armamentario quod fuerat Piraei portu". Zur Biographie Philons vgl. Davies 555 f.
[254] Plut. Sulla 14, App. Mithr. 41.
[255] IG II² 1668, (Syll.³ 969).
[256] Vgl. dazu E. Fabricius, Die Skeuothek des Philon, Hermes 17, 1882, S. 551–594, W. Dörpfeld, Die Skeuothek des Philon, AM 8, 1883, S. 147–164, V. Marstrand, Arsenalet i Piraeus og Oldtidens Byggeregler, Kopenhagen 1922; neuerdings K. Jeppesen, Paradeigmata (cit. Jeppesen), Aarhus 1958, S. 69–103 (Grund- und Aufriß Abb. 58 und 59). Weitere Literatur bei Judeich, Topographie 441 Anm. 2 und E. Fabricius, RE XX. 1, 1941, S. 133.
[257] Judeich, Topographie 441: 133 (128) zu 18 (16) m.
[258] Z. 13. Jeppesen 97 vermutet aufgrund der Größe der in den Interkolumnien untergebrachten κιβωτοί, daß das Arsenal nur für die Ausrüstung von 134 Trieren ausreichte.
[259] s. u. Ps.-Plut. mor. 852 C.
[260] IG II² 1627c, Z. 398 ff. Νεώσοικοι οἰκοδομημένοι | καὶ ἐπεσκευασμένοι| ΗΗΗΓΔΔΙΙ |τούτων Μουνιχίασιν|ΓΔΔΙΙ|ἐν Ζέαι ΗΓΔΔΔΓΙ |ἐν Κανθάρου Λιμένι |ΓΔΔΔΔΙΙΙΙ.
[261] Z. 552–559.
[262] Z. 252–256.
[263] s. A. Köster, Das antike Seewesen, Berlin 1923, S. 133.

los 347/6 im Anschluß an Philipps Angriff auf die Chalkidike erheben ließ,[264] legt
jedoch den Schluß nahe, daß ein Teil der Schiffshäuser bereits in den vierziger Jahren gebaut wurde.[265]

338 hatte der Makedonenkönig in dem nach der Schlacht von Chaironeia geschlossenen Friedensvertrag den Athenern Oropos als Entschädigung für den Verlust der
thrakischen Chersonesos überlassen. Obwohl Oropos Objekt jahrzehntelangen
Streites mit Theben war, vernachlässigte man zunächst die Stadt und das Heiligtum
des Amphiaraos. Ab Mitte 334[266] setzte jedoch, vermutlich auf Anregung Lykurgs,[267] eine intensive Bautätigkeit ein. Sie ist uns allerdings weniger aus archäologischen als aus epigraphischen Quellen faßbar: 333 ließ Pytheas aus Alopeke die
Quelle des Amphiareions instandsetzen[268] sowie die Wasserzuleitung ausbessern[269]
und wurde dafür mit dem goldenen Kranz geehrt.[270] Eine Stele mit dem Psephisma
wurde im Heiligtum aufgestellt.[271] Um die ständige Benutzung des λουτρῶν ἀν-
δρεῖος auch bei Wetterunbilden zu gewährleisten, wurde die Einrichtung einer
neuen Wasserleitung in Auftrag gegeben.[272] Nach W. Dörpfeld[273] wurde ein älteres
Theater[274] in der Nähe des βωμός unter Lykurg abgebrochen und, östlich des alten
Standplatzes, ein neuer Bau mit Stoa begonnen.[275] Der Tempel erhielt vermutlich
einen neuen Pronaos. Auf Betreiben des Atthidographen Phanodemos[276] wurde ein

---

[264] Syll.³ 346 (IG II² 505).
[265] Vgl. Ps.-Plut. mor. 852 C. Den Worten des Psephismas zufolge vollendete Lykurg
lediglich die Navalia. πρός τε τούτοις ἡμίεργα παραλαβὼν τούς τε νεωσοίκους καὶ τὴν
σκευοθήκην καὶ τὸ θέατρον τὸ Διονυσιακὸν ἐξειργάσατο, …
[266] Erstes Zeugnis über die athenische Präsenz in Oropos ist die bei Lewis 239/240
(vgl. L. Robert, Sur une loi d'Athènes relative aux petites Panathénées, Hellenika 11/12,
1960, S. 189 ff.) publizierte Inschrift über die Kleinen Panathenaien aus dem Jahr 335.
Zur Finanzierung dieses Festes sollte die Verpachtung einer bestimmten Parcelle Landes
von Oropos beitragen. s. o. S. 78 f. Anm. 170. Eine im Gefolge der Verteilung des Territo-
riums entstandene Gebietsstreitigkeit ist erst in die Jahre nach 330 zu datieren. Vgl.
Hyp. 4 (Burtt); zur zeitlichen Fixierung der Rede (330–324) s. M. H. Hansen, Eisangelia
(cit. Hansen, Eisangelia), Odense 1975, S. 109.
[267] Vgl. sein Gesetz „de rebus sacris conficiendis" IG II² 333 Z. 21; zur Frage der
Beziehung auf Oropos s. B. Ch. Petrakos Ὁ Ὠρωπὸς καὶ τὸ ἱερὸν τοῦ Ἀμφιαράου (cit.
Petrakos), Athen 1968, S. 27 Anm. 3.
[268] Syll.³ 281, Z. 16 f. τὴν ἐν Ἀμφιαράου κρήνην κατεσκεύακ|εν.
[269] A. a. O. Z. 17 f. τῆς τοῦ ὕδατος ἀγωγῆς … ἐπιμεμέληται …
[270] Z. 21.
[271] Z. 26 ff.
[272] Syll.³ 973; vgl. Petrakos 109 f., H. Lattermann, Zur Topographie des Amphiareions
bei Oropos, AM 35, 1910, S. 81–102.
[273] W. Dörpfeld, Alte und neue Ausgrabungen in Griechenland, AM 47, 1922, S. 27 f.
[274] Das heute noch teilweise erhaltene stammt aus dem 2. Jahrhundert; s. Petrakos 92.
[275] Vgl. C. D. Androutsopoulos, The Amphiareion of Oropos, Athen 1972, S. 51.
[276] Zur Biographie s. R. Laqueur, RE XIX. 2, 1938, S. 1779 f., Prosop. Att. II 341 f.

Gesetz zur Durchführung der Opferhandlungen zu Ehren des Amphiaraos und der übrigen Götter des Heiligtums erlassen sowie die Penteteris wieder eingeführt.[277] Zu ihrer Überwachung bestellte man 329/8 bei der ersten Durchführung neben Phanodemos u. a. auch Lykurg und Demades.[278] Da die Amphiareia auch ἀγῶνες γυμνικοί und ἱππικοί umfaßten,[279] steht zu vermuten, daß die Wettkampfanlagen nach der längeren Unterbrechung, wenn nicht neu gebaut, so zumindest weitgehend überholt wurden. Zeugnis für die Bedeutung des Heiligtums für Athen, für die mit dem Wiederaufleben des Kultes eingetretene Blüte, geben zahlreiche Monumente dieser Zeit, wie die Weiheinschrift der Epheben der Phyle Leontis von 324[280] und die von Meidias und Thrasylochos gestifteten Standbilder.[281] 322 verlor Athen im Gefolge der Niederlage im Lamischen Krieg Oropos und das Heiligtum des Amphiaraos.[282]

Parallel zu den Bemühungen um das Amphiareion sind Bauarbeiten in einem weiteren bedeutenden Heiligtum außerhalb Athens, Eleusis, bezeugt. Das vor allem repräsentativen Zwecken dienende Prostoon des Telesterions wurde bereits in den fünfziger Jahren geplant. Bis Anfang des nächsten Jahrzehntes gedieh jedoch nur ein Teil der Fundamente. Nach einer Unterbrechung von ca. 20 Jahren wurden die Arbeiten um 330 unter Baumeister Philon wieder aufgenommen,[283] vollendet jedoch erst nach weiterer, durch den Lamischen Krieg erzwungener Pause, unter Demetrios von Phaleron.[284] Verschiedene Inschriften belegen die in den zwanziger Jahren erfolgten Maßnahmen. IG II² 1671[285] enthält Anweisungen bezüglich der Fundamente, IG II² 1670 bezüglich der Konstruktion der beiden Unterstufen und des Stylobates.[286] Zahlungen der Schatzmeister der Demeter und der Persephone

---

[277] Syll.³ 287 Z. 10 ff. ἐπειδὴ Φανόδημος Θυμαιτάδης κα|λῶς καὶ φιλοτίμως νενομο-θέτηκεν πε|ρὶ τὸ ἱερὸν τοῦ ᾽Αμφιαράου, ὅπως ἂν ἥ τε |πεντετηρὶς ὡς καλλίστη γίγνηται κα|ὶ αἱ ἄλλαι θυσίαι τοῖς θεοῖς τοῖς ἐν τ|ῶι ἱερῶι τοῦ ᾽Αμφιαράου, καὶ πόρους πε|πόρικεν εἰς ταῦτα καὶ εἰς τὴν κατασκ|ευὴν τοῦ ἱεροῦ,| ...

[278] Syll.³ 298, Z. 23 ff.

[279] A. a. O. Z. 16 ff.

[280] Ausführlich Reinmuth, Ephebic Inscriptions 58 ff.; vgl. Petrakos 28 f.

[281] Weiheinschriften bei M. Th. Mitsos, ᾽Επιγραφαὶ ἐξ ᾽Αμφιαρείου, Ephem 1952, S. 181 No. 13 und S. 188 No. 15 (SEG 15.284, 285); vgl. Mitchel, Lykourgan Athens 47. Zu Meidias s. Davies 387.

[282] Diod. 18.56.6. ᾽Αθηναίοις δ' εἶναι τὰ μὲν ἄλλα καθάπερ ἐπὶ Φιλίππου καὶ ᾽Αλεξάνδρου, ῎Ωρωπὸν δὲ ᾽Ωρωπίους ἔχειν καθάπερ νῦν.

[283] Vgl. dazu F. Noack, Eleusis (cit. Noack), Berlin-Leipzig 1927, S. 115, G. E. Mylonas, Eleusis and the Eleusinian Mysteries (cit. Mylonas), Princeton 1961, S. 133 f.

[284] Vitruv. 7, praef. 17 „cum Demetrius Phalereus Athenis rerum potiretur Philo ante templum in fronte columnis constitutis prostylon fecit".

[285] Zuerst veröffentlicht von J. Kirchner bei Noack 283 ff.

[286] Um 330; s. Noack 114 und 116.

für den teilweisen Abschluß des Transportes von Säulentrommeln aus pentelischen Steinbrüchen mittels Fuhrwerken enthält die Inschrift IG II² 1673[287] aus dem Jahre 327/6[288]. Urheber des zugrundeliegenden Psephismas war Lykurg.[289]

Bis zum Jahre 329/8 wurden der nach Angabe des Archontenjahres[290] datierbaren Inschrift IG II² 1672 zufolge, Reinigungs- und Ausbesserungsarbeiten am Peribolos, vermutlich der noch erhaltenen peisistratidischen Anlage, abgeschlossen.[291] Außerdem setzte man einen Turm, der zur Aufnahme von σῖτος diente, und zwar der primitiae fruges (ἀπαρχή),[292] wieder in Stand.[293] Letzte Hand legte man auch an den Tempel des Pluton, südwestlich der später über dem peisistratidischen Nordpylon erbauten kleinen Propyläen. Im Innern wurden Türflügel aus Ulmenholz für das eiserne Cellator angebracht,[294] weiterhin ἐπίκρανα vollendet,[295] sowie κυμάτια angefertigt und bemalt.[296] Abrechnung der geleisteten Arbeiten und Auszahlung der μισθοί im Jahr 329/8 lassen die Vollendung des Plutonions vermuten.[297] Seine Erneuerung im Zusammenhang mit der großen Getreideknappheit der Jahre 330–327 liegt nahe, da Pluton auch als Garant guter Ernten verehrt wurde,[298] doch fällt Planung und Baubeginn sicherlich noch in eine Zeit, in der die Auswirkungen der Krise nicht spürbar waren. Die Identifikation des im 18. Jahrhundert wieder ausgegrabenen Antentempels mit dem Plutonion wurde durch den Fund von Reliefs mit Szenen aus dem Leben Plutons und Persephones[299] sowie eines Inschriftenfragments möglich gemacht.[300]

---

[287] Z. 64 ff.

[288] Noack 116. Das προστῷον τὸ Ἐλευσῖνι erstreckte sich nach Fertigstellung in einer Breite von 54,50 Meter bei einer Tiefe von 11,35 Meter. Bei einer Säulenanordnung von 12 mal 2 wurden 14 dorische Säulen errichtet. Erhalten sind Bruchstücke der untersten Trommeln und Reste der Krepis.

[289] IG II² 1673, Z. 65.

[290] Z. 1.

[291] Z. 23 ff.

[292] Eine Liste der Abgaben der einzelnen Phylen ist Z. 263 ff. vermerkt. Bezeichnend für die Integration von Oropos an dieser Stelle auch die Aufzählung der „Abgaben" des Amphiareions. Z. 272 f. ἐκ τῆς ἐπ'| Ἀμφιαράου δήμαρχος Προκλῆς Σουνιεὺς κρι ΔΔ, πυρῶν Γ μέδιμνοι ἐννέα ἡμιεκτεῖα ...

[293] Z. 292 τοῦ πύργου ἐπισκευὴ τῷ σίτῳ.

[294] Bezahlungsvermerk Z. 168 ff.

[295] Z. 185 f.

[296] Z. 186 f.

[297] Vgl. Mylonas 147, P. Foucart, Le culte de Pluton, BCH 7, 1883, S. 387–404.

[298] Nach Hesiod erg. 465 soll der Bauer vor der Bestellung des Feldes zu Pluton beten: εὔχεσθαι δὲ Διὶ χθονίῳ (Pluton) Δημήτερι ϑ' ἁγνῇ ...

[299] Abb. Ephem 1886 Tafel 3: Komm. 19 ff.; vgl. Mylonas 99 f., E. Wüst RE XXI.1, 1951 S. 999 f.

[300] Vgl. IG II² 1231 Z. 2 ff. [... ἐπειδὴ Τληπό]|λεμος Ἀ [... κα]|λῶς καὶ φιλοτίμως καὶ εὐσεβῶ]ς τ|ῶν ἱερῶν ἐ[πιμελεῖται καὶ τ]ὸ τοῦ |Πλούτωνος ἱερ[ὸν καλῶς ἐκ]όσμη|σεν, ...

In Ergänzung dazu bemühte man sich auch, das Heiligtum in der Stadt auszuge-
stalten. Der alte Eingang zum Eleusinion wurde beseitigt und an seiner Stelle südwestlich des Tempels am Panathenaiischen Weg ein Marmorprothyron errichtet.[301]
Den Lohn für den verantwortlichen Handwerker[302] sowie Materialkosten des Pe-
ches zum Bestreichen von Decke und Türen[303] und die Besorgung von Ziegeln εἰς
Ἐλευσίνιον τὸ ἐν ἄστει rechnet die oben zitierte Inschrift IG II² 1672 ab und fixiert
somit die Arbeiten auf das Jahr 329/8.

3. Zur Datierung

Insgesamt wurden zwischen dem Friedensschluß mit Philipp und dem Ausbruch des
Lamischen Krieges, einer Zeit, in der die staatlichen Einnahmen und Ausgaben im
wesentlichen von Lykurg kontrolliert wurden, die also mit Recht Lykurgsche Ära
genannt werden kann,[304] nicht weniger als 20 Bauvorhaben begonnen, oder wie im
Falle des Theaters und der Skeuothek, vollendet. Dem Ausbau kultureller, admini-
strativer und politischer Institutionen des Staates dienten Planung und Erstellung
des Gerichtsgebäudes auf der Agora, des Prostoons an der Südseite des Neon Bouleuterion,[305] der Stoen und des Auditoriums auf der Pnyx sowie die Umgestaltung
des Dionysostheaters. Für das Training und den Unterricht der Epheben wurden im
Lykeion das Gymnasion und die Palaistra errichtet. Mit der Restaurierung der Einrichtungen des Amphiareions, dem Bau des Stadions am Ilissos und der monumen-
talen sogenannten Halle des Philon in Eleusis bezweckte die Bürgerschaft eine
noch glanzvollere Feier wichtiger attischer Feste wie der Großen Panathenaien, der
Mysterien und der Amphiareia. Der Erweiterung des Handels und der Schiffahrtswege trugen neue Navalia und das Arsenal im Piräus Rechnung. In den zahlreichen
Tempelbauten ist der Versuch Lykurgs zu erkennen, alte Kulte zu beleben und den
Glauben an die heimischen Gottheiten zu festigen. Neu errichtet oder restauriert
wurden die ἱερά der Artemis Aristoboule, des Apollon Patroos, des Zeus Phratrios
und der Athena Phratria, des Pluton in Eleusis, außerdem die Stoa und der Tempel
des Asklepios, das Monument der Eponymen, die Altäre des Zeus Agoraios und des
Apollon.
Flankierend trat zu diesen Baumaßnahmen eine Reihe von Gesetzesentwürfen

---

[301] s. Athenian Agora 145 f., Plan bei Travlos 200; heutiger Zustand Abb. 265.
[302] Z. 166f.
[303] Z. 170f.
[304] Vgl. Mitchel, Lykourgan Athens 28.
[305] Vgl. Athenian Agora 63f. Die politische „Aufwertung" des Rats scheint auch im
repräsentativen Erweiterungsbau des Neon Bouleuterion (Propylon) ihren Niederschlag
gefunden zu haben.

hinzu, die Komödien – und Choragone[306] ins Leben riefen, die originalgetreue Aufführungen von Dramen der „Klassiker" durchsetzten,[307] die Penteteris im Amphiareion wieder einführten,[308] Finanzierung von Kultbelangen und insbesondere der
Kleinen Panathenaien regelten,[309] schließlich und vor allem die Ausbildung der
Epheben neu definierten.[310] Sie kennzeichnen das Ineinandergreifen der Lykurgschen Maßnahmen, charakterisieren sie als ein in seiner Gesamtheit durchdachtes

---

[306] Ps.-Plut. mor. 842 A; 841 F. (Zu den ἀγῶες Ποσειδῶνος s. auch IG II² 1496 col. III
Z. 70 f.)

[307] Ps.-Plut. a.a. O.

[308] Syll.³ 287, Z. 10 ff.

[309] s. o. IG II² 334 sowie Lewis 239 ff.

[310] U. v. Wilamowitz-Moellendorffs These (Aristoteles und Athen I, Berlin 1893,
S. 193 f.), die Ephebie sei 336/5 als Vorbereitung einer neuen Auseinandersetzung mit
den Makedonen eingeführt worden (vgl. A. Brenot, Recherches sur l'éphébie attique et
en particulier sur la date de l'institution, Paris 1920; M. P. Nilsson, Die hellenistische
Schule, München 1955, S. 19 f.), wurde, nachdem sie bereits von J. O. Lofberg, The Date
of the Atenian ἐφηβεία, CPh 1925, S. 330 ff. und vor allem O. W. Reinmuth, The Genesis
of the Athenian Ephebia, TAPhA 83, 1952, S. 34 ff. sowie Ch. Pelekídes, Histoire de l'é-
phébie attique des origines à 31 av. J. C., Paris 1962 bezweifelt worden war, durch den
Fund eines Inschriftenfragments aus dem Jahr 361/0 (publiziert bei M. Th. Mitsos, Ἐκ
τοῦ Ἐπιγραφικοῦ Μουσείου, Ephem 1965, S. 131/2; Reinmuth, Ephebic Inscriptions
No. 1) als irrig erwiesen. (Zweifel an der Datierung ins Jahr 361/0 meldet neuerdings
F. W. Mitchel, The So-called Earliest Ephebic Inscription, ZPE 19, 1975, S. 233 ff. an. Er
hält aufgrund epigraphischer Beobachtungen die Ergänzung des Archontennamens Ni-
kophemos für unmöglich (237 ff.) und setzt nach den für die Periode Lykurgs eigentüm-
lichen Buchstaben der Inschrift EM 13354 a in die zweite Hälfte der dreißiger Jahre).
Die Häufung der Inschriften zwischen 334/3 und 324/3 (zuletzt insgesamt 14; zusammengefaßt bei O. W. Reinmuth, Ephebic Inscriptions, S. 4–82. Unveröffentlicht eine
Weihung der Epheben der Phyle Kekropis; Photographie bei J. Travlos, Praktika 1954,
S. 69) legt allerdings eine Reform und Reaktivierung der Institution nach Chaironeia
nahe. In welcher Form die Ausbildung während der Lykurgschen Ära modifiziert wurde, läßt sich aufgrund der raren literarischen Zeugnisse (Aischin. 2.167, Aristot. Ath.
Pol. 42, 2–5) nicht mit Sicherheit sagen (vgl. Reinmuth, Ephebic Inscriptions 123 ff., bes.
133). Vermutlich wurde das bis dahin rein militärische Training (s. Reinmuth 133) zu einem umfassenden – staatspolitische, sittliche und religiöse Erziehung einschließenden –
Unterricht erweitert (vgl. H. I. Marrou, Geschichte der Erziehung im Klassischen Altertum, dt. Ausgabe München 1977, S. 205). Als Teil des Lykurgschen Konzepts paßt eine
solche Änderung in Konkordanz mit anderen Beschlüssen (IG II² 334: 335/4; IG II² 333:
Juni/Juli 334; Diotimosentsendung: Frühling 334) und dem Beginn größerer Bauaktivitäten in die Zeit nach der Zerstörung Thebens (vgl. mit anderen Gründen O. W. Reinmuth, The Spirit of Athens after Chaironeia, Akte d. 5. Intern. Kongr. f. gr. und l. Epigraphik, Cambridge 1967, S. 49 korrigiert jedoch 1971: ders., Ephebic Inscriptions 127 f.). In
seiner wohl am Ende der ersten Amtsperiode gehaltenen Rede περὶ τῆς διοικήσεως (ed.
N. C. Conomis, Leipzig 1970, Rede 5) wird das Gesetz über die Ephebenreform bereits
von Lykurg erwähnt. Es wurde somit noch vor dem August 334 beschlossen (s. u.
Lykurg. frg. 20).
Die Art der Ehrung, mit der der Antragsteller des Psephismas, Epikrates, bedacht
wurde (Lyk. frg. 20: ἕτερος δ ᾽ἐστὶν Ἐπικράτης οὗ μνημονεύει Λυκοῦργος ... λέγων ὡς
χαλκοῦς ἐστάθη διὰ τὸν νόμον τὸν περὶ τῶν ἐφήβων) spricht gegen eine Unterbewer-

sowie konsequent durchgeführtes Programm, das in Wiederbesinnung auf das Athen der Pentekontaetie eine stärkere Beteiligung der Bürger am öffentlichen Leben durchsetzen sollte.[311]

Obwohl Lykurg sein Amt als ὁ ἐπὶ τῇ διοικήσει bereits im Juli 338 antrat,[312] ist die Aufnahme der Arbeiten an den genannten Projekten nicht vor dem Frühjahr 336 anzusetzen. In Athen befürchtet man nicht nur unmittelbar nach Chaironeia, sondern auch nach Abschluß des Separatfriedens und des folgenden Vertrages von Korinth einen möglichen Angriff Philipps auf Attika. Zunächst noch in fieberhafter Eile, setzte man dann 337 planmäßig die Mauern instand, erhöhte sie teilweise und hob Verteidigungsgräben aus. Für die Materialbeschaffung wurden selbst Gräber im Kerameikos geplündert,[313] so daß zu vermuten ist, daß für andere Bauvorhaben weder Mittel noch Kräfte ausreichten. Sie wurden erst Anfang 336 möglich, als sich die Verhältnisse in Athen zu stabilisieren begannen, ein militärisches Eingreifen Philipps kaum mehr erwartet wurde. Da der Umbau des Theaters und die Errichtung der Skeuothek bereits unter Eubulos beschlossen und begonnen worden waren, wandte sich Lykurg wohl zunächst diesen Vorhaben zu, zumal die Finanzierung der Skeuothek bereits festgelegt und die entsprechende Besteuerung auch während der Kriegszeit nicht ausgesetzt worden war. Sein eigenständiges Programm, dessen integrierte Bestandteile natürlich Theater und Arsenal waren, zu realisieren, kann Lykurg frühestens 334 unternommen haben.

Der Tod Philipps, Fehleinschätzung seines Nachfolgers, Aufstand und Zerstörung Thebens hatten seit Herbst 336 erneut ein Klima der Ungewißheit erzeugt, das längerfristig konzipierte Pläne ausschloß. Sie wurden erst nach der Einigung Athens mit Alexander durch Phokion und Demades Ende 335 möglich.[314] Alle er-

---

tung der Neuerungen (vgl. Reinmuth, Ephebic Inscriptions 128) und läßt auf durchaus gravierende Änderungen schließen.

Im Vordergrund der Reform stand keinesfalls der militärische Aspekt, die Erhöhung der Schlagkraft der Hoplitentruppen. Da seit Mitte des 4. Jahrhunderts sich die Überlegenheit der kampferfahrenen, über weitaus größere Mobilität verfügenden ξένοι (s. Kromayer/Veith 76) gegenüber den nur in athletischen Übungen ausgebildeten πολῖται abzuzeichnen begann, spricht wenig dafür, daß man in der Reorganisation der Ephebie, der nunmehr kasernierten Ausbildung, ein wichtiges Mittel zur Revidierung der Niederlage von Chaironeia sah (anders Bengtson 334). Im Lamischen Krieg vertraute Leosthenes bei seinen Aktionen hauptsächlich auf Söldner und auch nach seinem Tod stand bei den Kampfhandlungen von 322 das athenische Bürgeraufgebot numerisch den ξένοι-Kontingenten bei weitem nach.

[311] s. im folgenden.
[312] s. o. S. 23 Anm. 153.
[313] Lyk. Leokr 44; vgl. Maier I 35 sowie Ohly 373 f., dem zufolge bei Grabungen im Kerameikosbereich beträchtliche Ausraubungen der privaten Grabstätten festgestellt werden konnten.
[314] Auch der wirtschaftliche Aufschwung Athens, der insbesondere im Gefolge einer

haltenen, mit Bauaktivitäten verbundenen Inschriften entstammen der Zeit nach
diesem Fixpunkt. Im Amphiareion sind Arbeiten für das Jahr 333 bezeugt,[315] für das
προστῷον in Eleusis für die Jahre 330 und 327/6,[316] für das Plutonion, das Eleusinion auf der Agora und das Panathenaiische Stadion für das Jahr 329.[317] Erst nach
Vollendung der Umfassungsmauer des Dionysostheaters ist die Errichtung der Stoa
des Asklepieions denkbar,[318] ebenso der Tempel des Apollon Patroos nach der Fertigstellung des benachbarten Heiligtums des Zeus Phratrios.[319] Die Stoen auf der
Pnyx schließlich gediehen nur bis zu den Fundamenten, verraten also einen Baubeginn in den zwanziger Jahren. Der Abbruch der verschiedenen Arbeiten erfolgte
mit der Krise nach Alexanders Tod. Für eine Beendigung der Arbeiten parallel zum
Auslaufen der Amtszeit Lykurgs gibt es keine Anzeichen.[320]

4. Lykurgs Reformprogramm

Umfang und Durchführung dieses Programms drängen die Frage nach den Zielen
auf. Beantwortet wurde sie in der Literatur, soweit in diesem Kontext überhaupt gestellt, mit der Vorbereitung auf einen Krieg gegen die Makedonen,[321] sei er nun von
diesen erzwungen oder von den Athenern sua sponte zur Rückerlangung nationaler
Autonomie geführt.

Analysiert man die Bauten auf diese Intention hin, wird jedoch schnell deutlich,
daß sie, wie gesagt, im wesentlichen Kult- und Repräsentationszwecken, dem Ausbau kommunaler Einrichtungen zur politischen Aktivierung der πολῖται dienten.
Die Vollendung der Skeuothek und der Weiterbau der νεώσοικοι stehen sicherlich
in Zusammenhang mit der Erweiterung des Handelsnetzes und der Notwendigkeit,
sich vor den zunehmenden Piratenüberfällen zu schützen.[322] Ephebenreform und

---

Ausweitung des Handels (vgl. o. S. 79 Anm. 174), mit einer deutlichen Steigerung der
staatlichen πρόσοδοι (s. o. S. 78f.) die finanziellen Voraussetzungen für die Verwirkli-
chung der zahlreichen Projekte schuf, wurde sicherlich nicht vor Mitte der dreißiger
Jahre spürbar.
[315] Syll.³ 281.
[316] IG II² 1670, 1673.
[317] IG II² 1672, Tod 198.
[318] s. o. S. 81.
[319] Vgl. Thompson, Buildings 102.
[320] Die für den Bau der Skeuothek erhobene Metoikensteuer wurde noch im Jahre
323/2 bezahlt. Vgl. Syll.³ 346, IG II² 505) Z. 16f. Die Ausgestaltung der Stadt war offenbar langfristig geplant.
[321] Vgl. Bengtson 334 und insbesondere Mitchel, Lykourgan Athens 49, der allerdings
zwischen einer direkten militärischen Vorbereitung und einer aus dem übrigen Programm eher zufällig resultierenden psychologischen „preparedness" für den Krieg diffe-
renziert.
[322] s. o. S. 60f. u. S. 112.

Errichtung der Palaistra und des Gymnasions primär unter militärischem Aspekt zu betrachten, verbieten die Veränderungen auf dem Militärsektor, d.h. die zunehmende Verdrängung der πολῖται-Truppen durch Söldnerheere.[323] Ausbau und Verstärkung der Mauern in den Jahren 338/7 sowie die Anlage von Gräben waren Antwort auf eine mögliche Belagerung durch Philipp nach der Niederlage von Chaironeia. Bereits 336 wurden sie, vermutlich mit der Billigung des Königs, zu Ende geführt.

Auch wenn Lykurg die staatlichen Einkünfte gegenüber Eubulos um ein beträchtliches zu steigern wußte, hatte er nicht die finanziellen Mittel eines Perikles, die φόροι zahlreicher Verbündeter, zur Verfügung. Um Projekte, wie die Stoen auf der Pnyx, im Dionysosheiligtum und im Asklepeion, das προστῷον in Eleusis oder die Anlagen im Ilissosgebiet zu verwirklichen, mußte er alle Anstrengungen auf diese Aufgabe konzentrieren. Für intensive Rüstungen, die die Bereitschaft der Stadt zu einem Defensiv- oder Offensivkrieg mit den Makedonen hätten vermuten lassen können, blieb im Etat Lykurgs schwerlich Platz. Die Flotte wurde spätestens ab 330 nicht weiter vergrößert,[324] eine Kriegskasse z.B. für die Anwerbung von ξένοι nicht angelegt,[325] notwendige – wie die Errichtung eines Diateichisma über den unvollendeten Stoen auf der Pnyx Ende des Jahrhunderts zeigt – Befestigungswerke nicht gebaut. Politisch war man in keiner Weise auf die Gewinnung von antimakedonischen Bundesgenossen bedacht.[326] Als Führer eines möglichen hellenischen Aufstandes hatte Athen sich im Agiskrieg unglaubwürdig gemacht, als es sich die „Neutralität" mit Zugeständnissen des Makedonenkönigs hatte honorieren lassen.[327]

Die Ursache der antimakedonischen Auslegung seines Programms liegt in Lykurgs vermeintlicher radikaler Gegnerschaft zu Alexander. Sie aber kann, ähnlich

---

[323] Vgl. Busolt/Swoboda 1195.

[324] s.o. S.62 Anm.84.

[325] Unter Perikles wurde in vergleichbarer Situation trotz kostspieligster Bauvorhaben für den Fall des Krieges auf Antrag des Kallias eine Reservekasse angelegt. s. IG I² 91/2 (Tod, I² Nr.51); vgl. W.Kolbe, Das Kalliasdekret, SBB 1927, S.319ff., Ferguson 153ff. Weitere Literatur bei Bengtson 207 Anm.3 und B.D.Meritt, H.T.Wade-Gery, M.F.Mc Gregor, The Athenian Tribute Lists I, Cambridge Mass. 1939, S.208f. Die von Lykurg auf der Akropolis aufbewahrten Gelder wurden für Kultzwecke verwendet (Ps.-Plut. mor. 852C). In seiner Eigenschaft als Verantwortlicher für die Rüstung ließ Lykurg lediglich Waffen lagern. Ps.-Plut. a.a.O. χειροτονηθεὶς δὲ ἐπὶ τῆς τοῦ πολέμου παρασκευῆς ὅπλα μὲν πολλὰ καὶ βελῶν μυριάδας πέντε ἀνήνεγκεν εἰς τὴν ἀκρόπολιν, ...

[326] Eine Zusammenstellung der athenischen πρεσβεῖαι der Jahre zwischen 336 und 323 bei D.Kienast, RE Suppl.13, 1973, S.609f.

[327] Im spateren griechischen Waffenbündnis des Lamischen Krieges war wenig Zusammenhalt unter den σύμμαχοι spürbar. Nach der Schlacht von Krannon blieben die Athener isoliert. Vgl. Schäfer III 384ff.

wie im Fall des Demosthenes nach der Schlacht von Issos,[328] nur eine Erfindung der Zeit nach Demetrios von Phaleron sein. Über Aktivitäten gegen Philipp und später gegen Alexander während dessen ersten Regierungsjahres ist nichts bekannt.[329] Die Forderung des Königs im Jahre 335 nach Auslieferung Lykurgs ist zweifelhaft.[330] In den Jahren nach der Zerstörung Thebens enthielt sich Lykurg Maßnahmen oder Bekundungen, die gegen den König respektive die Promakedonen zielten.[331] Sein heute vermutetes antimakedonisches Engagement findet – von Demosthenesbriefen abgesehen, die eine Fälschung des 3. Jahrhunderts und somit in unserem Zusammenhang wertlos sind[332] – nur in dem sogenannten Dekret des Stratokles eine Stütze.[333] In ihm aber wurde trotz umfangreicher Aufzählung Lykurgscher Leistungen keineswegs der Versuch unternommen, dem Redner beinahe 20 Jahre nach Beendigung seiner Verwaltungstätigkeit gerecht zu werden und seine Verdienste vor allem um die architektonische Ausgestaltung der Stadt zu würdigen. Dem Psephisma vom Jahre 307 lagen vielmehr tagespolitische Motive zugrunde: Wenig vorher, im Juni des Jahres,[334] war die Flotte des Demetrios im Piräus eingelaufen,[335] der bis-

---

[328] Vgl. u. S. 143.

[329] Vgl. die kurze Biographie von Kunst in RE XIII. 2, 1927, S. 246 ff. Die Teilnahme an einer gegen Philipp gerichteten Gesandtschaft in die Peloponnes ist, da quellenmäßig nicht nachweisbar (vgl. Demosth. 9.72), nur bloße Vermutung.

[330] s. o. S. 44 f. Anm. 303.

[331] Zur erhaltenen Rede gegen Leokrates s. u. S. 102 f. Auch aus den Titeln und Fragmenten sonstiger Reden ist nichts anderweitiges zu schließen. Zur Kephisodotosrede und zum Verhältnis Demades – Lykurg s. o. S. 58 ff.

[332] s. o. S. 13 f. Anm. 78.

[333] Syll.³ 326. [ἐπὶ Ἀναξικράτους ἄρχον]τος · ἔδοξεν τῶι δήμωι · Στρατ‖[οκλῆς Εὐ-θυδήμου Διομεεὺ]ς εἶπεν · [ἐπ]ε[ιδὴ Λ]υκοῦργο[ς | Λυκόφρονος Βουτάδης παρ]α- λ[α]βὼν [πα]ρ[ὰ τῶν ἐ]α[υτ]οῦ π[ρ|ο]γόνων οἰκείαν ἐκ παλαιοῦ] τ[ὴν] πρ[ὸς τὸν δῆμ]ον εὔνο[ι|αν ... κ]αὶ κ[εκο]σμημένην τὴν | [πόλιν ... ἀξίως] τῆς ὑπαρχούσης αὐτε‖[ῖ δόξης ... ἐ]ξωικοδόμησεν· τὴν δὲ σ‖[κευοθήκην καὶ τὸ θέατρον τὸ] Διονυσιακὸν ἐξηργά- σα‖[το, τό τε στάδιον τὸ Παναθην]αϊκὸν καὶ τὸ γυμνάσιον τ‖[ὸ κατὰ τὸ Λύκειον κατ- εσκεύ]ασεν, καὶ ἄλλαις δὲ πολλαῖ‖[ς κατασκευαῖς ἐκόσμησεν] ὅλην τὴν πόλιν· καὶ φόβων κ‖[αὶ κινδύνων μεγάλων τοὺς] Ἕλληνας περιστάντων Ἀλε‖[ξάνδρωι Θηβῶν ἐπικρατήσα]ντι καὶ πᾶσαν τὴν Ἀσίαν κ‖[αὶ τὰ ἄλλα δὲ τῆς οἰκουμένης μ]έρη κατα- στρεψαμένωι δι‖[ετέλει ἐναντιούμενος ὑπὲ]ρ τοῦ δήμου, ἀδιάφθορον κ‖[αὶ ἀνεξέλεγκ- τον αὐτὸν ὑπὲ]ρ τῆς πατρίδος καὶ τῆς τῶ‖[ν Ἑλλήνων ἁπάντων σωτηρίας] διὰ παντὸς τοῦ βίου παρ‖[έχων καὶ ὑπὲρ τοῦ τὴν πόλιν] ἐλευθέραν εἶναι καὶ αὐτ‖[όνομον πάσηι μηχανῆι ἀγωνι]ζόμενος, δι᾽ ὅπερ ἐξαιτή‖[σαντος αὐτὸν Ἀλεξάνδρου ὁ δ]ῆμος ἀπέγνω μὴ᾽ συνχωρῆ‖[σαι μηδὲ λόγον ποιεῖσθαι τῆς] ἐξαιτήσεως ἅμ᾽ ἐν τοῖς ἄ‖[λλοις πᾶσιν συνειδὼς ὧν μετ]έσχεν Λυκούργωι τὴν ἀπ‖[ολογίαν δικαίαν οὖσαν· καὶ δ]οὺς εὐθύνας πολλάκις [τ|ῶν τε πεπολιτευμένων καὶ τῶν] διοικημ[έ]ν[ων ἐν ἐλευθ]έραι καὶ δημο- κρατουμένηι τῆ]ι πόλει ...

[334] Stratokles stellte seinen Antrag ἐπὶ Ἀναξικράτους ἄρχοντος, ἐπὶ τῆς Ἀντιοχίδος ἕκτης πρυτανείας (Ps.-Plut. mor. 852 A), also einige Monate nach Ankunft des Antigo- niden. s. G. Dimitrakos, Demetrios Poliorketes und Athen (cit. Dimitrakos), Diss. Ham- burg 1937, S. 36 Anm. 2.

[335] Plut. Demetr. 8 ff., Diod. 20.45.1 ff.

herige προστάτης Athens, Demetrios von Phaleron, hatte kapituliert und die Stadt verlassen.[336] Die Athener feierten Demetrios Poliorketes und seinen Vater enthusiastisch als Befreier von der καταδούλωσις des Kassander[337] und bedachten sie mit zahlreichen Ehrungen.[338] U. a. wurde den Antigoniden ein eigener Kult beschlossen und ein βωμὸς Σωτήρων geweiht.[339] Sie erhielten goldene Kränze im Wert von 200 Talenten.[340] Ihnen zu Ehren wurden zwei neue Phylen geschaffen[341] und die heiligen Trieren umbenannt.[342] Schließlich wurden ihre vergoldeten Standbilder neben den Statuen der Tyrannenmörder aufgestellt.[343] In den Kontext dieser überschwenglichen Ehrenbezeugungen reiht sich nun das Dekret des Stratokles zu Ehren Lykurgs ein. Der Athener beabsichtigte mit seinem Antrag, Herrschaft und Politik des Demetrios Poliorketes zu legitimieren,[344] indem er ihn in eine Tradition mit Lykurg, dem bedeutendsten Staatsmann der Alexanderära stellte. Als Voraussetzung aber, um diese innere Verbindung herzustellen, d. h. eine Kontinuität antimakedonischen Widerstandes zu konstruieren, an dessen Ende Demetrios als Befreier von fremder Gewaltherrschaft stand, war es unumgänglich, dem athenischen Redner alexanderfeindliche Gesinnung als Grundhaltung zu attestieren und ihn in die Front der Alexandergegner seiner Zeit einzureihen.[345]

---

[336] Plut. Demetr. 9.3., Diod. 20.45.4.

[337] Vgl. Plut. Demetr. 8.1.

[338] Vgl. Dimitrakos 39 ff., Ch. Habicht, Gottmenschentum und griechische Städte (cit. Habicht, Gottmenschentum), Zetemata 14, München 1956, S. 44 ff., M. P. Nilsson, Geschichte der griechischen Religion. 2. Bd. Die Hellenistische und Römische Zeit, Handbuch d. Altertumswiss. 5.2, 2. Aufl. München 1961, S. 150 f., K. Scott, The Deification of Demetrios Poliorcetes, AJPh 49, 1928, S. 137 ff. und 217 ff., Bengtson 377 f. Ein Antigonos und Demetrios gewidmetes Gedicht ist IG II² 3424 verzeichnet. s. dazu A. Wilhelm, Ein Gedicht zu Ehren der Könige Antigonos und Demetrios, Ephem. 1937, S. 203 ff.

[339] Vgl. Plut. Demetr. 10.4, 46.2, 12.4; Diod. 20.46.2.

[340] Diod. a. a. O.

[341] Plut. Demetr. 10.6, Diod. a. a. O.

[342] Suda s. v. Πάραλοι.

[343] Paus. 10.10.2, Diod. a. a. O.

[344] Zu Stratokles' politischen Aktivitäten im Sinne des Demetrios Poliorketes s. Plut. Demetr. 11, 24, 26 und Diod. 20.46 sowie die von ihm beantragten verschiedenen Ehrendekrete: Syll.³ 347 (für Solon), Syll.³ 238 (Name nur fragmentarisch), IG II² 492 (Apollonides), IG II² 649 (Philippides). Vgl. Niese I 315 f., Schäfer III 329 Anm. 1, U. Köhler, Aus der Finanzverwaltung Lykurgs, Hermes 5, 1871, S. 346 f., J. G. Droysen, Geschichte des Hellenismus II, 2. Aufl. Gotha 1878, S. 119 f., 171 f., 183, W. S. Ferguson, Hellenistic Athens, London 1911, S. 102 f. Zur Situation von 307 E. Will, Histoire politique du monde hellenistique (323–30 av. J. C.) I, Nancy 1966, S. 61 f., Ferguson a. a. O. 94 ff.

[345] Nach dem Katalog der Gesetzesmaßnahmen und Baubeschlüsse wird der Akzent des Dekrets auf die Betonung des permanenten Kampfes Lykurgs gegen Alexander verlagert (Syll.³ 326, Z. 21 ff. καὶ φόβων κ|[αὶ κινδύνων μεγάλων τοὺς] Ἕλληνας περιστάντων Ἀλε|[ξάνδρωι Θηβῶν ἐπικρατήσα]ντι καὶ πᾶσαν τὴν Ἀσίαν κ|[αὶ τὰ ἄλλα δὲ τῆς οἰκουμένης μ]έρη καταστρεψαμένωι δι|[ετέλει ἐναντιούμενος ὑπὲ]ρ τοῦ δήμου, …

Lykurg andererseits nun als Gegenreaktion in die Rolle des Promakedonen drängen zu wollen, wäre gleichfalls verfehlt. Der Redner war ein, nach heutigen Begriffen, konservativer Patriot, der Rettung und Möglichkeit Athens in der Wiederbesinnung auf die Vergangenheit sah.[346] Aber er war Pragmatiker genug, um spätestens seit Issos zu sehen, daß ein Wiederaufstieg Athens – in modifizierter Form – nicht gegen Alexander, sondern nur innerhalb der Grenzen seines Imperiums zu realisieren war. Nur im Rahmen eines Stabilität gewährenden großen Ganzen, d.h. im Alexanderreich war die für die Lykurgschen Reformen und Projekte nötige Dauer garantiert. Den makedonischen Kosmos zu negieren war nicht möglich. Die Einordnung in ihn aber bot – in Dimensionen, die wohl selbst den Attischen Seebund hinter sich ließen – die große Chance athenischer Selbstverwirklichung. Lykurgs Programm läßt sich als erster Schritt in diese Richtung verstehen.

---

[346] Vgl. u. S. 102 f. die Rede gegen Leokrates. Bezeichnend für die Gesinnung und Politik Lykurgs ist eine enge Freundschaft mit vermögenden Athener Bürgern, die zweifellos an einer Konsolidierung und Stabilisierung der Verhältnisse interessiert waren.

III. Die Abkehr Alexanders von Griechenland und das Scheitern der athenischen Außenpolitik

1. Athen im Jahre 330.
Die Prozesse gegen Leokrates und Ktesiphon

Im Spätsommer 331[1] fiel mit den Schlachten von Gaugamela und Megalopolis parallel in Asien und Europa die militärische Entscheidung endgültig zugunsten Alexanders: Dareios floh und wurde von dem Satrapen Bessos ermordet,[2] die Spartaner mußten – von Antipater an den Bundesrat und von diesem an Alexander verwiesen[3] – Geiseln stellen sowie den lange verweigerten Eintritt in den Korinthischen Bund vollziehen.[4]

Athen hatte sich, pragmatisch gesehen, mit dem Entschluß, „Neutralität" zu wahren, richtig verhalten und durfte nun, wie die Übersendung der von Xerxes geraubten Statuengruppe des Harmodios und Aristogeiton unterstrich,[5] des Wohlwollens des Makedonenkönigs sicher sein.

Bereits im Frühjahr 331 hatte man sich einer antimakedonischen Koalition versagt.[6] Nach Megalopolis und dem Zusammenbruch der Perser mußte selbst einem überzeugten Antimakedonen wie Hypereides eine Alternativentscheidung, d.h. der Versuch eines Aufstandes gegen Alexander, als unmöglich erscheinen.[7]

Im Juni 330 besuchte Rheboulas, der Sohn des Odrysenkönigs Seuthes, Athen.[8] Seine Visite sollte, offenbar in Zusammenhang mit der Vorbereitung eines thraki-

---

[1] s.o. S.76f. Anm.159.

[2] Arr.3.21.10, Curt.5.13.15ff., Diod.17.73.2.

[3] Curt.6.1.20, Diod.17.7.5f., Berve I 233. Dieser von Antipater und Alexander nicht verlangten Geste mag wohl mehr zugrundeliegen als reine Servilität (so Berve a.a.O.). Es scheint, daß man in Griechenland bemüht war, nach dem Agisaufstand einen Schlußstrich unter Vergangenes zu ziehen und dem Makedonenkönig mit diesem Akt uneingeschränkte Loyalität bekunden wollte. Es liegt nahe, daß Alexander gegenüber der in der Spartafrage nach Asien gereisten Delegation mit der Inbrandsetzung des Palastes von Persepolis seinerseits den Willen dokumentierte, der ihm im Bund zukommenden Rolle gerecht zu werden.

[4] Berve I 245.

[5] s.o. S.77 Anm.160.

[6] s.o. S.75ff.

[7] Erst in der Auseinandersetzung um das Verbanntendekret wurde Hypereides wieder aktiv. s.u. S.113ff.

[8] Tod 193 (Hicks/Hill 160, IG II² 349) Z.1ff. Ῥηβούλας Σεύθου: ὑός, Κότυος ἀδελφός, Ἀνγελ[ῆ]θεν]. | Θεο[ί]. | Ἐπὶ Ἀριστοφάνους ἄρχοντος, | ἐπὶ τῆς Κε[κ]ροπίδος δε-

schen Aufstandes gegen die makedonische Herrschaft,⁹ die traditionell guten Beziehungen¹⁰ zu Athen festigen. Rheboulas wurde zwar ehrenvoll empfangen, erhielt jedoch keinerlei Zusagen für eine materielle Unterstützung bzw. direkte Beteiligung Athens am Widerstandskampf gegen die Makedonen.¹¹ Ein außenpolitisches Engagement Athens war ohne oder gar gegen Alexander 330 nicht mehr denkbar.

Das Interesse der Bürger konzentrierte sich nun auf Geschehnisse im Innern: die Prozesse gegen Leokrates und Ktesiphon, das umfangreiche Bauprogramm Lykurgs und die Maßnahmen zur Bekämpfung der durch die Getreidekrise hervorgerufenen Preissteigerungen. Der Prozeß gegen Leokrates datiert aus dem Frühjahr bzw. Sommer 330, wenige Wochen vor dem Kranzprozeß.¹² Leokrates hatte sich unmittelbar nach der Niederlage von Chaironeia, als ein weiterer Vormarsch Philipps befürchtet wurde, mit seiner Familie nach Rhodos geflüchtet.¹³ Nach mehrjährigem Aufenthalt auf der Insel und in Megara war er dann 331 wieder in seine Heimatstadt zurückgekehrt. Offenbar hatte er geglaubt, sieben Jahre nach Chaironeia seine umfangreichen Handelsgeschäfte¹⁴ unbehelligt wieder von Athen aus führen zu können.

Lykurg brachte nun eine εἰσαγγελία προδοσίας¹⁵ gegen ihn ein. 338 hatte er Autolykos wegen eines ähnlichen Deliktes zur Verantwortung gezogen.¹⁶ Damals war es in einem militärisch brisanten Augenblick erforderlich gewesen, die Moral der Bevölkerung zu stärken und einer größeren Fluchtbewegung durch abschreckende Maßnahmen vorzubeugen. Mit der völlig veränderten politischen Situation von 330 muß sich auch Lykurgs Absicht gewandelt haben. Eine gesetzliche Notwendigkeit zur Strafverfolgung bestand nicht.¹⁷ Lykurg bemühte sich, einem Des-

---

κάτης πρυτα‖νείας, Σκ[ιρ]οφοριῶνος δεκάτηι ἱσ[τ]‖αμένου, [ἔκτ]ει καὶ δεκάτει τῆς πρυ[τ]‖ανεία[ς· τῶν] προέδρων ἐπεψή[φι]ζε [Δω]‖ρόθε[ος Ἀλ]αιεύς …

⁹ Zum Aufstand des Seuthes kam es erst im Jahre 326/5 im Zusammenhang mit der Niederlage des Zopyrion gegen die Skythen. Curt. 10.1.45 Qua cognita clade Seuthes Odrysas, populares suos, ad defectionem compulerat. (Datierung der Erhebung nach Curt. 10.1.43 ff. gegen Just. 12.1.4 f.; vgl. K. Ziegler, RE X A, 1972, S. 763 f., Niese I 499 f., Berve II 164. Da Zopyrion erst nach der Abberufung Memnons als Statthalter Thrakiens eingesetzt wurde (Just. 12.2.16), kann seine Niederlage nicht parallel zu den Ereignissen von Megalopolis (Just. 12.1.4 f.) erfolgt sein).

¹⁰ s. dazu Schäfer II 27, 246 f., 446, 504.

¹¹ Vgl. Tod S. 268, Schäfer III 200 Anm. 1, Berve II 346.

¹² Aischin. 3.252, Lykurg. Leokr. 45. Zur Datierung des Kranzprozesses s. u. S. 104 Anm. 27.

¹³ Vgl. Lykurg. Leokr. 14, 18, 21, 55, 70, 121.

¹⁴ Vgl. Lykurg. Leokr. 26.

¹⁵ Lykurg. Leokr. 1, 5, 29, 30, 34, 55, 137. Vgl. Hansen, Eisangelia 108.

¹⁶ Der Athener hatte Frau und Kinder aus der Stadt evakuiert. Vgl. Lykurg. Leokr. 53.

¹⁷ Lykurg. Leokr. 8.

interesse am Staat entgegenzutreten, ein im Gefolge des wirtschaftlichen Auf-
schwunges nur auf private Bereicherung zielendes Streben zu bekämpfen.[18] Ihm
diente der spektakuläre Fall[19] dazu, das Bild „seines" idealen Bürgers zu entwerfen
und so die Ziele seines Reformwerkes zu verdeutlichen. Seine Wunschvorstellung
war der aktive, für das Gemeinwesen engagierte Bürger,[20] dessen Pflichten der
Epheneid auf den kürzesten Nenner brachte. In Leokrates bekämpfte Lykurg
den Mann, der sich in kritischer Stunde dem Einsatz für die Polis versagt hatte, damit zum Verräter an den Athenern und ihren Vorfahren, an den Göttern und den
Heiligtümern geworden war.[21]

Um am Beispiel der πρόγονοι den Kontrast zu Leokrates zu erhellen, geht der
Kläger in einem Maß, wie sonst nur im γένος ἐπιδεικτικόν üblich, auf die historische und mythologische „Vergangenheit" der Stadt zurück.[22] Gleichsam als indi-
rekter Adressat der Rede war die Athener Jugend angesprochen.[23] Im Sinne eines
konservativen Erziehungsideals, das den Epheben zu einem im Geiste der Vorfahren und überkommenen Gebräuche handelnden Bürger formen sollte, wünschte
Lykurg durch die Bestrafung des Leokrates als eines Mannes, der gegen die Verpflichtungen des Epheneides verstoßen hatte,[24] ein Exempel zu statuieren. Tagespolitische Argumente hingegen, etwa in Richtung eines gegen die Makedonen zie-
lenden Autonomiebewußtseins, lassen sich in der Rede nicht finden. Trotz des Plä-
doyers für die Todesstrafe[25] konnte Lykurg in der acht Jahre nach den inkrimini-
erten Ereignissen kaum mehr emotionell gespannten Situation die Hälfte der Richter-
stimmen auf sich vereinigen.[26] Leokrates wurde damit jedoch nach attischem Recht
freigesprochen.

Im August des Jahres, also bereits unter dem Archontat des Aristophon, kam der
über die Grenzen Athens hinaus beachtete Prozeß gegen Ktesiphon, der sog.

---

[18] Vgl. seine Klage gegen Diphilos. Ps.-Plut mor. 843 D.
[19] So Lykurg. Leokr. 14.
[20] Lykurg verwendet dabei den Begriff εὐσέβεια, der bei ihm die Ehrfurcht vor den
Eltern und Vorfahren sowie das Bewahren der heimischen „polisspezifischen" Götter
und die freiwillige Übernahme der ihnen zugedachten kultischen Handlungen impliziert. Vgl. Leokr. 15, 94, 97, 146.
[21] Lykurg. Leokr. 1, 5, 17, 27, 59, 116, 147.
[22] Vgl. u. a. 69ff., 80ff., 83ff., 98ff., 104, 105ff., 108ff. Der Redner stellt dem Verhalten des Leokrates dabei die Tapferkeit und den Opfermut der mythischen Könige Attikas und insbesondere der athenischen Bürgerschaft in den großen Schlachten bei Mara-
thon, Salamis, Plataiai und am Eurymedon gegenüber. Gleichzeitig hebt er so vor seiner
Zuhörerschaft den in Geschichte und Gegenwart gültigen Anspruch der Stadt heraus,
παράδειγμα τοῖς Ἕλλησιν (vgl. 83) zu sein.
[23] s. Leokr. 10,7.
[24] Leokr. 77.
[25] Leokr. 27, 45, 78, 91, 121, 131, 150.
[26] Aischin. 3.252.

Kranzprozeß zustande.²⁷ Mehr als sechs Jahre zuvor, noch zu Lebzeiten Philipps, ²⁸ hatte Ktesiphon den Antrag gestellt, an den Dionysien Demosthenes für seine beständigen Verdienste um die Stadt speziell in seiner Funktion als τειχοποιός im Theater mit der Verleihung des Kranzes zu ehren.²⁹ Dagegen hatte Aischines aus formalrechtlichen und inhaltlichen Gründen Einspruch erhoben.³⁰ Es galt damals, eine demonstrative Würdigung des Demosthenes und seiner Politik zu verhindern, um die seit Beginn des Jahres in realistischer Einschätzung der Situation eingeleitete Politik der Annäherung an Philipp³¹ nicht ernsthaft zu gefährden. Mit der vorläufigen Suspendierung des Antrages hatte er dieses Ziel vollständig erreicht, auch wenn er der Hypomosie bald eine Klage gegen Ktesiphon folgen ließ, ohne daß er juristisch zu einem solch schnellen Schritt verpflichtet war.³² Die Ermordung Philipps und die Ereignisse im Zusammenhang mit der Thronbesteigung Alexanders verhinderten den Prozeß. Sein Zustandekommen nach mehr als sechs Jahren läßt schwerlich auf einen erneuten Vorstoß des Aischines schließen.

In den inzwischen vergangenen Jahren hatte sich die politische Situation in Athen verändert. Der strikte Interessengegensatz von Pro- und Antimakedonen, der das Bild der Jahre unmittelbar nach Chaironeia beherrscht hatte, hatte sich seit der Schlacht von Issos aufgelöst. Aischines war seit 338 nicht mehr politisch hervorgetreten,³³ Demosthenes hatte nach den überzeugenden Erfolgen Alexanders die Annäherung an die Makedonen gesucht.³⁴ Eine Gruppierung, deren Interessen Aischines mit der Neuaufnahme des Verfahrens hätte vertreten können, existierte nicht mehr.³⁵ Zudem hatte der Promakedone einige Gelegenheiten, die Klage erfolgreich zu erneuern, so nach der Zerstörung Thebens bzw. nach Issos, ungenutzt gelas-

---

²⁷ Eine genauere zeitliche Abgrenzung zum Prozeß des Leokrates läßt sich aus der vagen Angabe des Aischines (3.252) nicht gewinnen.

Chronologische Hinweise in der Rede gegen Ktesiphon (s. insbes. 254) sichern das von Plut. Dem. 24.2 und Dion. Hal. Amm. 1 746 gegebene Datum (330/329). Vgl. Wankel 25 ff.

Versuche, die auf die Zeit nach 335 bezogenen Passagen der Aischinesrede als nach dem Prozeß vorgenommene Einschübe zu erklären und die Rede auf einen früheren Zeitpunkt zu datieren (vgl. L. Canfora, Per la cronologia di Demostene, Pubbl. Fac. di Lett. Bari 5, 1968, S. 103 ff.), wurden von Wankel mit Beweisen für die Einheitlichkeit der Rede ausführlich widerlegt. s. Wankel 25 ff., bes. 34 ff.

²⁸ Die Aussetzung des Antrages erfolgte, wie Aischin. 3.219 zu entnehmen ist ἔτι Φιλίππου ζῶντος.

²⁹ Aischin. 3.34, 41, 46, 49, 92, 101, 105, 147, 155 f., 176, 203 f., 236, 246; Demosth. 18. 57, 110, 118 f., 299. Vgl. Ramming 11.

³⁰ Aischin. 3.219.

³¹ Vgl. o. S. 26 ff.

³² Aischin. 3.219; Wankel 14.

³³ Vgl. Ramming 118.   ³⁴ s. o. S. 74.

³⁵ Wenn Demosthenes die politischen Freunde des Aischines in seine Angriffe einschließt, bezieht er sich auf die Situation vor Chaironeia. Vgl. 18.188, 234.

sen.[36] Ein Motiv für Aischines, den Prozeß 330 ins Rollen zu bringen, ist nicht ersichtlich.[37] Der Initiator der gerichtlichen Auseinandersetzung muß Ktesiphon bzw. Demosthenes gewesen sein.[38]

Angesichts der von Alexander nach der Zerstörung Thebens kontinuierlich bewiesenen Bevorzugung Athens hatte Demosthenes als Repräsentant einer antimakedonischen Politik seinen Einfluß verloren. Lykurg und Demades bestimmten an führender Stelle die Geschicke der Stadt. Um seine politische Rückkehr vorzubereiten, hatte Demosthenes daher bereits seit 332 seine radikale Gegnerschaft zu den Makedonen aufgegeben und Kontakte zu Alexander geknüpft. Durch die Wiederaufnahme des Prozesses um die Verleihung des Kranzes konnte er sich 330 erneut in den Mittelpunkt stellen und in bewußter Bejahung seiner Politik vor Chaironeia Ansehen zurückgewinnen. Sein Einsatz für die Belange der Stadt in den folgenden Jahren[39] verdeutlicht, daß er nun mit den Zielen und dem Programm Lykurgs konform ging. Mit dem Prozeß bezweckte Demosthenes sicherlich keine Abstimmung gegen Alexander. Im August 330 war die makedonische Herrschaft endgültig gefestigt, das Verhältnis zwischen Alexander und Athen ungetrübt, wie einerseits das Verhalten der Stadt im Agiskrieg, andererseits die Entlassung der gefangenen attischen Söldner, die Übersendung der von Xerxes geraubten Statue der Tyrannenmörder und später, Anfang der zwanziger Jahre, die umfangreichen Getreidelieferungen des Königs[40] beweisen. Wie Demosthenes bereits 331 passiv geblieben war, als in Sparta mit seiner Hilfe gerechnet wurde, so verzichtete er, obwohl von Aischines geradezu provoziert,[41] auch jetzt auf jede Invektive gegen den Makedonenkö-

---

[36] Die Erklärungsversuche für die Verschiebung der Klage durch Aischines befriedigen nicht. Vgl. Wankel 20 ff.

[37] Rein persönliche Gründe waren für die Erneuerung einer politisch so gravierenden Klage kaum ausreichend, zumal die direkte Konfrontation der beiden Gegner lange zurücklag.

[38] Eine juristische Möglichkeit dazu bestand. Wankel 21. Nach Wankel 21 ff., Cawkwell, The Crowning 167 und Ramming 120 wurde die Klage gegen Ktesiphon von Aischines erneuert. Warum Aischines die Stellung des Demosthenes gerade 330 für besonders verwundbar halten mußte, bleibt allerdings in Wankels Darstellung der politischen Entwicklung zwischen 335 und 330 unklar. Eine Verurteilung der antimakedonischen Politik des Demosthenes, so Ramming 120, kann Aischines nicht beabsichtigt haben. In seinen Ausführungen zum Verhalten des Demosthenes nach 335 macht er seinem Kontrahenten im Gegenteil mangelndes Engagement gegen Alexander zum Vorwurf (Aischin. 3.162 ff.)
Gegen Cawkwell, der in Demosth. 18.308 den Beweis für seine These sieht, bereits Wankel 21 Anm. 39 und 1299 f. Der fragliche Passus ist so allgemein gehalten, daß er sich auf jegliches Ereignis zwischen 346 und 330 beziehen ließe.

[39] s. u. S. 107 f. Anm. 53 u. S. 108.

[40] s. im folgenden.

[41] Im Hauptteil seiner Rede, in dem er sich mit der Politik des Demosthenes seit dem Frieden des Philokrates auseinandersetzt (54–167), wirft er, in offensichtlichem Wider-

nig[42] und vermied, soweit möglich, jede Nennung seines Namens. Er beschränkte sich auf die Verteidigung der von ihm entscheidend geprägten Politik bis Chaironeia,[43] mit der sich, da sie von der überwältigenden Mehrheit der Athener getragen worden war, auch jetzt noch Richter und Publikum identifizieren konnten. Das Scheitern seiner Politik bemäntelte er mit dem Schlagwort von der prinzipiellen Notwendigkeit des Freiheitskampfes.[44]

Seine Argumentation fand die Zustimmung der Richter, da man in Athen auch nach acht Jahren nicht gewillt war, die Sinnlosigkeit der Opfer einzugestehen, obwohl man sich mittlerweile mit den neuen Machtverhältnissen arrangiert hatte. Aischines erhielt nicht einmal ein Fünftel der Stimmen[45] und hatte somit die gesetzlich verankerte Strafe von 1 000 Drachmen zu bezahlen. Er verließ Athen;[46] Demosthenes war in der Folgezeit als σιτώνης tätig, konnte aber erst im Zusammenhang mit dem Verbanntendiagramm im Jahre 324 an seinen früheren Einfluß anknüpfen.[47] Eine Belastung der attisch-makedonischen Beziehungen brachten Prozeß und Urteil nicht mit sich.[48]

---

spruch zu den vorhergehenden Punkten seinem Kontrahenten vor, nach Chaironeia nicht nur alle Möglichkeiten zum Kampf gegen Alexander ausgelassen, sondern sogar dessen Freundschaft gesucht zu haben (159–167).

Demosthenes übergeht dies mit Schweigen, obwohl er eingangs betont, auf alle inhaltlichen Argumente antworten zu wollen (18.56). Vgl. Cawkwell, The Crowning 166.

[42] Vgl. 18.51 f., 270, 296 f. Keiner dieser Passus enthält auch nur die Andeutung eines Angriffes auf den König.

Lediglich aus zwei Wendungen ist Polemik gegen die augenblicklichen Verhältnisse herauslesbar: § 89 bemängelt Demosthenes, um die Erfolge seiner Politik vor Chaironeia herauszustellen, vergleichend die augenblickliche wirtschaftliche (nicht politische) Situation und § 324 wünscht er von den Göttern innerhalb eines Gebetes mit durchaus formelhaftem Charakter den Bürgern τὴν ταχίστην ἀπαλλαγὴν τῶν ἐπηρτημένων φόβων . . . καὶ σωτηρίαν ἀσφαλῆ. Hieraus eine antimakedonische Tendenz der Gesamtrede und eine Manifestation gegen Alexander abzuleiten (s. K. Rosen, Der ‚göttliche' Alexander, Athen und Samos (cit. Rosen), Hist. 27, 1978, S. 30), ist nur aus einer Sicht möglich, die den Wandel des Redners nach 333 ignoriert und, im Gefolge antiker Einschätzung, am Glauben an seinen kontinuierlichen Widerstandskampf gegen die Herrschaft der Makedonen festhält. (Zu dieser tendenziösen Interpretation der Rede vgl. als Beispiel die Übersetzung des § 41, in dem Demosthenes mit vorsichtigen Worten auf das immer noch brisante Thema der Zerstörung Thebens durch Alexander zu sprechen kommt (. . . ἐγὼ δὲ χαίρω, ὃς εὐθὺς ἐξῃτούμην ὑπὸ τοῦ ταῦτα πράξαντος): „I, who was at once claimed as a victim by the perpetrator of those wrongs . . .“ (J. H. Vince, Demosthenes II. De Corona XVIII. De Falsa Legatione XIX, London 1963); „. . . ich, dessen Auslieferung der Mann sofort verlangt hat, der jenes Übel auf dem Gewissen hat“ (W. Waldvogel, Demosthenes. Rede über den Kranz, Stuttgart 1968).

[43] 18.60 ff., 160 ff.

[44] Demosth. 18.66 ff.

[45] Plut. Dem. 24.2.

[46] Ramming 121 f.   [47] s. u. S. 113 ff.

[48] Nach 330 bemühte sich Alexander in besonderer Weise um die Versorgung Athens mit Getreide, s. u. S. 110.

2. Die σιτοδεία und der weitere Ausbau der athenischen Handelsbeziehungen

Bereits zur Zeit dieses Prozesses waren in Griechenland die Auswirkungen einer Getreideknappheit spürbar,[49] die ihren Höhepunkt in den Jahren 328 bis 326 erreichen sollte. Athen als volkreichste mutterländische Polis und als Hauptimporteur von Getreide war besonders betroffen. Nur ein Viertel bis ein Drittel des Bedarfs wurde auf attischem Territorium angebaut.[50] Haupthandelspartner war das Bosporanische Reich.[51] Die traditionell guten Beziehungen zwischen Athen und den Spartokiden[52] verschlechterten sich jedoch offenbar nach der Übernahme der alleinigen Regierung durch Pairisades I. im Jahre 344/3.[53] So traten Ende der vierziger

---

[49] Demosth. 18.89. Demosthenes benützt die augenblicklichen Versorgungsschwierigkeiten als Argument für die Richtigkeit seiner Politik vor Chaironeia: ὁ γὰρ τότ᾽ ἐνστὰς πόλεμος ἄνευ τοῦ καλὴν δόξαν ἐνεγκεῖν ἐν πᾶσι τοῖς κατὰ τὸν βίον ἀφθο-νωτέροις καὶ εὐωνοτέροις διῆγεν ὑμᾶς τῆς νῦν εἰρήνης, ... s. o. S. 106 Anm. 42.

Zahlreich sind die epigraphischen Zeugnisse für die σιτοδεία (σπανοσιτία): Tod 196, Z. 2, IG II² 360 (Syll.³ 304), Z. 8 f., 400, Z. 6 ff., 407, Z. 4 ff., 408, Z. 8 ff., 409, Z. 8 ff., 1628, Z. 37 ff.; vgl. Ps.-Demosth. 34.39; Demosth. 42, 20 und 31.

Literatur zur σιτοδεία und den handelspolitischen Maßnahmen Athens bei Heichelheim 836 ff., Wankel 491 f.

[50] Aus Demosth. 20.32 wurde eine Produktion von ca. 400 000 Medimnen jährlich für die 50er Jahre erschlossen. Vgl. Andreades 255 f., Anm. 7, Heichelheim 836 (400 000–700 000), A. Jardé, Les céréales dans l'antiquité grecque. I. La production, Paris 1925, S. 140.

Im Krisenjahr 329 belief sich die Ernte nach der eleusinischen Inschrift IG II² 1672 (Z. 263 ff.) auf ebenfalls ca. 400 000 Medimnen, davon lediglich ein Zehntel Weizen (vgl. Heichelheim 846).

Die Einfuhrzahlen schwanken: die bei Demosth. 20.32 angegebenen 800 000 Medimnen (davon 400 000 aus dem Pontos) wurden des öfteren in Zweifel gezogen, jedoch nicht durch realistische Zahlen ersetzt. (Vgl. A. Kocevalov, Die Einfuhr von Getreide nach Athen, RhM 81, 1932, S. 321–323: je 400 000 aus Pantikapaion und Theodosia, 800 000 aus außerbosporanischen Häfen; weitere Literatur bei Heichelheim a. a. O.).

[51] s. V. F. Gajdukevič, Das Bosporanische Reich, Berlin 1971, S. 102 f.; vgl. Anm. 50.

[52] Unter Leukon erhielten die nach Athen segelnden Schiffe Zollfreiheit und das Recht, die Ware bevorzugt zu laden (Demosth. 20.31; vgl. Bengtson, Staatsverträge II 306). Den Austausch von Privilegien und Ehrungen bestätigt Syll.³ 206 (IG II² 212) aus dem Jahre 347/6 (vgl. Ziebarth 64 ff., Brandis, RE III, 1899, S. 759). Auch Leukons Vorgänger Satyros I. hatte Athen bevorzugte Behandlung zugestanden. Syll.³ 206 Z. 20 ff.; s. S. M. Burstein, IG II² 653, Demosthenes and Athenian Relations with Bosporus in the Fourth Century B. C. (cit. Burstein), Hist. 27, 1978, S. 428.

[53] s. Burstein 430 ff. Dem Anwachsen des athenischen Getreidebedarfs vor allem in den dreißiger Jahren steht eine Abnahme des Exports in den Bosporus in der zweiten Hälfte des 4. Jahrhunderts entgegen. (Burstein 432).

Ps.-Demosth. 34.36 bestätigt, daß das von Leukon I. gewährte Privileg der Zollfreiheit erst im Jahre 327 erneuert wurde (zur Datierung der Rede 34 Blass III.1 578). Die Wiederherstellung der guten Beziehungen zwischen den Spartokiden und Athen und der

Jahre respektive bei Beginn der Getreidekrise auch andere Exportländer in den Blickpunkt. Athenische Schiffe liefen Ägypten[54] und Häfen im Westen, speziell Syrakus[55] an. Mit der Ausweitung und intensiveren Nutzung der Handelswege wuchs auch die Gefährdung der Schiffahrt durch Piraten.[56] Zur Getreideknappheit trat damit ein weiteres Moment der Preissteigerung: die Unsicherheit des Transportes. Die Preise für Getreide kletterten im Vergleich zu den vierziger Jahren[57] bis auf das Dreifache. Für Weizen wurden sechzehn, für Gerste achtzehn Drachmen pro Scheffel (μέδιμνος) bezahlt.[58] Sogar Tagespreise von 32 Drachmen wurden erreicht.[59]

Um die wachsende Belastung für den Staatshaushalt abzufangen, wurde ein Getreidefonds gegründet. Er ist Indiz dafür, daß die Preise nicht nur enormen Schwankungen ausgesetzt waren, sondern konstant hoch blieben. Verwalter der σιτωνία wurde Demosthenes,[60] der sich damit, wenn auch nicht an exponierter Stelle, wieder in das innenpolitische Leben seiner Vaterstadt einschalten konnte.

Wie in den Jahren nach Chaironeia für den Mauer- und Befestigungsbau, so wurde es jetzt Prestigeangelegenheit für die Getreidekasse zu spenden. Offenbar stieß Lykurgs Appell an die Opferbereitschaft und das Engagement seiner Mitbürger auch in dieser Frage auf Widerhall. Demosthenes selbst stellte ein Talent zur

---

Abschluß einer ἐπιμαχία in den frühen zwanziger Jahren war, so Burstein 435 f., ein Erfolg der diplomatischen Tätigkeit des Demosthenes.

[54] Dies ist der Rede 50 des Corpus Demosthenicum zu entnehmen. s. Heichelheim 836, J. Seibert, Untersuchungen zur Geschichte Ptolemaios I. (cit. Seibert, Ptolemaios I.), München 1969, S. 44 ff. Zur Politik des Kleomenes s. u. S. 109 f.

[55] Vgl. Demosth. Rede 32. Gegenstand eines zwischen dem Athener Demon und dem Massalioten Zenothemis geführten Streites, zu dem diese Paragraphe des Atheners zählte, ist eine Ladung Getreide aus der sizilischen Stadt. (Die Rede fällt in die Regierungszeit Alexanders; s. Schäfer IV 296).

Ergänzt werden die literarischen Hinweise durch eine 1970 gefundene und 1974 von John Mck. Camp II publizierte Inschrift (Proxenia for Sopatros of Akragas (cit. Mck. Camp II), Hesperia 43, 1974 S. 322 f. Vermutlich während seiner dritten Amtsperiode (vgl. Mck. Camp II a. a. O.) beantragte Lykurg (Z. 1 f.) die Proxenie für Sopatros aus Akragas, weil er Getreide nach Athen gebracht hatte (Z. 5 ff.). ἐπειδὴ Σώπατρος Φιλιστ[ίω]νος Ἀκραγαντῖνος ἐνδεί[κν]|υται τὴν εὔνοιαν ἣν ἔχει π[ρ|ὸ]ς Ἀθην[αί]ους ἐπιμελούμε[ν|ος], καὶ π[ρ]άττων ὅπως ἂν ὡς ἄ | [φ|θο]νώτα[τ]ος Ἀθ|ήναζε κομίζη|ται σῖτ[ο]ς ἐπαινέσαι αὐτὸν …

[56] Vgl. dazu Tod Nr. 200; Ziebarth 18 f.

Bereits 332/1 setzte Alexander einen Teil seiner Flotte zur Bekämpfung von Seeräubern ein. Curt. 4.8.15, Ziebarth a. a. O.; zu Strab. 5.3.5 s. u. S. 113 Anm. 92.

[57] Eine Statistik der Preise im 4. Jahrhundert bei Heichelheim 887 f. Zur Entwicklung der Löhne s. Zimmermann 98 ff.

[58] Ps.-Demosth. 34.39 bzw. 40.20.

[59] Ps.-Aristot. Oecon. II 33.4 (p. 1352 b 14–20) s. dazu Seibert, Ptolemaios I 47 f., der Kleomenes' Maßnahmen wohl zu günstig beurteilt.

[60] Ps.-Plut. mor. 845 F. σιτώνης δὲ γενόμενος

Verfügung;[61] in der Rede gegen Phormion aus dem Corpus Demosthenicum rühmen sich ein gewisser Chrysippos und sein Bruder, ebenfalls ein Talent für den Getreideeinkauf gespendet zu haben;[62] Herakleides aus Salamis auf Kypros wurde der goldene Kranz verliehen, weil er u. a. 3000 Drachmen εἰς σιτωνίαν ἐπέδωκε.[63]

Die Ehrungen für Getreidetransporte nach Athen häuften sich in dieser Zeit. Offenbar förderte die Getreidenot die Solidarität und – ganz im Sinne Lykurgs – das Engagement für den Staat. Bereits für geringere Lieferungen wurden Auszeichnungen beschlossen. Ca. 332/331 erhielten zwei Tyrier, Vater und Sohn, die Würde des Proxenos u. a. für das Versprechen εἰς τὸν λοιπὸν σιτηγήσειν ᾿Αθήναζε,[64] um 330 wurden Kaufleute für ihre Getreideeinfuhren aus dem Pontosgebiet,[65] aus Kyrene respektive Sinope[66] sowie aus Samos[67] und Sizilien[68] belobigt. Verdienste um die Handelskontakte nach Kypros zwischen 330 und 326 werden in der oben zitierten Inschrift IG II² 360[69] sowie dem Dekret IG II² 407[70] gewürdigt.

Mit dem durch die σιτοδεία erzwungenen Ausbau der wirtschaftlichen Verbindungen intensivierten sich auch die Beziehungen Athens zu anderen Ländern des Imperiums Alexanders. Enorme finanzielle Belastungen führte dabei die Politik des Kleomenes von Naukratis herbei. Von Alexander u. a. zur Verwaltung Ägyptens eingesetzt, kontrollierte er bald die Ausfuhr dieses wichtigen Getreideproduzenten und trug durch die Schaffung eines Monopols, der Möglichkeit zur Beschränkung oder zum völligen Stopp der Ausfuhr, nicht unwesentlich zur Verteuerung des ohnehin knappen Korns bei.[71] Mit Hilfe von Agenten in den griechischen Häfen

---

[61] Ps.-Plut. mor. 851 B.

[62] Ps.-Demosth. 34.39. Mit der Erwähnung dieser Leistungen für das Gemeinwohl erhoffen die Kläger die Sympathie des Gerichts.

[63] IG II² 360 (Syll.³ 304), Z. 12.

[64] IG II² 342, Z. 3 f.

[65] IG II² 408, Z. 6 f. Das Herkunftsland des σῖτος ist umstritten, die Ergänzung Σικελικῶν in Z. 12 nicht zu begründen. Vgl. Heichelheim 849, Ziebarth 70 und 131.

[66] IG II² 409. Der Ergänzung Sinope im Corpus fügt Ziebarth 132, Inschrift Z. 9 die Möglichkeit Kyrene hinzu.

[67] IG II² 416. Der Geehrte, der Koer Praxiades, exportierte nicht selbst, sondern verschaffte Schiffen, die ihre Ladung in Samos gelöscht hatten, Kornfrachten für die Rückfahrt.

[68] s. Mck. Camp II 322 f.

[69] Z. 9 ff.; s. o. Anm. 63.

[70] Z. 4 ff. Die Zusicherung, die Handelsbeziehungen fortzusetzen, ist im Vertrag enthalten.

[71] Vgl. K. Riezler. Über Finanzen und Monopole im alten Griechenland. Zur Theorie und Geschichte der antiken Stadtwirtschaft, Berlin 1907, S. 33 und 53. Zu Kleomenes vgl. Berve II 210 f., B. A. van Groningen, De Cleomene Naucratita, Mnemosyne 53, 1925, S. 101 ff. Nach Seibert, Ptolemaios I 43 ff. usurpierte Kleomenes die Stellung eines Satrapen nicht (anders u. a. Niese I 196, Berve a. a. O., Bengtson, Strategie III 14, Tarn 604 f.), sondern wurde von Alexander in dieses Amt eingesetzt. Da eine offizielle Ernen-

vermochte er sich einen Überblick über die Preisentwicklung zu verschaffen und ließ dann nur an Märkte liefern, auf denen Getreide teuer gehandelt wurde.[72] Athen war der Hauptleidtragende solcher Manipulationen,[73] fand aber Entschädigung in Getreidelieferungen Alexanders[74] sowie aus Kyrene[75] und vor allem in Spenden des Harpalos, den der Makedonenkönig als τῶν ἐν Βαβυλῶνι θησαυρῶν καὶ τῶν προσόδων τὴν φυλακὴν πεπιστευμένος[76] eingesetzt hatte. Auf Vermittlung der Hetaire Glykera, die er an seinen Hof hatte kommen lassen, sandte er den Athenern zahlreiche Getreidefrachten[77] und wurde schließlich mit der Verleihung des Bürgerrechts für die Spenden geehrt.[78]

---

nung Kleomenes' in den Quellen nicht überliefert ist, muß jede These Spekulation bleiben. (Die von J. Vogt, Kleomenes von Naukratis – Herr von Ägypten, Chiron I, 1971, S. 153 ff. und Seibert, Nochmals zu Kleomenes von Naukratis, Chiron II, 1972, S. 99 ff. geführte diesbezügliche Diskussion geht allzusehr ins Polemische. Eine Würdigung der Arbeit Seiberts gibt G. Wirth, Bibliotheca Orientalis 30, 1973, S. 407 ff., zum Kleomenesproblem 413 ff.). Mit Seibert (Ptolemaios I 43 f. bzw. Chiron II 101) ist m. E. anzunehmen, daß Alexander die gewaltsame Aneignung des Satrapentitels nicht hingenommen hätte. Die Kompromißlosigkeit, mit der er nach seiner Rückkehr aus Indien Mißstände in der Verwaltung beseitigte, läßt vermuten, daß er sich von möglichen Schwierigkeiten (vgl. Vogt 156) nicht hätte abschrecken lassen.

[72] Die Methode des Kleomenes und seiner Beauftragten wird anschaulich in der Rede 56 des Corpus Demosthenicum (7 ff.) geschildert. In seinem Bemühen um ein positives Kleomenesbild wertet Seibert a. a. O. 45 f. diese Stelle als Verleumdung des ägyptischen Satrapen. Die umfangreichen Einnahmen, die Kleomenes benötigte, um Alexandria auszubauen (Ps.-Aristot. Oecon. II 33.3 p. 1352 a 29 ff.; Just. 13.4.11), Söldner anzuwerben (vgl. Ps.-Aristot. Oecon. II 39 p. 1353 b 1 ff.) und sich einen Privatschatz zu sammeln (nach Diod. 18.14.1 8 000 Talente), lassen in Verbindung mit den bei Alexander eingegangenen Beschwerden (vgl. Arr. 7.23.6) dubiose Zoll- und Finanzmachenschaften des ägyptischen Oberfinanzdirektors als sicher erscheinen.

[73] Vgl. die o. cit. Rede gegen Dionysodoros.

[74] Dies geht aus einem Fragment des Satyrspiels „Agen" hervor, da die Titelfigur, nach B. Snell, Szenen aus griechischen Dramen (cit. Snell), Berlin 1971, S. 109 mit Alexander identifiziert werden kann: καὶ μὴν ἀκούω μυριάδας τὸν Ἅρπαλον | αὐτοῖσι τῶν Ἀγῆνος οὐκ | ἐλάσσονας σίτου διαπέμψαι καὶ πολίτην γεγονέναι (Python TrGF 91 frg. 1 (Athen. 596 Af.)).

[75] Tod Nr. 196. Von den insgesamt 43 belieferten Städten und Ländern erhielt Athen mit 100 000 Medimnen (Z. 5) den weitaus größten Anteil, nahezu ein Achtel des kyrenischen Exportes.

331 hatte Kyrene mit Alexander auf eigene Initiative hin einen Freundschaftsvertrag geschlossen (Diod. 17.49.2, Curt. 4.7.9). Die Getreidesendungen des afrikanischen Landes gingen mit Ausnahme Spartas und Aitoliens an alle bedeutenden griechischen Staaten. Es liegt nahe, daß diese Schenkungen von Alexander veranlaßt und vermutlich auch finanziert wurden, Sparta und Aitolien aber wegen ihrer führenden Rolle beim Aufstand von 331 ausgeschlossen blieben.

[76] Diod. 17.108.9. Zu Harpalos vgl. Berve II 75 ff.; zu seiner späteren Rolle in Athen s. u. S. 113 ff.

[77] Diod. 17.108.6; Python TrGF 91 frg. 1 (Athen. 596 Af.) Mit dem ungefähr gleichzeitigen Auftrag für ein aufwendiges Grabmal (nach Theopomp FGH 115 frg. 253) ko-

Zweifellos war die große Getreideknappheit nicht Ausdruck einer tiefen gesamt-ökonomischen Krise der griechischen Welt, sondern, so Rostovtzeff, nur kurzlebi-ges „Vermächtnis der Vergangenheit".[79] Alexanders Vorstoß nach Asien hatte neue Handelswege erschlossen und gesichert, Beutegeld aus eroberten Gebieten strömte nach Griechenland, in Athen wurden weiterhin große öffentliche Bauten projek-tiert und errichtet.[80] Trotzdem band die Notwendigkeit, die Versorgung der Bevöl-kerung zu sichern, alle Kräfte der Stadt. Außen- wie innenpolitisch war man, auch aus psychologischen Gründen, auf das Problem der Getreideversorgung konzen-triert.[81] Athen war mithin weder willens noch fähig, auf Autarkie gerichtete Ziele zu verfolgen. Im Gegenteil, zum weiteren Ausbau der Handelsbeziehungen mußte man sich auch in Zukunft mit Alexander arrangieren. Da der Ärger über den Wu-cher des Kleomenes nicht auf den König übertragen,[82] der finanzielle Schaden zum Teil überdies durch die Getreidespenden des Harpalos kompensiert wurde, stand einer Fortsetzung der guten Beziehungen aus Athener Sicht nichts im Wege.[83]

---

stete es zusammen mit einem kleinen Denkmal in Babylon 200 Talente) für Glykeras Vorgängerin Phythionike muß Harpalos in der kritischen Situation von 326/5 zusätz-lich zur Förderung der Athener Wirtschaft beigetragen haben (vgl. Dikaiarchos FHG II S. 266 f., frg. 72, Paus. 1.37.5, Plut. Phok. 22.1 f.; Berve II 77).

[78] s. o. Anm. 77. Ungeachtet dieser Ehrung für Harpalos war der Initiator der Spenden wohl Alexander. Umfangreiche Getreidelieferungen an griechische Städte waren ohne Absprache mit dem Makedonenkönig kaum denkbar. Das von Diodor Harpalos unter-stellte Motiv ist unschwer als vaticinium ex eventu zu erkennen. Diod. a. a. O. εἰς δὲ τὰ παράλογα τῆς τύχης καταφυγὰς ποριζόμενος εὐεργέτει τὸν τῶν Ἀθηναίων δῆμον.

[79] Rostovtzeff III 1081 (Anm. 29 zu Kap. II). Pekáry 45 schränkt die Behauptung mit Hinweis auf die Preissteigerungen ein: Aufgrund der Verteuerung der wichtigsten Nah-rungsmittel profitierten nur die begüterten Schichten von der Ausweitung der Handels-möglichkeiten.

[80] Vgl. o. S. 79 ff.

[81] Epigraphische und literarische Nachrichten aus den Jahren 330 bis 326 beziehen sich ausschließlich auf das Problem der Getreideversorgung (vgl. Schäfer III 293 ff.).

[82] Die betroffenen Griechen, unter ihnen sicherlich auch die Athener, führten bei Alexander Beschwerde (Arr. 7.23.6). Zu den Maßnahmen Alexanders vgl. u. S. 112 Anm. 84.

[83] Bezeichnend hier Tod Nr. 199 (IG II² 356). Der nur fragmentarisch erhaltenen In-schrift zufolge wurde auf dem Höhepunkt der Krise ein Memnon (zur Diskussion um die Person des Geehrten ausführlich Berve II 253 f., Tod 282 f.) mit der Verleihung des Kranzes geehrt. Seine Leistungen sind nicht überliefert, jedoch am Schluß der Inschrift die Verdienste seiner Vorfahren Pharnabazos und Artabazos aufgezählt (Z. 24 ff.; der Behauptung, es seien nur diese genannten Verdienste der πρόγονοι gewürdigt worden, der Geehrte noch ein Kind (s. Berve II 253 f.), hat bereits Badian, Agis III S. 180 Anm. 3 widersprochen. Die nach dem ἐπειδὴ Μέμνων (Z. 12) fehlenden Zeilen können nur die Begründung des Psephismas enthalten haben. Vgl. Tod Nr. 149 (IG II² 237) Z. 10 f.: bei der Verleihung der Proxenie an die Akarnanen Phormion und Karphinas (Z. 6 ff.; s. o. S. 45) wird auch die εὔνοια ihrer Ahnen gegenüber Athen erwähnt).

Nahezu einhellig wurde diese Nennung des Artabazos (Z. 27), in dem man (unabhän-

Im Einverständnis mit Alexander, der gegen seinen ägyptischen Satrapen nicht vorgehen wollte,[84] plante man, wohl zur Entlastung der Getreideversorgung, neue Handelsverbindungen zu schaffen, respektive bereits vorhandene zu sichern. Offizielles Ziel war, wie einem Psephisma aus dem Jahr 325/4 zu entnehmen ist,[85] die Gründung eines ναύσταθμος, um den Getreidetransport vor Übergriffen der Tyrrhener zu schützen und für Barbaren und Hellenen die Sicherheit des Meeres zu garantieren.[86] Zu diesem Zweck sollte bis Anfang Mai 324[87] eine Anzahl von Trieren, Tetreren und Dreißigruderern sowie die entsprechende Ausrüstung bereitgestellt[88] und der Verantwortlichkeit des Lakiaden Miltiades unterstellt werden.[89]

Über die genaue geographische Lage der Kolonie,[90] den Erfolg der Mission sowie das weitere Schicksal der Neugründung sind keine Nachrichten mehr erhalten. Dennoch offenbart sich in dieser großangelegten Expedition[91] nach Westen der

---

gig von der Identität Memnons) den persischen Würdenträger gleichen Namens zu erkennen glaubte, als antimakedonische Geste gewertet (vgl. neuerdings Rosen 30). Als solche wäre sie sicherlich zu verstehen gewesen, wäre die Inschrift in die Zeit vor 330 zu datieren. Anders die Situation von 327: Artabazos hatte sich nach der Ermordung des Dareios Alexander ergeben, war von diesem in Ehren aufgenommen und mit der Verwaltung Baktriens sowie der Durchführung singulärer militärischer Aktionen betraut worden. Noch 327 erhielt er nach seiner Abdankung als Satrap im Alter von über 60 Jahren Aufgaben (s. mit Quellenangaben Berve II 83 f.), war also ein Symbol der gelungenen Integrationspolitik des Königs: Der Hinweis auf Artabazos war nicht als Affront gegen Alexander, sondern im Gegenteil als indirekte Anerkennung seines politischen Konzeptes zu verstehen.

[84] Kleomenes gewährleistete trotz seiner Übergriffe die für Alexander notwendigen Einkünfte aus der reichen ägyptischen Provinz. s. Schachermeyr 479, Berve II 211, Lauffer 167.

Seinen „Generalpardon" – zu dem ihn möglicherweise auch persönliche Beziehungen zu Kleomenes bewogen (vgl. Athen. 393 C) – machte Alexander vom Bau zweier kostspieliger ἡρῷα für Hephaistion in Alexandria abhängig. (Arr. 7.23.6 ff.).

[85] IG II² 1629 (Ausschnitt bei Tod Nr. 200). Die traditio curatorum navalium und somit vermutlich auch das Dekret ist ins Jahr des Archon Antikles zu datieren. Tod S. 288. Aus Z. 170 ff. [Κηφισ]οφῶν Λυσιφῶντος | [Χολα]ργεὺς εἶπεν· ἀγα|[θῆι τύ]χηι τοῦ δήμου τοῦ | [Ἀ[θην]αίων, ὅπως ἂν τὴν | [ταχίσ]την πράττηται ‖ [τὰ δεδ]ογμένα τῶι δήμωι | [περὶ] τῆς εἰς τὸν Ἀδρίαν | [ἀποι]κίας, ἐψηφίσθαι τῶι | [δήμ]ωι … το]ὺς δὲ τριηράρχους | [τοὺς κα]θεστηκότας παρα‖[κομίζει]ν τὰς ναῦς ἐπὶ τὸ | [χῶμα ἐ]ν τῶι Μουνιχιῶνι | [μηνὶ π]ρὸ τῆς δεκάτης | [ἱσταμέ]νου καὶ παρέχειν‖[παρεσ]κευασμένας εἰς ‖ [πλοῦν] ist zu schließen, daß die Flotte im Frühsommer 324 abfuhr.

[86] Z. 217 ff.; vgl. Ziebarth 18 f.; zum Problem der Seeräuberei s. o. passim.

[87] Z. 185 f.

[88] Z. 165 ff. Nach Casson 126 wollte man mit der Verwendung von Tetreren auch dem drohenden Mangel an ausgebildeten Ruderern begegnen.

[89] Vgl. Z. 158 ff. Zur Person des Miltiades s. Davies 309, Schäfer III 300.

[90] U. Köhler CIA II 809 a denkt an die Stadt Adria: „Coloniam in urbem ad ora Padi sitam deductam esse puto".

[91] Die Rede περὶ τῆς φυλακῆς τῶν Τυρρηνῶν des Hypereides und der Tyrrhenikos Deinarchs spiegeln das Interesse wider, das das Unternehmen in Athen fand (vgl. Zie-

Wille der Stadt, ihren Machtbereich in Kooperation mit Alexander[92] auszubauen und zu sichern, und nichts beweist mehr diesen Wunsch als die Verwirrung und Ratlosigkeit, die wenig später das Verbanntendekret des Königs auslöste, durch das solche Pläne, wenn nicht zunichte gemacht, so doch wesentlich eingeschränkt wurden.

3. Harpalos und das Verbanntendekret: die Krise von 324/3

Ausschlaggebend für die politische Krise der Jahre 324/3 war die zeitliche Koinzidenz des Diagrammas über die Verbannten und der Flucht des Schatzmeisters Harpalos aus Babylon nach Athen.[93] Verstärkt wurde sie durch den Umstand, daß Lykurg als ὁ ἐπὶ τῇ διοικήσει bereits 326 demissioniert hatte.[94] Sein Nachfolger Menesaichmos scheint zwar das bisherige Programm nicht korrigiert, zumindest die auf dem Bausektor begonnenen Maßnahmen weitergeführt zu haben,[95] doch verfügte er nicht über eine entsprechende Autorität[96] und blieb in den Kontroversen, die die zweite Hälfte seiner Amtszeit bestimmten, konturlos.[97]

---

barth 19). Von den Reden (Hyp. 8 und Dein. 6 (Burtt) sind jedoch nur die Titel überliefert.

[92] Strab. 5.3.5 (καὶ πρότερον δὲ ναῦς ἐκέκτηντο (erg. Antiates) καὶ ἐκοινώνουν τῶν λῃστηρίων τοῖς Τυρρηνοῖς, καίπερ ἤδη ῾Ρωμαίοις ὑπακούοντες. διόπερ καὶ ᾽Αλέξανδρος πρότερον ἐγκαλῶν ἐπέστειλε, καὶ Δημήτριος ὕστερον, τοὺς ἁλόντας τῶν λῃστῶν ἀναπέμπων τοῖς ῾Ρωμαίοις, ...) läßt vermuten, daß Alexander Maßnahmen gegen die thyrrhenischen Seeräuber plante. Möglicherweise reagierte Athen mit der Anlage eines ναύσταθμος bereits auf Eroberungspläne Alexanders im westlichen Mittelmeerraum (vgl. dazu Diod. 18.4.4, Plut. Alex. 88.1, Curt. 10.1.17 ff., Arr. 7.1.2 f.; Schachermeyr 551 ff., Wirth 107 ff., mit weiterer Literatur Hamilton, Plutarch 187 ff., Lauffer 194). Zu den möglichen Kontakten zwischen Alexander und Rom s. Kleitarch FGH 137 frg. 31, Arr. 7.15.5 (Aristos und Asklepiades), Memnon FGH 434 frg. 18; dazu L. Braccesi, Alessandro e i Romani, Bologna 1975, S. 47 ff.

[93] Zur Chronologie s. u. S. 115 ff.

[94] Über die Gründe, die den Redner mit Ablauf der 3. Penteteris zum Rücktritt bewogen, ist nichts bekannt. Es läßt sich jedoch vermuten, daß sie nicht politischer Natur waren.
326 war Lykurg bereits an die 65 Jahre alt (s. Berve II 238). Zur Rechenschaft über seine Amtszeit, zu der ihn die Anklagen vor allem des Menesaichmos zwangen, mußte er, da bereits schwer erkrankt, ins Bouleuterion getragen werden (Ps.-Plut. mor. 842 E). Noch vor Beginn des Harpalosprozesses starb er (Ps.-Plut. mor. 848 F).

[95] Vgl. o. S. 96. Die Divergenzen mit Lykurg waren persönlicher Art. Lykurg hatte Menesaichmos, der eine Gesandtschaft nach Delos geleitet hatte (Burtt 143 f.) wegen ἀσέβεια mit einer εἰσαγγελία belangt. (Conomis, Rede XIV frg. 82–90; Ps.-Plut. mor. 843 D). Eine vermutlich darauf zurückgehende Feindschaft veranlaßte diesen, zunächst gegen Lykurg (Ps.-Plut. mor. 842 F) und nach dessen Tod gegen seine Kinder (Ps.-Plut. mor 842 E, Ps.-Demosth. epist. 3.6; vgl. Hyp. Rede 23 (Burtt)) Klage zu führen. Vgl. Berve II 255 f.

[96] Als spätes Symptom für das Abtreten Lykurgs mag man die Harpalosaffäre werten, in der das Mißtrauen des Volkes gegenüber den führenden Politikern das Fehlen einer als integer anerkannten Persönlichkeit offenbarte.

Alexander hatte sich nach seiner Rückkehr aus Indien wieder Griechenland zugewandt, das er, sieht man von den Getreidelieferungen ab, seit dem Brand der Residenz von Persepolis vernachlässigt hatte. Vor der Realisierung weitergehender Pläne[98] wollte er mögliche Unruheherde beseitigen, d. h. das Problem der Verbannten und der griechischen Söldner lösen, die nach ihrer Entlassung oder der Flucht aus ihren asiatischen Siedlungsgebieten marodierend[99] Kleinasien durchzogen und auf die Überfahrt in ihr Heimatland hofften.[100] Vermutlich vom Hoflager in Susa aus[101] verfügte der König die Rückführung der aus den Poleis Vertriebenen – in vielen Fällen Makedonengegner – und die Wiederherstellung ihrer konfiszierten Güter.[102] Am härtesten traf diese Maßnahme Athen, das der König in den schwierigen Situationen nach seiner Thronübernahme und dem Übergang nach Asien besonders begünstigt hatte, und das sich nicht zuletzt auch aufgrund dieses Wohlwollens nach langem innenpolitischen Ringen für einen Weg innerhalb des makedonischen Imperiums entschieden hatte. Mit der Abtretung von Samos[103] hatte es nun im Gefolge des Diagrammas den größten Gebietsverlust aller Poleis zu gewärtigen.

Indes, wenn Alexander, anders als 333 und 331, nicht mehr mit dem Wohlverhalten der Stadt rechnen mußte, angesichts eigener maritimer Rüstungen[104] kaum die athenische Flotte fürchtete, war er doch gezwungen, Rücksicht auf die kulturelle Bedeutung der Stadt zu nehmen.[105] Eine sofortige Durchsetzung der Forderungen mit Gewalt, wie für den Fall von Weigerungen im Dekret angekündigt war,[106] schied für Athen aus. Der König beließ offenbar den Athenern die Möglichkeit, diese, die Existenzgrundlage der attischen Kleruchen in Samos tangierende Frage,

---

[97] Berve II 256. Vgl. im folgenden seine Rolle in der Harpalosangelegenheit. Während des Lamischen Krieges blieb er passiv. 322 scheint er, falls das Amt des ὁ ἐπὶ τῇ διοικήσει in der Krisensituation vor der Einnahme Athens überhaupt neu besetzt wurde, nicht wiedergewählt worden zu sein.

[98] s. o. S. 113 Anm. 92

[99] Diod. 17.111.1.

[100] Vgl. E. Badian, Harpalus (cit. Badian, Harpalus), JHS 81, 1961, S. 26 ff., Parke 202 ff.

[101] Vgl. Syll.³ 312, Z. 12 ff. (Der Hinweis ἐν τῷ στρατοπέδῳ besagt jedoch nichts über Alexanders Aufenthaltsort); Wilcken, Alexander d. Gr. und der Kor. Bund 115, Berve II 236.

[102] Diod. 18.8.4.

[103] Für die Rückgabe von Samos an seine vertriebenen Bewohner hatte sich besonders der, so Schachermeyr 523, einflußreiche ὁπλοφύλαξ Gorgos bei Alexander eingesetzt. Syll.³ 312; vgl. Ephippos FGH 126 frg. 5. In Iasos erhielten er und sein Bruder Minnion als Anerkennung Atelie und Prohedrie (Syll.³ 307 Z. 8 ff.), in Samos das Bürgerrecht (Syll.³ 312 Z. 26 ff.), s. Berve II 114, 264.

[104] Vgl. Berve I 160 ff., Hauben, The Expansion 81 ff.

[105] s. Schachermeyr 523.

[106] Diod. 18.8.4. „... γεγράφαμεν δὲ Ἀντιπάτρῳ περὶ τούτων, ὅπως τὰς μὴ βουλομένας τῶν πόλεων κατάγειν ἀναγκάσῃ.“

auf dem Verhandlungsweg zu regeln.[107] Eine neue Situation trat jedoch mit der Ankunft des Harpalos in Athen[108] ein. Die Gelder des geflohenen Finanzverwalters boten der Stadt die Alternative, spekulierend auf Aufstände in Asien,[109] den Makedonen militärisch Paroli zu bieten: Im Hoflager des Königs rechneten wohl Gegner Athens mit einem bewaffneten Widerstand der Stadt,[110] Alexander selbst aber zog einen Krieg kaum in Betracht.[111]

Unerläßlich für die Beurteilung des Athener Verhaltens während der Ereignisse von 324/3 ist die Chronologie der zweiten Flucht des Harpalos und seiner Ankunft in Griechenland.

Ende 325 hatte Alexander Karmanien erreicht[112] und unmittelbar nach seiner Ankunft den von ihm 330 eingesetzten Satrapen des Landes, Astaspes, der die Abwesenheit des Königs in Indien zum Abfall hatte nützen wollen,[113] zur Verantwortung gezogen.[114] Die Nachricht von der Rückkehr Alexanders und der Hinrichtung des Astaspes muß Harpalos somit noch im Dezember des Jahres erreicht haben. Nach seinem zweiten Treuebruch, der Veruntreuung der Gelder des Königsschatzes,[115] glaubte er, keinerlei Gnade mehr erwarten zu können. Ohne daß es der

---

[107] Bezeichnenderweise hatte es Alexander bis zu seinem Tode vermieden, eine Entscheidung in dieser Sache zu fällen.
Auch von den Diadochen wurde die Samierfrage behutsam angegangen (vgl. Diod. 18.18.6) und erst von Perdikkas, dem Antipater die Angelegenheit überwies (s. G. Wirth, Zur Politik des Perdikkas 323, Helikon 7, 1967, S. 313 f., Bengtson, Strategie I 69 ff.), zu Ungunsten der Athener entschieden (Diod. 18.18.9).

[108] s. im folgenden.

[109] s. Hyp. 5 (Burtt) frg. IV col. 19).

[110] Vgl. Ephippos FGH 126 frg. 5. ... ὅτι Γόργος ὁ ὁπλοφύλαξ Ἀλέξανδρον Ἄμμωνος υἱὸν στεφανοῖ χρυσοῖς τρισχιλίοις· καὶ ὅταν Ἀθήνας πολιορκῇι, μυρίαις πανοπλίαις καὶ τοῖς ἴσοις καταπέλταις καὶ πᾶσι τοῖς ἄλλοις βέλεσιν εἰς τὸν πόλεμον ἱκανοῖς.

[111] Alexanders Zeugmeister Gorgos drängte bereits seit längerem auf Maßnahmen gegen Athen (vgl. Syll³ 312). Sein bei einem Gelage in Ekbatana geäußerter Trinkspruch (s. o. Anm. 110) besagt für die Haltung Alexanders nichts und darf auch kaum als symptomatisch für die Stimmung in der Umgebung des Königs gewertet werden. Für Athen blieb der Verhandlungsweg offen (s. im folgenden). Rüstungen Alexanders gegen die Stadt (Just. 13.5.7; vgl. Curt. 10.1.2 f.) sind wohl auf spätere Ereignissen, d. h. dem Ausbruch des Lamischen Krieges, beruhende Erfindung. s. Jacoby, FGH II D 439.

[112] Arr. 6.27.3, Curt. 9.10.20; vgl. Lauffer 162 ff., St. Hutzel, From Cadrosia to Babylon: A Commentary on Arrian's Anabasis Alexandri 6.22–7.30 (cit. Hutzel), Diss. Indiana 1974, S. 108 ff. Zur Zeitsituation Bengtson 353, Wirth 60, Berve II 225.

[113] So Curt. 9.10.21. Insbesondere aber warf ihm Alexander wohl mangelnde Unterstützung bei der Durchquerung Gedrosiens vor. Vgl. Berve II 89, Wirth 61, Schachermeyr 478.

[114] Curt. 9.10.29. Die Bestrafung erfolgte, da sie zeitlich mit der Ankunft des Kleander und Sitalkes zusammenfiel (Curt. 10.1.1.), noch vor dem Zusammentreffen mit Nearchos Ende November bzw. Anfang Dezember (s. Arr. 6.27.3 Kleanders- und 6.28.5 Nearchos' Eintreffen).

[115] Diod. 17.108.4 ff., Plut. Dem. 25.1; vgl. Lauffer 167 f.

Warnungen durch die weiteren Strafgerichte Alexanders bedurfte,[116] sah er, in Panik geraten, nur die Möglichkeit einer schnellen Flucht. Die nötigen Vorbereitungen für den Marsch nach Kilikien eingerechnet,[117] mag er Tarsos respektive Babylon[118] noch vor Jahresende verlassen haben.

Über seine nächsten Ziele lassen sich nur Vermutungen anstellen. Mit Sicherheit plante er jedoch zu Beginn seiner Flucht noch nicht, Athen anzulaufen,[119] stellte dies aber wohl als Möglichkeit ins Kalkül. Der mehrmonatige Aufenthalt im östlichen Mittelmeerraum, möglicherweise auch in Kreta,[120] zeigt seine Unentschlossenheit, obwohl wegen der zu erwartenden Gegenmaßnahmen Alexanders Eile geboten war. Die Möglichkeit, die Athener in einen Krieg gegen Alexander zu verwickeln, war, nach ihrem Verhalten im Agisaufstand zu schließen, gering. Erst das Verbanntendekret mit seinen für die Stadt besonders schmerzlichen Konsequenzen machte das Flottenkontingent und vor allem die für Söldneranwerbungen nötigen finanziellen Mittel des Harpalos attraktiv. Den endgültigen Entschluß, Sunion anzusteuern, faßte Harpalos also schwerlich vor Anfang Juni 324,[121] d. h. seine Ankunft im Piräus verzögerte sich bis zum Juli.[122] Zu diesem Zeitpunkt, Ende Juli, wa-

---

[116] Noch in Karmanien zog der König die dorthin vorgeladenen Kleander, Sitalkes und Herakon zur Rechenschaft (Arr.6.27.4, Curt. 10.1.3 ff.; Hutzel 112 ff.). Auf dem Weitermarsch wurden in Pasargadai resp. in Susa die Satrapen Orsines und Abulites zum Tode verurteilt (vgl. Arr.6.30.1 und Curt. 10.1.24 ff. bzw. Arr.7.4.1 und Plut. Alex. 68.7). Zur Bestrafungswelle und ihren Hintergründen vgl. Badian, Harpalus 16 ff.

[117] Harpalos brachte 5 000 Talente aus dem Reichsschatz an sich und ließ sich von den im Laufe der vergangenen Jahre angeworbenen Söldnern begleiten (Athen. 595 E, Arr. succ. 16)

[118] Berve II 78.

[119] Eine entsprechende Bemerkung Diodors (εἰς δὲ τὰ παράλογα τῆς τύχης καταφυγὰς ποριζόμενος εὐεργέτει τὸν τῶν Ἀθηναίων δῆμον. Diod. 17.108.6) ist, wie auch andere Nachrichten in der Alexandergeschichte (vgl. 16.92.1 f. und 18.8), als vaticinium ex eventu zu werten.

[120] Zumindest vor der Schlacht von Megalopolis war die Haltung der Kreter zu Alexander noch unklar (Curt. 4.1.40: Cretenses has aut illas partes secuti nunc Spartanorum, nunc Macedonum praesidiis occupabantur). Möglicherweise rechnete Harpalos also hier auf Unterstützung (vgl. bereits Berve I 248). Auch nach seiner Flucht aus Athen segelte er die Insel an (Diod. 17.108.8, Curt. 10.2.3).

Weitergehende Erwägungen zur Reiseroute des Harpalos verbietet das Fehlen jeglicher Hinweise in den Quellen.

[121] Früher konnten ihm Factum und spezielle Bedingungen des wohl im Frühjahr in Susa erlassenen Dekretes nicht bekannt gewesen sein. Vgl. o. S. 114.

[122] Terminus ante quem war der 22. Juli, der erste Tag des anlaufenden attischen Jahres unter dem Archon Hegesias (vgl. Pritchett/Neugebauer 55 f., Badian Harpalus 42). Mit dem vorherigen Tag endete die einjährige Amtszeit des Philokles als Stratege der Munichia (s. eine Epheneninschrift aus dem Jahre 324/3 (publiziert bei P. Roussel, Un nouveau document relatif à la guerre démétriaque, BCH 54, 1930, S. 280; Reinmuth, Ephebic Inscriptions Nr. 15), der zufolge Philokles Ol. 114.1 als Kosmetes von den

ren, unabhängig von auf den Tag genauen Datierungen,[123] in Athen und im übrigen Griechenland die Bedingungen des Diagrammas bekannt[124] und somit ein Schlüssel zum Verständnis der Entwicklung gegeben, die Athens Beziehungen zu Alexander seit 331 genommen hatten.

Harpalos wird einen energischen Widerstand Athens gegen die Verbanntenrückführung erwartet haben. Offenbar verschob er seine Ankunft bis nach dem Eintreffen Nikanors, um die mögliche Empörung über Alexander für seine Zwecke nützen zu können. Um so überraschender wirkte die Antwort der Stadt auf seine Ankunft. Ohne daß bereits die Auslieferung des Flüchtlings von Alexander gefordert oder für den Fall seiner Aufnahme Konsequenzen angedroht waren,[125] verweigerte die

---

Epheben geehrt wurde (vgl. Dein. 3.15) und demnach nur im vorausgegangenen Jahr Stratege im Hafen von Munichia gewesen sein kann) und als in dieser Eigenschaft Verantwortlichen für die Genehmigung zur Einfahrt in den Hafen (Dein. 3.1; vgl. Badian, Harpalus 42, Treves, RE XIX, 2, 1938, S. 2489). Zur Diskussion um die Identität des auf dem Fragment (Roussel a. a. O.) aufgeführten Philokles vgl. A. W. Gomme, The Population of Athens in the Fourth and Fifth Centuries B. C., Chicago 1967, S. 67 ff., Treves a. a. O., G. Mathieu, Notes sur Athènes à la veille de la guerre lamiaque (cit. Mathieu), RPh 55, 1929, S. 164, Badian a. a. O. und J. A. Goldstein, The Letters of Demosthenes (cit. Goldstein), New York/London 1968, Appendix VII 276–281 und Reinmuth, Ephebic Inscriptions 73–76.

[123] Badian, Harpalus 42 f. hält u. a. durch Interpretation und zeitliche Einordnung eines Timoklesfragments aus der Komödie „Delos" (Athen. 341 F-342 A) die zweite oder dritte Juliwoche für bewiesen (zu Timokles frg. 4 (Edmonds II 603 f.) vgl. u. S. 124 Anm. 177 und S. 126 Anm. 187). Zu dem irrigen Ergebnis „September" kommen unabhängig voneinander C. D. Adams, The Harpalos Case (cit. Adams), TAPhA 32, 1901, S. 121 ff. und A. Körte, Der Harpalische Prozeß (cit. Körte, Harpalosprozeß), NJbb 53, 1924, S. 217 ff., da die Inschrift der Phyle Leontis von ihnen nicht berücksichtigt wurde bzw. zur Zeit der Entstehung der Arbeit von Adams noch nicht publiziert war (Erstveröffentlichung Ephem 1918).

[124] Dies wird ausdrücklich von Hypereides in seiner Anklage gegen Demosthenes bestätigt: ἐπειδὴ δὲ νῦν Ἅρπαλος οὕτως ἐξαίφνης] πρὸς τὴν Ἑλλάδα προσέπεσεν ὥστε μηδένα προαισθέσθαι, τὰ δ᾽ ἐν Πελοποννήσῳ καὶ τῇ ἄλλῃ Ἑλλάδι οὕτως ἔχοντα κατέλαβεν ὑπὸ τῆς ἀφίξεως τῆς Νικάνορος καὶ τῶν ἐπιταγμάτων ὧν ἧκεν φέρων παρ᾽ Ἀλεξάνδρου περί τε τῶν φυγάδων καὶ περὶ τοῦ τοὺς κοινοὺς συλλόγους Ἀχαιῶν τε καὶ Ἀρκάδων . . .) 5 frg. IV col. 18 (Burtt).

[125] Am Hoflager Alexanders in Ekbatana war das Verhalten Athens noch nicht bekannt. Vgl. Ephippos frg. 5. Auch ein Kurzdialog aus dem bei den ἀγῶνες μουσικοί (s. Arr. 7.14.1, Athen. 538 A, Diod. 17.110.7, Plut. Alex. 72.1) aufgeführten Satyrspiel „Agen" (TrGF 91 frg. 1, Athen. 596 Af.) paßt inhaltlich nur in eine Situation, in der Harpalos' Flucht nach Athen, aber noch nicht die Reaktion der Stadt bekannt ist (vgl. Körte, Harpalosprozeß 221). Die von Snell 117 ff. neuerdings aufgrund der widersprüchlichen Angaben des Athenaios (596 E: einerseits Aufführung des Stückes bereits am Hydaspes, andererseits nach der „Revolte" und Flucht des Harpalos; vgl. ausführlich Beloch, Gr. Gesch. IV.2 434–436) vorgeschlagene Rückdatierung auf 326 (s. auch S. Schiassi, Sul dramma satiresco 'Αγήν', Dioniso 21, 1958, S. 83) kann nicht überzeugen. Wenn auch die Vers 4 erwähnte φυγή keinesfalls, wie Snell 118 f. nachweist, auf die zweite Flucht bezogen werden darf, als Argument für die späte Datierung also entfällt, so können

Volksversammlung Harpalos die Zufahrt zum Piräus.[126] Der Antrag, der den Kommandanten der Munichia verpflichtete, die Landung des Makedonen zu verhindern, wurde von Demosthenes gestellt[127] und offenbar ohne Widerspruch gebilligt:[128] Athen war weder militärisch noch psychologisch auf einen Konflikt mit Alexander vorbereitet, Demosthenes aber hatte sich endgültig vom engagierten Makedonenfeind zum pragmatischen Politiker gewandelt, der die gegebenen Machtverhältnisse anerkannte.[129]

Nach seiner Abweisung begab sich Harpalos nach Tainaron und kehrte nach wenigen Tagen unter Zurücklassung seiner Söldner nur mit zwei Schiffen nach Athen zurück.[130] Bei seiner zweiten Ankunft gestattete ihm Philokles, der für den Hafen verantwortliche Stratege,[131] die Einfahrt.[132] Ausschlaggebend war wohl weniger eine gesetzliche oder gar moralische Verpflichtung, die man ihm als attischem Bürger und Schutzflehendem gegenüber hegte,[133] als vielmehr die Aussicht auf immense Geldmittel, die man sich anzueignen hoffte, ohne dadurch in einen Krieg mit Alexander verwickelt zu werden.

Harpalos fand nun Gelegenheit, für seine Pläne zu werben,[134] wobei er nicht nur materielle Versprechungen machte, sondern auch die Unterstützung aufständischer Satrapen in Asien verhieß. Wie seine erste Ablehnung jedoch bereits klarstellte, votierte nur eine Gruppe von Rednern für ihn.[135] Athen setzte auf Verhandlungen in der Verbanntenfrage,[136] und Demosthenes, dem man offensichtlich großen Einfluß auf die Makedonen zumaß, wurde als ἀρχιθέωρος für die Gesandtschaft nach

---

doch die Vers 14 ff. angesprochenen, nach dem Tode der Phythionike (s. Berve II 112 f., 338) auf Vermittlung Glykeras durchgeführten Getreidelieferungen (vgl. Diod. 17.108.6) unmöglich vor Sommer resp. Herbst 326, dem von Snell angenommenen Datum der Aufführung, erfolgt sein.

[126] s. Anm. 127

[127] Plut. Dem. 25.3, Ps.-Plut. mor. 846 A; vgl. Dein. 3.1, Diod. 17.108.6 f.

[128] οὐδενὸς δὲ αὐτῷ προσέχοντος ... Diod. 17.108.7.

[129] Plut. a. a. O. ὁ δὲ Δημοσθένης ... συνεβούλευε ..., καὶ φυλάττεσθαι μὴ τὴν πόλιν ἐμβάλωσιν εἰς πόλεμον ἐξ οὐκ ἀναγκαίας καὶ ἀδίκου προφάσεως·

[130] Diod. 17.108.7. οὐδενὸς δὲ αὐτῷ προσέχοντος τοὺς μὲν μισθοφόρους ἀπέλιπε περὶ Ταίναρον τῆς Λακωνικῆς, αὐτὸς δὲ μέρος τῶν χρημάτων ἀναλαβὼν ἱκέτης ἐγένετο τοῦ δήμου. Wie schon Berve gesehen hat (II 79 Anm. 1), ergibt sich hieraus, daß Harpalos ohne Verzögerung, also vermutlich noch im Juli, erneut nach Athen kam. Um den Preis der eigenen Sicherheit suchte er nach der ersten Abweisung noch zu einer Übereinkunft mit der Stadt zu kommen.

[131] Vgl. Berve II 389, Davies 539 ff.

[132] Dein. 3.2 ff., Plut. Dem. 25.2 (ohne Differenzierung der beiden Landungen).

[133] So Berve II 78 f. im Anschluß an Diod. 17.108.7. ἱκέτης ἐγένετο.

[134] s. dazu die anekdotische Schilderung bei Plut. Dem. 25.

[135] Vgl. Plut. Dem. 25.2.

[136] Zur Frage der göttlichen Ehren für Alexander und des Zusammenhangs mit dem Verbanntendekret s. u. S. 119 ff.

Olympia gewählt,[137] um in direktem Kontakt mit Nikanor eine Aussetzung des Erlasses zu erreichen oder zumindest Möglichkeiten eines Vergleiches zu sondieren. Die Unterredung fand in der Zeit zwischen dem 31. Juli und dem 4. August statt,[138] nur kurze Zeit also nach dem Eintreffen Harpalos' in Athen und sicherlich vor dem Skandal, den die Umstände seiner Flucht auslösten.[139]

Über die eigentlichen Verhandlungen und ihre Ergebnisse existieren keine Nachrichten.[140] Es läßt sich jedoch mit Recht aus den späteren Ereignissen in Athen folgern, daß Nikanor, unabhängig davon, wieweit seine Befugnisse gingen,[141] zumindest einen Aufschub der Durchführung des Erlasses und, wie die folgende Delegation nach Babylon zeigt,[142] neuerliche Gespräche mit Alexander selbst zusagte.

Sogleich nach seiner Rückkehr nach Athen beantragte Demosthenes noch in der ersten Augustdekade[143] die Inhaftnahme des Harpalos. Der Zusammenhang mit den vorausgegangenen Unterhandlungen ist offenbar. Auch die wohl gleichzeitige

---

[137] Dein. 1.81; vgl. 1.103.
Ausschlaggebend für die Wahl des Demosthenes waren möglicherweise seine Beziehungen zu Hephaistion (vgl. Marsyas FGH 135 frg.2, Aischin. 3.162, Berve II 63, Badian, Harpalus 34).

[138] Die lange umstrittene und für die Chronologie der Harpalosflucht unerläßliche Datierung der Olympischen Spiele 324 scheint von R. Sealey, The Olympic Festival 324 B.C., CR 10, 1960, 185 f. endgültig geklärt (Anfang August). Vgl. Badian, Harpalus 43, S.G. Miller, The Date of Olympic Festivals, MDAI (A) 90, 1975, S.230; anders E. Drerup, Aus einer alten Advokatenrepublik (cit. Drerup), Paderborn 1916, S.173: Juli; Körte, Harpalosprozeß 221, Berve II 78 f.: September. Bereits Beloch, Gr. Gesch. I.2 139 f. nahm für „gerade" Olympiaden den August an.

[139] Vgl. Badian a. a. O.

[140] Überliefert ist lediglich eine Episode am Rande der Begegnung mit dem Makedonen. Einem Redner nahmens Lamachos, der in einem ἐγκώμιον auf Alexander und Philipp Olynthier und Thebaner verunglimpfte, soll Demosthenes, wie Plutarch im übrigen ohne Angabe der genauen Olympiade erzählt (Dem. 9.1, Ps.-Plut. mor. 845 C; vgl. Berve II 231), mit einer Aufzählung deren Verdienste widersprochen haben. Dabei verzichtete er jedoch auf eine Kritik an den Makedonen selbst. Vgl. Berve II 138.

[141] Zur Diskussion um diese Frage s. Drerup 174; dagegen Berve II 138.

[142] s. u. S. 122 f.

[143] Hypereides 5 col. 12 (Burtt). Von inhaltlichen Gesichtspunkten abgesehen (die Festnahme des Makedonen war wohl Resultat der Gespräche von Olympia, d. h. Vorleistung für mögliche Verhandlungen mit Alexander) spricht auch die Chronologie der Ereignisse für diesen Zeitpunkt. Nach Plutarch Phok. 21.2 f. (vgl. Dem. 25.1) wurde Harpalos nicht sofort in Haft genommen, sondern fand Gelegenheit, bei attischen Politikern für seine Sache zu werben. Da Demosthenes bereits Ende Juli, also nur kurze Zeit nach Harpalos' Ankunft, nach Olympia reiste, ist sein Vorgehen gegen den Makedonen wohl auf die Tage nach seiner Rückkehr zu verlagern.
Rosen 33 setzt Harpalos' zweite Landung im Piräus in die Zeit der Abwesenheit des Demosthenes. Dies widerspricht der von ihm akzeptierten (Anm. 87) Chronologie Badians, derzufolge Harpalos zum erstenmal in der 2. oder 3. Juliwoche den Piräus erreichte. (Die Fahrt nach Tainaron nahm nur kurze Zeit in Anspruch. s. o. S. 118.)

radikale Meinungsänderung des Redners in der Frage der Deifikation[144] mag mit
der Verbanntenfrage verbunden sein. Nachdem er sich zusammen mit anderen
Rednern noch wenig vorher auf das schärfste gegen die Forderung nach göttlichen
Ehren für Alexander verwahrt hatte,[145] korrigierte Demosthenes nun seine Haltung. U. a. auf seinen Vorschlag, wie Deinarch und Hypereides überliefern,[146]
stimmte die Volksversammlung für einen entsprechenden Antrag des Demades[147]
und billigte dem König die gewünschten Ehren zu.[148]

---

[144] Das dürftige Quellenmaterial, das nur Eindrücke einer im griechischen Mutterland geführten Debatte vermittelt (vgl. u. a. Plut. mor. 187 E, 219 E, Ael. var. hist. 2.19,
Dein. 1.94, Ps.-Plut. mor. 842 D, Hyp. 5.31 ff. (frg. 7), Val. Max. 7.2, Athen. 251 B), warf
zahlreiche Fragen auf und brachte so eine breite Erörterung dieses Komplexes in der
modernen Forschung mit sich. Ausführlich dazu Seibert, Alexander 192 ff. und 302 ff.;
weitere Literatur bei Schachermeyr 525 Anm. 673, Lauffer 181 Anm. 25, Bengtson 357
Anm. 5 und 358 Anm. 1. Zwar ging die Initiative für die göttliche Verehrung, wie die Reaktion der Spartaner verdeutlicht (s. Plut. mor. 219 E, Ael. var. hist. 2.19), nicht von den
Griechen aus (anders E. R. Bevan, The Deification of Kings in Greek Cities, EHR 16,
1901, S. 625 ff.; vgl. C. A. Robinson Jr., The Extraordinary Ideas of Alexander the Great,
AHR 62, 1957, S. 342 ff., ders., Alexander's Deification, AJPh 64, 1943, S. 297 ff.), doch
hat der Makedonenkönig seinem Ansinnen nicht mit der formellen Androhung von
Sanktionen Nachdruck verliehen (vgl. P. Schnabel, Zur Frage der Selbstvergötterung
Alexanders, Klio 20, 1926, S. 399), so daß man wohl eher von einem Wunsch als von einer Forderung sprechen darf (s. Habicht, Gottmenschentum 35). Als Zeitpunkt läßt sich
die Rückkehr Alexanders aus Indien annehmen, als Beginn einer im griechischen Mutterland geführten Diskussion somit der Sommer 324 (s. u. a. Schachermeyr 525, Kaerst I
389 ff., Berve I 97, G. de Sanctis, Gli ultimi messagi di Alessandro ai Greci, I. La richiesta
degli onori divini, Rivista di filologia 19, 1941, S. 1 ff., U. Wilcken, Zur Entstehung des
hellenistischen Königskultes, SBB 38, 1938, S. 302 ff., ders. Alexander der Große, Leipzig 1931, S. 196 ff., H. E. Stier, Zum Gottkönigtum Alexanders d. Gr., Welt als Geschichte 5, 1939, S. 401 ff.; demgegenüber hält D. G. Hogarth, The Deification of Alexander
the Great, EHR 2, 1887 S. 317 ff. (vgl. neuerdings J. P. V. D. Balsdon, The ,Divinity' of
Alexander, Hist. 1, 1950, S. 383 ff.) wohl zu Unrecht die göttliche Verehrung des Königs
für unbewiesen).

Zeitlich erscheint m. E. entgegen Habicht, Gottmenschentum 28 ff. (vgl. Wirth 127,
Bengtson 357; ablehnend bereits E. J. Bickermann, Sur un passage d'Hypéride (Epitaphios, col. VIII), Athenaeum 41, 1963, S. 70 ff.) ein Zusammenhang mit der Vergöttli-
chung des erst im Herbst 324 verstorbenen Hephaistion als kaum möglich, da die verschiedenen griechischen Gesandtschaften die Entscheidungen ihrer Poleis Alexander bereits Anfang Frühjahr 323 in Babylon übermittelten.

Der Chronologie Habichts zufolge, der die Ankunft des Harpalos im Anschluß an
Berve in den September bzw. Oktober setzt (Habicht, Gottmenschentum 34 Anm. 26),
gleichzeitig aber die Zustimmung des Demosthenes zur Apotheose in die Schlußphase
des Harpalosprozesses verlegt (Habicht a. a. O.), kann die Entscheidung der Stadt in Anbetracht der sechsmonatigen Untersuchung des Areiopags vor Prozeßbeginn frühestens
Ende April/Anfang Mai gefallen sein.

[145] Vgl. Polyb. 12.12 b, Ps.-Plut. mor. 842 D, Plut. mor. 804 B (187 E).

[146] Dein. 1.94, Hyp. 5.31 ff. (frg. 7); s. Daskalakis 138.

[147] Val. Max. 7.2; vgl. Athen 251 B, Ael. var hist. 5.12.

[148] Im Epitaphios des Hypereides auf die Gefallenen des Lamischen Krieges wird die

Dieses ohne weiteren makedonischen Druck sua sponte gemachte Zugeständnis[149] sollte die Ausgangsposition für die Verhandlungen verbessern.[150] Auch die Festnahme des Harpalos diente diesem Zweck.[151] Um den Preis zahlreicher Konzessionen war Athen bereit, den bestehenden Status aufrechtzuerhalten, d.h. bei Anerkennung seines Besitzrechtes auf Samos die Loyalität gegenüber Alexander weiterhin zu wahren.

Mit dem zweifelsohne nicht unerwarteten Auslieferungsverlangen, das parallel von Antipater, Olympias und Philoxenos[152] gestellt wurde, mußte eine Entscheidung getroffen werden. Man wählte in der Hoffnung, einerseits sich in den Augen Alexanders nicht zu kompromittieren, andererseits aber trotzdem die Geldmittel des Harpalos in die eigene Kasse wirtschaften zu können, einen Mittelweg. Die mitgebrachten Schätze wurden auf der Akropolis deponiert, dem Makedonen aber die Flucht ermöglicht.[153] Die in Zusammenhang mit seinem Entkommen stehenden Korruptionsaffären leiteten einen aufsehenerregenden Prozeß ein, mit dem der Versuch unternommen wurde, die Verantwortlichkeit der Stadt für die Flucht vor Alexander zu kaschieren und die Schuld einzelnen bestechlichen Politikern anzulasten.

Fixpunkt für die Chronologie der Ereignisse des zweiten Halbjahres 324 sind die Olympischen Spiele. Kurz nach seiner Rückkehr aus Elis ließ Demosthenes Harpalos in Haft setzen. Zu diesem Zeitpunkt waren, wie gesagt, die verschiedenen makedonischen Delegationen noch nicht in Athen eingetroffen.[154] Ihr Erscheinen, ver-

---

Erteilung göttlicher Ehrungen für Alexander (und Hephaistion) bestätigt. Hyp. 6 col. 8 (Burtt). Hinweise auf die Ablehnung der Anträge (so Rosen 35) gibt es nicht.

[149] s.o. S. 120 Anm. 144.

[150] s. dazu u.a. Schachermeyr 529. Erhärtet wird dies durch die Verurteilung des Demades zu Beginn des Lamischen Krieges wegen seines Antrags auf göttliche Ehren. s. Athen. 251 B, Ael. a.a.O.

[151] Eine konkrete Auslieferungsforderung Olympias' oder Philoxenos' (vgl. u. Anm. 154) lag entgegen Berve II 139 nicht vor.

Nach Ps.-Plut. mor. 846 B wurde Harpalos μέχρις ἂν ἀφίκηταί τις παρ' Ἀλεξάνδρου in Verwahrung gehalten. M.E. erwartete man in Athen einen Repräsentanten Alexanders, der vom König unmittelbar nach Bekanntwerden der Flucht des Harpalos mit der Verfolgung beauftragt worden war, nicht einen Abgeordneten direkt vom makedonischen Königshof. Dorthin ging wenig später eine eigene athenische Delegation.

[152] Diod. 17.108.7, Paus. 2.33.4; vgl. Plut. mor. 531 A, Hyp. 5 col. 8.

[153] s. Hyp. 5 col. 12, Ps.-Plut. mor. 846 B, Paus. 1.37.5. Vgl. Plut. Dem. 25.7. Seine baldige Ermordung durch den Spartaner Thibron auf der Fahrt nach Kreta befreite Athen von weiteren Sorgen und beseitigte eine mögliche Klippe im Verhältnis zu Alexander. (Diod. 17.107.8, 18.19.3, Arr. succ. 16; s. Berve II 180 und 79).

[154] Vgl. o. Anm. 151, Badian, Harpalus 31 Anm. 108 nimmt eine zeitliche Koinzidenz der Ankunft des Harpalos und der Gesandtschaft des Philoxenos an. Das ἅμα in Hyp. 5 col. 8 ἐπ]ειδὴ γὰρ ἦλ[θεν, ὦ ἄν]δρες δικα[σταί, Ἅρπα]λος εἰς τήν [Ἀττική]ν, καὶ οἱ πα[ρὰ Φιλοξέ]νου ἐξαι[τοῦντες αὐ]τὸν ἅμα [προσήχθησα]ν πρὸς [τὸν δῆμον, τότε πα-

mutlich in der zweiten Augusthälfte,[155] bildet den terminus post quem für die Flucht des Harpalos: Anfang September. Debatte und Abstimmung in der Apotheosefrage setzen den Gesinnungswandel des Demosthenes voraus. Er mag, schließt man irrationale Gründe aus, in Zusammenhang mit dem drohenden Verlust von Samos stehen. Wie lange sich die Diskussion um das Ansinnen Alexanders hinzog, läßt sich nicht bestimmen, doch kam sie möglicherweise noch im August zum Abschluß. Abhängig davon[156] sowie von der Regelung der Harpalosfrage war die Absendung der Delegation nach Asien. Für Zugeständnisse in der ökonomisch wie politisch brisanten Verbanntenangelegenheit sollte sie eine auf verbale Leistung beschränkte Anerkennung der Göttlichkeit des Herrschers und zusätzlich den Nachweis einer im makedonischen Sinne befriedigenden Lösung der Harpalosaffäre[157] bieten. Möglich war also eine Entsendung der athenischen Gesandtschaft bereits Ende September/Anfang Oktober. Ob sich nun aufgrund der Jahreszeit die Abfahrt verzögerte, ob auf der Fahrt selbst Unterbrechungen nötig waren oder ob die Koordination mit anderen griechischen Gesandtschaften[158] einen Zeitaufschub bedingte, läßt sich

---

ρελθὼν Δημ]οσθένης [διεξῆθεν] μακρὸν [λόγον, ... kann m. E. jedoch nur als gleichzeitiges Erscheinen des Philoxenos und des gesuchten Flüchtlings vor der Volksversammlung interpretiert werden.

Zur Funktion, des Philoxenos als τῶν ἐπὶ θαλάττῃ πραγμάτων στρατηγός (Plut. mor. 531 A) s. H. Bengtson, Φιλόξενος ὁ Μακεδών, Philologus 92, 1937, S. 126 ff., ders. Strategie I 34 ff. und 215 ff.

[155] Rosen 34 vermutet, daß Alexander das im August verkündete Verbanntendekret im September gegenüber Athen noch durch die zusätzliche Forderung nach Rückgabe von Samos verschärfte. Unabhängig davon, daß die für diese These vorausgesetzte Verbindung von Syll.³ 312 und dem Ephiposfragment 5 (FGH 126) wenig plausibel ist (dazu bereits R. M. Errington, Samos and the Lamian War (cit. Errington), Chiron 5, 1975, S. 54 f.), die Rückgabe von Samos außerdem bereits im Verbanntendiagramma impliziert war (s. K. Telschow, Die griechischen Flüchtlinge und Verbannten von der archaiischen Zeit bis zum Restitutionsdekret Alexanders des Großen (324), Diss. Kiel 1953, S. 157, Beloch, Gr. Gesch. IV.1 58), rechtfertigen die von Rosen vorgetragenen Gründe – Widerstand gegen das Verbanntendekret, Harpalos in Athen und die Söldner in Tainaron – eine solche Maßnahme nicht. Da die makedonischen Delegationen erst Ende August mit ihren Auslieferungsbegehren Athen erreichten, konnte Alexander in Ekbatana weder über die Behandlung des Harpalos noch über die Haltung zum Verbanntendekret informiert sein. Auch wenn Feindseligkeiten in Betracht gezogen werden konnten, mußte vor der Verhängung von Sanktionen der Ausgang der Missionen des Philoxenos und des Nikanor abgewartet werden.

[156] Der Beleg. Arr. 7.23.2 ist eindeutig: καὶ (πρεσβεῖαι ἐκ τῆς Ἑλλάδος) ἐστεφάνουν αὐτὸν (Alexander) στεφάνοις χρυσοῖς, ὡς θεωροὶ δῆθεν ἐς τιμὴν θεοῦ ἀφιγμένοι.

Eine Delegation in der Verbanntenfrage wäre ohne erkenntlichen Beweis der Loyalität sinnlos gewesen. Anders Rosen 35.

[157] In diesen Zusammenhang gehört auch die Rücksendung der Sklaven des Harpalos an Alexander. Vgl. Dein. 1.68.

[158] So ist m. E. die nur fragmentarisch erhaltene col. 19 der Hypereidesrede 5 (Burtt) zu verstehen: ... καὶ τοὺς μὲ[ν Ἕ]λληνας ἅπαντας [πρεσ]βεύεσθαι πεπ[οίη]κας ὡς

schwerlich beurteilen. Eindeutig steht jedoch fest, daß die πρέσβεις aus Athen und dem übrigen griechischen Mutterland erst in Babylon, d. h. nicht vor Ende Februar 323 auf den König stießen.[159] In Athen bestimmte in der Zwischenzeit die spektakuläre Flucht des Harpalos das Geschehen. Verantwortlich für seine Inhaftnahme und die Deponierung seiner Gelder auf der Akropolis war Demosthenes gewesen. Eine damals offiziell eingesetzte Kommission[160] hatte die Gesamtsumme der Geldmittel auf 700 Talente beziffert.[161] In der Empörung über das Entkommen des Makedonen, das nur mit Bestechung zu erklären war, verlangte das Volk, das sich von den zuständigen Politikern hintergangen fühlte, eine Überprüfung der Gelder.[162] Demosthenes mußte als Sprecher der Untersuchungskommission[163] vor der Volksversammlung eingestehen, daß nur noch die Hälfte der angegebenen Summe vorhanden war.[164] Die Kritik, in der sich der Unwille über die Selbstherrlichkeit der führenden Politiker mit der Angst vor den möglichen Konsequenzen der Flucht, einem Krieg mit Alexander, mischte,[165] richtete sich gegen Demosthenes als den Mann, der die dominierende Rolle in den Ereignissen der letzten Wochen gespielt hatte.[166] Der Redner wurde von der Entwicklung der Dinge offensichtlich überrascht. Seine Verteidigung, von Harpalos erhaltene Gelder für die Theorikakasse verwendet zu haben,[167] vermochte die Wogen nicht mehr zu glätten. Um einen öffentlichen Prozeß zu vermeiden, bean-

---

'Αλέξανδ[ρον] ... Die Gesandtschaften erreichten Babylon gemeinsam. s. Arr. 7.19.1, 7.23.2 s. dazu Hutzel 251 f., 269 f.

[159] Arr. a. a. O. Früher kann Alexander nach seinem Winterfeldzug in Luristan nicht nach Babylon gekommen sein. s. u. a. Schachermeyr 508, Tarn 121, Lauffer 178 f.

[160] Dies sowie die führende Rolle des Demosthenes ist, wie schon Badian, Harpalus 32 Anm. 117 gesehen hat, aus Hyp. 5 col. 10 νῦν τὰ ἡ[μί]ση ἀναφέρεις (gemeint ist Demosthenes) zu schließen.

[161] Hyp. 5 col. 8 f., Ps.-Plut. mor. 846 B (nach Philochoros).

[162] Solange Harpalos sich in Athen aufhielt, war dazu kein Anlaß gegeben. s. bereits Badian, Harpalus 33 Anm. 126, Anders Stähelin, RE VII, 1912, S. 2400.

[163] s. o. Anm. 160.

[164] Hyp. 5 a. a. O.

[165] Noch während des Prozesses, Ende März 323 also (s. u. S. 125 ff.), argumentierten Deinarch (vgl. 1.68) und insbesondere Hypereides, obwohl Makedonengegner, mit der Gefahr des Ausbruchs eines Krieges, um die Richter gegen Demosthenes einzunehmen: Hyp. 5 col. 34 ἐᾶν ἀτιμωρήτους; ἀλλ᾽ αἰσχρόν, ὦ ἄνδρες δικαστ[αί, ἰ]δίων ἕνεκα ἐγκ[λη]μάτων πόλεως σωτηρίαν κιν[δυ]νεύειν· οὐ γὰρ ἔ[στι]ν ὑμᾶς τούτων [ἀπ]οψηφίσασθαι, μὴ [ἐθέλοντας] ἀναδέξα[σθαι καὶ τὰ ἀδικη]μα[τα...
col. 35 (nach Blass) ... μ[ὴ τοίνυν, ὦ ἄνδρες] δικασ[ταί, προτιμᾶτε] τὴν τούτω[ν πλεο]νεξίαν τ[ῆς ὑμετέ]ρας αὐτῶν [σωτηρί]ας· μηδὲ λη|μμάτων] αἰσχρῶν ἕνεκα τὸν πόλεμον, ἀλ[λα πρα]γματων ἀξιω[τέρων καὶ] μεταλ[λ]α[γῆς ἀμείνονος] ποιή[σησθε] ... vgl. col. 19 ταῦτα σὺ (Dem.) πα[ρεσκεύ]ακας τῷ ψηφ[ίσματι], ...

[166] s. o. S. 118 ff.

[167] ... ὥστε τὸ μὲν πρῶτον, ὡς [ἔοι]κεν, ὁμο[λογεῖν μὲν εἰληφέ]ναι τὰ χρήματ[α, ἀλλά] κατακεχρῆσθαί αὐτὰ ὑμῖν προδεδανεισμένος εἰς τὸ θεωρικόν· Hyp. 5 col. 13.

tragte er nun selbst eine Untersuchung durch den Areiopag,[168] von dem der sich nach der Niederschlagung der Ermittlungen über den Verbleib der persischen Gelder[169] auch in diesem Fall, wie es A. Körte formulierte,[170] „ein Begräbnis erster Klasse" erhoffte.

Der Areiopag bemühte sich, wie von Demosthenes erwartet, nicht sonderlich um die schnelle Erstellung eines Berichtes.[171] Die Untersuchung ganz im Sande verlaufen zu lassen, war jedoch unmöglich geworden. Die Unruhe im Volk über die drohende Abtretung von Samos war durch die Erbitterung über die Staatsmänner, die – nach Meinung des δῆμος zumindest – angesichts der möglichen wirtschaftlichen Krise in der Harpalossache in die eigene Tasche gewirtschaftet hatten, potenziert worden. Man forderte, unabhängig von politischer Couleur, die Köpfe der Betroffenen.[172]

Für Demosthenes hatte sich Ende 324/Anfang 323 die ohnehin kritische Situation weiter zu seinen Ungunsten entwickelt: Hephaistion, zu dem er vermutlich gute Beziehungen unterhielt,[173] war Ende Oktober gestorben,[174] die athenische Gesandtschaft, die von ihm initiiert worden war und auf der die letzten Hoffnungen für eine friedliche Regelung ohne Verluste Athens ruhten, hatten noch keine Antwort zurückgebracht, ja Alexander noch nicht einmal erreicht.[175]

Da sich der Druck seitens des Volkes gegen ihn forcierte,[176] vermochte der Areiopag nun die Untersuchung nicht weiter zu verschleppen. Anfang März[177] ver-

---

[168] Siehe u. a. Hyp. 5 col. 13, Dein. 1.4 f., 61; zu Rolle und Funktion des Areiopag vgl. o. S. 9 f. Anm. 51.

[169] s. o. S. 47 Anm. 316; vgl. Körte, Harpalosprozeß 224.

[170] Körte a. a. O., vgl. Badian, Harpalus 33.

[171] ἐπειδὴ δὲ ἀναβάλοιτο τὸ ἀποφῆναι ἡ βουλή, οὔπω φάσκουσα εὑρηκέναι Hyp. 5 col. 31. Der im folgenden von Hypereides geschilderte Zusammenhang mit dem Deifikationsdekret ist unwahrscheinlich.

[172] τοὺς [μὲ]ν γὰρ ἀδικοῦντας [ἀπ]έφηναν, καὶ ταῦ[τ᾽ οὐ]χ ἑκόντες, ἀλλ᾽ ὑπὸ [τοῦ δ]ήμου πολλάκις [ἀναγ]καζόμενοι. Hyp. 5 col. 5.

[173] Dazu bereits Badian, Harpalus 34, vgl. o. S. 74, Berve II 63.

[174] Arr. 7.14.1 ff., Diod. 17.110.8, Plut. Alex. 72.3 f., Just. 12.12.11 f. Die Nachricht von seinem Tod erreichte Athen vermutlich noch im Dezember.

[175] s. o. S. 123. Möglicherweise war die Gesandtschaft auf Zeitgewinn bedacht, um die Wogen, die die Flucht Harpalos' am makedonischen Königshof schlug, glätten zu lassen. Die Datierung Rosens, der die Zusammenkunft mit Alexander auf Dezember 324 und das Eintreffen der Meldung von der (seiner Meinung nach) ablehnenden Haltung des Königs in Athen auf März vorverlegt (S. 36), ist nach der präzisen Angabe Arrians (7.23.2) nicht haltbar.

[176] Hyp. 5 col. 5.

[177] Terminus post quem ist, wie bereits Körte, Harpalosprozeß 225 und Adams 131 erkannten (vgl. Badian, Harpalus 42), Ende Januar 323. Zu diesem Zeitpunkt wurde die Komödie „Delos" aufgeführt (möglich wären als Aufführungstermin auch die Dionysien, doch würde dies die abschließenden Urteile in der Affäre bis in den Mai hinabdrängen), in der neben Demosthenes Moirokles, Demon, Kallisthenes und Hypereides, die

öffentlichte er seinen Bericht mit der Liste der Beschuldigten.[178] Mit Angabe der Bestechungssumme war neben Demosthenes und Demades[179] eine weitere Reihe Athener Bürger, darunter Kephisophon, Hagnonides, Aristonikos, Philokles, Charikles und Aristogeiton[180] aufgeführt. In dem nun für Ende März möglich gewordenen δωροδοκία-Prozeß wurden vom Volk zehn Ankläger bestimmt.[181] Unter ihnen spielte Hypereides aufgrund seiner wohl leidenschaftlich zu nennenden Parteinahme insbesondere gegen Demosthenes und seiner Eloquenz die beherrschende Rolle.

Die Zusammensetzung der Angeklagten- wie der Klägergruppe war politisch heterogen.[182] Vertreter einer rigorosen Politik, des Konfrontationskurses gegenüber Makedonien, waren neben dem konsequenzt konservativen Hypereides Himeraios, Hagnonides, Aristonikos und Aristogeiton.[183] Für eine flexible Politik, d. h. den Weg der Verhandlungen bzw. des Nachgebens gegenüber Alexander traten, ohne die unterschiedlichen Auffassungen in das Schema damals nicht existenter

---

auf der folglich später veröffentlichten Areiopagliste fehlen, als Bestochene genannt werden. (Timokles frg. 4 (Edmonds II 603 f.) bei Athen. 341 F.) Nach Deinarch benötigte der Areiopag für seine Untersuchung sechs Monate (Dein. 1.45). Da ihre Aufnahme von der Flucht des Harpalos Ende August und der von ihr ausgelösten Empörung abhängig ist, läßt sich die ἀπόφασις nicht vor Anfang März ansetzen. (Vgl. Badian, Harpalus 43: Mitte Februar; Adams 132 und Körte, Harpalosprozeß 225: April/Mai; G. Colin, Le discours d'Hypéride contre Démosthène sur l'argent d'Harpale, Annales de l'Est, Mémoires 4, Paris 1934, S. 31, ders. Hypéride, Paris 1946 S. 43: Dezember/Januar; Berve II 140: Frühjahr, Rosen 36: März).

[178] Vgl. Dein. 1.11.

[179] Demades: Dein. 1.89: 6000 Goldstatere. Vgl. Dein. 1.7, 45, 104, Hyp. 5 col. 25. Demosthenes: Hyp. 5 col. 10, Dein. 1.6, 45, 53, 69, 89: 20 Talente.

[180] Dein. 1.45, Hyp. 5 col. 40. Dein. 9 (Burtt) κατὰ Ἀγνωνίδου περὶ τῶν Ἁρπαλείων; Dein. 10 κατ᾽ Ἀριστονίκου περὶ τῶν Ἁρπαλείων (nach Dion. Hal. Dein. 10); Dein. 3, Plut. mor. 808 A, Phok. 22.3, Dein. 2 Zu Charikles und Kephisophon s. Berve II 408 und 203, Prosop. Att. II 427 und I 560. Zu den übrigen Politikern s. im folgenden. Ob auch Polyeuktos von Sphettos unter den Angeklagten war, ist nicht zu klären. s. Schäfer III 325 Anm. 3, Berve II 323 f.

[181] Dein. 2.6. Bekannt sind neben Hypereides, von dem eine Prozeßrede erhalten ist (vgl. Hyp. 5 bei Burtt), die Namen von Pytheas, Menesaichmos, Himeraios und Prokles (Ps.-Plut. mor. 846 C).

[182] Eine zwischen Pro- und Antimakedonen verlaufende Trennungslinie Ankläger – Angeklagte, die im übrigen vor dem Tod Alexanders undenkbar war, wird auch von Mossé, Athens 86 bestritten.

[183] Zu Vita und politischer Einstellung s. Berve II 184, 10, 68, 66, Prosop. Att. I 495, 12, 137, 123 f., Davies 108 (Himeraios).
Die Gegnerschaft zu Alexander läßt sich (wie die Demosthenesvita lehrt (vgl. o. S. 142 ff.), jedoch nur mit gewissen Einschränkungen) aus dem späteren Engagement im Lamischen Krieg respektive aus der Hinrichtung durch Antipater erschließen. Quellenangabe bei Schäfer III 329.
Hinweis auf Aristogeitons politische Rolle könnte trotz Plut. mor. 848 F die intensive Feindschaft mit Demosthenes sein. (Zur Biographie s. Sealey, 33–43; dazu Davies 475 f.)

Parteien oder Fraktionen pressen zu wollen, vor allem Demades und Demosthenes und vermutlich auch Menesaichmos[184] und Pytheas[185] ein.

In diesem Prozeß – über das emotionale Engagement des Hypereides gegen seinen ehemaligen „Gesinnungsgenossen" Demosthenes hinaus – eine politische Stoßrichtung, d. h. eine zielbewußte und sorgfältig angelegte Ausschaltung der „Makedonenfreunde" sehen zu wollen,[186] erscheint unter diesen Umständen als wenig sinnvoll. Die Unruhe und Unsicherheit über die Entwicklung des Verhältnisses zu Alexander und eine mögliche wirtschaftliche Belastung schlug in eine allgemeine Erbitterung gegen die führenden Politiker um, die nach Meinung des Volkes versagt hatten.[187] Den Prozeß beherrschte das Gefühl der Furcht vor einem Krieg mit Alexander. Ziel der Anklage war wohl, Alexander Verantwortliche für die Flucht des Harpalos zur präsentieren und angesichts bevorstehender Verhandlungen seine Verärgerung über das Verhalten Athens zu mildern. So provozierten Deinarch und Hypereides, obwohl engagierter Makedonengegner, die Angst der Richter vor einem Krieg mit Alexander, um eine Verurteilung des Demosthenes zu erzwingen:[188]

---

[184] Vgl. Glotz 212. Einschränkend ist zu sagen, daß Glotz die promakedonische Haltung Menesaichmos' aus dessen privater Gegnerschaft zu Lykurg folgert.

[185] Nach Berve II 338 war Pytheas unter Alexander ein Gegner der Makedonen. Dem widerspricht eindeutig der Übertritt des Politikers im Jahre 323/2 an die Seite des Antipater (Suid. s. v. Πυθέας, Plut. Dem. 27.2. Πυθέας μὲν οὖν ὁ ῥήτωρ καὶ Καλλιμέδων ὁ Κάραβος ἐξ Ἀθηνῶν φεύγοντες Ἀντιπάτρῳ προσεγένοντο, καὶ μετὰ τῶν ἐκείνου φίλων καὶ πρέσβεων περιϊόντες οὐκ εἴων ἀφίστασθαι τοὺς Ἕλληνας οὐδὲ προσέχειν τοῖς Ἀθηναίοις· Angesichts der Schärfe, mit der Antipater gegen seine Athener Gegner vorging, (vgl. u. a. Plut. Dem. 28; s. im folgenden) ist wenig wahrscheinlich, daß sich Pytheas als Vertreter der „Kriegspartei" nach Makedonien geflüchtet hätte.

[186] So Rosen 35 f., für dessen Hypothese sich im übrigen bereits die Voraussetzung, die baldige Rückkehr der Gesandtschaft aus Babylon, als irrig erweist (s. o. S. 124 Anm. 175). Zur Zeit des Prozesses war in Athen von einer negativen Antwort Alexanders und der Verweigerung von Zugeständnissen nichts bekannt, Demosthenes mithin nicht gezwungen, das letztgültige Scheitern seiner Politik des Ausgleichs zu verantworten.

[187] Der Zorn des Volkes richtete sich gegen die Gesamtheit der Politiker. (Vgl. Goldstein 40) Noch im Februar verdächtigte und beschimpfte die Komödie Demon, Kallisthenes, Moirokles (nach Berve II 142, 199, 266 engagierte Makedonengegner)und sogar Hypereides, den späteren „Hauptankläger", als korrupt.

A καὶ Μοιροκλῆς εἴληφε χρυσίον πολύ.
B ἀνόητος ὁ διδούς, εὐτυχὴς δ' ὁ λαμβάνων.
A εἴληφε καὶ Δήμων τι καὶ Καλλισθένης.
B πένητες ἦσαν, ὥστε συγγνώμην ἔχω.
A ὅ τ' ἐν λόγοισι δεινὸς Ὑπερείδης ἔχει.
Timokles frg. 4 (Edmonds II 603 f.) bei Athen. 341 F.

[188] s. die auf S. 123 Anm. 165 zitierten Passus Hyp. 5 col. 34 und 35, vgl. col. 11 ο]ὔτ' ἂν ἡ πόλις [ἐν αἰτίαις]καὶ διαβο[λαῖς ἦν.] col. 8 εἶτα δὲ τ]ίσιν αἰτίαις [ἔνοχον τὴ]ν πόλιν κα[τέστησας ἐφέμ]ενος [τοῦ Ἁρπαλείου] χρυσί[ου. (Ergänzung nach Körte, Harpalosprozeß 229 Anm. 3).

Selbst Hypereides schreckte noch zwei Monate vor dem Tod des Königs vor dem bewaffneten Konflikt zurück.

Den Ungereimtheiten[189] beim Zustandekommen dieses, mit noch weitaus mehr Emotionen als vor attischen Gerichten ohnehin üblich geführten Prozesses entsprachen auch die Urteile. Aristogeiton wurde freigesprochen, Demosthenes, Demades und Philokles mit Geldbußen belegt.[190] Die baldige teilweise Rehabilitierung[191] der Verurteilten überraschte nicht. Sie bestätigt die Konfusion, mit der das Verfahren geführt und abgeschlossen worden war.

4. Die letzten Monate. Alexanders Tod und der
Ausbruch des Lamischen Krieges

Während sich die Aufmerksamkeit der griechischen Öffentlichkeit dem Verbanntendekret und seinen Konsequenzen zuwandte, in Athen die Flucht des Harpalos, die Untersuchungen des Areiopags und der folgende Prozeß im Mittelpunkt standen, konzentrierten sich, insbesondere wohl seit Anfang 324,[192] nachdem Alexander die Entlassung der in den Diensten von Satrapen stehenden μισθοφόροι verfügt hatte,[193] in Tainaron größere Söldnermassen.[194] Durch Chares[195] und, nach dessen

---

Dein. 1.68 ff. zufolge blieb bei etwaigen Forderungen Alexanders nur die Möglichkeit, einzulenken. Entgegen Habicht, Gottmenschentum 34 Anm. 26 spielte die Diskussion über die Verehrung Alexanders im Prozeß keine Rolle. Zu diesem Zeitpunkt war die Gesandtschaft, die die Entscheidung in dieser Frage Alexander übermitteln sollte, wohl schon in Babylon eingetroffen. Vgl. o. S. 121.

[189] Der Abschluß der Untersuchung wurde vom Areiopag über Gebühr hinausgezögert (s. o. S. 124 f.), eine Beweisaufnahme unterlassen (s. Schäfer III 327).

[190] Ps.-Demosth. epist. 3.37,42; Plut. Dem. 27.8; Dein. 2.15. Ps.-Demosth. epist. 3.31. Demosthenes floh aus der Schuldhaft ins Exil: Plut. Dem. 26.5, Ps.-Plut. mor. 846 C, Ps.-Demosth. epist. 2.17
Die Unechtheit der Demosthenesbriefe widerspricht insbesondere der im Falle des Philokles gemachten Aussage nicht a priori, da der noch in der ersten Hälfte des 3. Jahrhunderts schreibende Verfasser durchaus über Kenntnisse historischer Details verfügen konnte. Anders Treves, RE XIX.2 2490.

[191] Demades befand sich im August resp. September 323 in Athen (Plut. Phok. 22.3). Unklar ist dabei, ob er die Strafe bezahlt hatte oder ob sie ihm (teilweise) erlassen worden war. Philokles wurde Ende August als Kosmetes der Epheben der Phyle Leontis bekränzt (Treves a. a. O. 2489). Demosthenes schließlich kehrte, allerdings unter veränderten politischen Vorzeichen, Ende 323 in seine Vaterstadt zurück. (Ausführlich Schäfer III 370 f.)

[192] s. Badian, Harpalus 27, 38.

[193] Diod. 17.111.1, 17.106.3.

[194] Diod. 17 111.1, Paus. 1.25.5; vgl. 8.25.2. Die einzelnen, wohl jeweils von einem Strategos befehligten Söldnerhaufen, wurden, da ohne übergreifende Organisation, vermutlich erst von Leosthenes (s. im folgenden) unter einer zentralen Leitung zusammengefaßt.

Tod,[196] Leosthenes, scheinen Verbindungen zu den Makedonengegnern in Athen bestanden zu haben. Von den Söldnern zum στρατηγὸς αὐτοκράτωρ gewählt,[197] befehligte Leosthenes ein für jeden finanzkräftigen Auftraggeber interessantes, militärisch effektives Truppenpotential. Seine Bezahlung ließ sich offenbar mit Geldern flüchtiger persischer Satrapen regeln.[198]

Eine Unterstützung des Leosthenes durch offizielle Kreise Athens bereits im Herbst 324[199] ist wohl eine Erfindung der Zeit des Demetrios Poliorketes, in der man bemüht war, das Bild eines ständigen Widerstandskampfes der Stadt gegen die makedonische Herrschaft zu zeichnen.[200] Athen kann damals, wie bereits angedeutet, kaum mit einem Erfolg in einer militärischen Auseinandersetzung mit dem übermächtigen Alexander gerechnet haben, zumal die Makedonen in Griechenland auf die Hilfe der zahlreichen Verbannten zählen konnten. Die Stadt vertraute in der Verbanntenfrage auf Verhandlungen und suchte durch ein Eingehen auf die Apotheoseforderung und durch die Einleitung einer Untersuchung gegen die mutmaßlichen Schuldigen an der Flucht des Harpalos das bisher gute Verhältnis zum König zu wahren. Parallel dazu geführte Kriegsvorbereitungen, Besoldung und Bewaffnung der Söldner in Tainaron waren jedoch schwerlich vor dem Demos, der vor dem Konflikt mit Alexander zurückschreckte,[201] oder vor makedonischen

---

[195] Ps.-Plut. mor. 848 E; vgl. Berve II 404, Gehrke 77, E. Lepore, Leostene e le origini della guerra lamiaca, La Parola del Passato 10, 1955, S. 182.

[196] Vgl. Ps.-Demosth. epist. 3.31; Berve II 404.

[197] Diod. 17.111.3 τὸ δὲ τελευταῖον Λεωσθένην τὸν Ἀθηναῖον, ἄνδρα ψυχῆς λαμπρότητι διάφορον καὶ μάλιστ' ἀντικείμενον τοῖς Ἀλεξάνδρου πράγμασιν, εἵλοντο στρατηγὸν αὐτοκράτορα. Das τὸ δὲ τελευταῖον weist darauf hin, daß Leosthenes erst nach dem Eintreffen größerer Söldnertruppen in Tainaron gewählt wurde, also wohl im Frühjahr oder Sommer 324.
Leosthenes' frühere Tätigkeit liegt im Dunkeln. Seine militärische Erfahrung (vgl. Paus. 1.25.5) und das Vertrauen, das er bei den Söldnern genoß, lassen aber einen längeren Aufenthalt in Asien vermuten. Möglicherweise war er Anfang 324 noch Funktionär Alexanders und zunächst von diesem selbst mit der Regelung der Söldnerangelegenheiten betraut worden.

[198] Diod. 17.111.2; vgl. Berve II 236.

[199] Vgl. Diod. 17.111.2 ff.; 324/3 war Leosthenes vermutlich auch στρατηγὸς ἐπὶ τὴν χώραν in Athen. Sein Aufgabenbereich war somit auf die Kriegführung im eigenen Land bzw. die Sicherung der Landesgrenzen beschränkt. Zur Datierung s. Reinmuth, Ephebic Inscriptions Nr. 15 col. I; vgl. Mathieu 161 ff., Reinmuth a.a.O. 67 ff. Gehrkes Ablehnung dieses Zeitpunktes (S. 78 f. Anm. 12) setzt die Besoldung der Söldner von Tainaron durch die Boule bereits in diesem Zeitraum voraus (s. dazu u. S. 129 Anm. 202). Die Wahl des Leosthenes zum Strategen scheint m. E. im Gegenteil daraufhin zu weisen, daß man in Athen nichts zu verbergen hatte.

[200] Vgl. o. S. 98 f.

[201] Anders Gehrke 79 Anm. 18, der den Ausgang des Harpalosprozesses als Beleg für seine Behauptung wertet. Die exakte Frage darf jedoch nicht lauten, welche Politik die Angeklagten verfolgten, sondern mit welcher Argumentation ihre Verurteilung erzwungen wurde.

Agenten geheimzuhalten. Sie hätten eine friedliche Lösung des Verbanntenproblems a priori unmöglich gemacht.[202]

Anfang Juni starb Alexander.[203] Erste Gerüchte von seinem Tod erreichten Athen Ende August. Die angestaute Unruhe über das Schicksal der Stadt entlud sich nun in heftigen Diskussionen. Doch noch immer siegte die Angst. Phokion und Demades mit dem anekdotisch überlieferten Satz „οὐ τέϑνηκεν 'Αλέξανδρος, ὦ ἄ. 'Α., ὦζε γάρ ἂν ἡ οἰκουμένη τοῦ νεκροῦ[204] warnten davor, den Berichten Glauben zu schenken[205] und erzwangen eine Verschiebung voreiliger Beschlüsse der Volksversammlung: Seit Issos war in der Tat ein Aufstand zu Lebzeiten Alexanders gegen

---

[202] Heimliche Besoldung und Bewaffnung der Söldner in Tainaron passen nur in die Zeit nach Bekanntwerden der Gerüchte von Alexanders Tod (vgl. Diod. 18.9.4), als in Athen Hoffnungen geweckt wurden, gegen die Nachfolger des Königs zumindest das bisher Gewonnene behaupten zu können, gleichzeitig aber die Furcht vor einer Falschmeldung, wie sie 335 zum Abfall der Thebaner geführt hatte, offene Rüstungsmaßnahmen verbot. Mit seiner Erwähnung der Maßnahme der Boule bereits im 17. Buch (111.1 ff.) wollte Diodor wohl seine These vom Zusammenhang zwischen Söldnerproblem und Lamischem Krieg (17.111.1) untermauern.

Über das Ergebnis der Gespräche der athenischen Delegation mit Alexander in Babylon, das Aufschluß über das weitere Verhalten Athens geben könnte, herrscht keine Klarheit. Der angebliche Alexanderbrief bei Plut. Alex. 28.2 „'Εγὼ μὲν οὐκ ἄν" (φησίν), „ὑμῖν ἐλευϑέραν πόλιν ἔδωκα καὶ ἔνδοξον· ἔχετε δὲ αὐτὴν λαβόντες παρὰ τοῦ τότε κυρίου καὶ πατρὸς ἐμοῦ προσαγορευομένου," ... läßt sich nur als Fälschung verstehen (s. dazu Rosen 22 ff. gegen J. R. Hamilton, Alexander and his So-called Father, CQ 47, 1953, S. 155 ff.; während Rosens philologische Analyse (S. 22–24) überzeugt, ist eine zunehmende Verschlechterung der athenisch-makedonischen Beziehungen seit 326/5, wie sie der Autor seiner inhaltlichen Argumentation zugrundelegt (S. 26 ff.) nicht nachzuweisen).

Auch ein von Ch. Habicht, Samische Volksbeschlüsse der hellenistischen Zeit, AM 72, 1957, S. 156 ff. (vgl. dazu in Verbindung mit einer zweiten inhaltlich zugehörigen Inschrift (Habicht 164 ff.) E. Badian, A Comma in the History of Samos, ZPE 23, 1976, S. 289 ff.) publiziertes Dekret über die Ehrung Antileons von Chalkis für die Rettung samischer Bürger vor der Hinrichtung in Athen gibt keine Aufschlüsse. Das Psephisma respektive das ihm zugrundeliegende Faktum kann m. E. nur in die Zeit zwischen August 324 und Mai 323, d. h. zwischen Verkündigung des Verbanntendekretes und Eintreffen der πρεσβεία aus Babylon datiert werden. Bis zur endgültigen Entscheidung in der Verbanntenfrage mußten die Athener ihre Hoheitsrechte auf Samos wahren, die samischen Exilierten aber konnten, selbst wenn Alexander in Babylon den Athenern keine Zugeständnisse eingeräumt hatte, nach dem Tode des Königs und während des Lamischen Krieges nicht wagen, ohne die makedonische Rückendeckung in ihre Heimat zurückzukehren. (Habicht 161 ff.: 321; Errington 51 ff. (hier S. 56): Frühjahr/Sommer 323).

[203] Nach neuesten Berechnungen am 10./11. Juni s. A. E. Samuel, Alexander's ,Royal Journals', Hist. 14, 1965, S. 8 Anm. 22 nach A. J. Sachs, Late Babylonian Astronomical and Related Texts, Providence Rhode Island 1955. Vgl. Gehrke 80 Anm. 20, R. M. Errington, From Babylon to Triparadeisos 323–320 B. C., JHS 90, 1970, S. 75 Anm. 169.

[204] Demades frg. 7 (Falco 35), vgl. Plut. Phok. 22.5.

[205] A. a. O. 22.3 und 4.

die makedonische Herrschaft undenkbar geworden. Erst die Koinzidenz der Katastrophe des etwaigen Verlustes von Samos, des Todes des Makedonenkönigs und des Fehlens eines Nachfolgers auf dem Thron[206] ermöglichte eine solche Entscheidung. Als sich die anfänglichen Gerüchte zur Gewißheit verdichteten,[207] tat man den Schritt zum bewaffneten Konflikt. Die makedonische Macht hatte sich in Alexander personifiziert.[208] So glaubte man nun, wie psychologisch leicht verständlich, an ein Zerfallen des Imperiums.[209] Die in der Krisensituation von Ende 324/Anfang 323 aufgekommene Angst vor Alexander schlug angesichts seines Todes in Siegesgewißheit um. Wohl versuchten Phokion und auch Demades[210] noch einmal, den drohenden Krieg abzuwenden.[211] Hypereides und Leosthenes, der die Zeit nach Auftauchen der ersten Gerüchte für Rüstungen und Bündnisverhandlungen genützt hatte,[212] verstanden es jedoch, die Weichen für den Weg der militärischen Konfrontation zu stellen.[213] Während die κτηματικοί, die in einem Krieg nur verlieren konnten, in Phokion ihren Sprecher sahen,[214] votierte unter dem Einfluß der δημοκόποι[215] der Großteil wohl vor allem der ärmeren Bürger, die aufgrund der starken Preiserhöhungen am ökonomischen Aufschwung[216] der Alexanderzeit nicht partizipiert hatten und jetzt in der möglichen Eingliederung der samischen Kleruchen in

---

[206] Dieses Argument auch bei Diodor 18.9.1.

[207] Diod. 18.9.4 betont ausdrücklich, daß τινὲς ... αὐτόπται γεγονότες τῆς τοῦ βασιλέως μεταλλαγῆς abgewartet wurden. Dies mag Anfang September der Fall gewesen sein (vgl. Beloch, Gr. Gesch. IV,1 69 Anm. 1).

[208] s. Demades' Vergleich: ἔοικε γὰρ ἡ Μακεδονικὴ δύναμις, ἀπολωλεκυῖα τὸν Ἀλέξανδρον, τῷ Κύκλωπι τετυφλωμένῳ (frg. 9; Falco 26); vgl. Plut. Phok. 22.6.

[209] Dies klingt m. E. in Plut. Phok. 22.6 an. (Anders Plut. Phok. 23.4. s. auch Gehrke 82.)

[210] Wenig später wurde er von seinen Gegnern politisch mundtot gemacht und damit nachträglich die Entschiedenheit seines Auftretens bestätigt. Diod. 18.8.2, Plut. Phok. 26.3, Suda s. v. Δημάδης 3.

[211] Plut. Phok. 23.1 ff.

[212] Gehrke 81.

[213] Plut. Phok. 23.1 ff. (vgl. Ps.-Plut. mor. 849 F), Diod. 18.10.1. Zu den Dexipposfragmenten vgl. Gehrke 81 Anm. 26.

[214] s. o. S. 10 f., Gehrke 82.

[215] s. Diod. 18.10.1.

[216] Die wirtschaftliche Lage der unteren Bevölkerungsschichten in der Alexanderzeit ist nur schwer einzuschätzen. Unbezweifelbar sind Preissteigerungen, die durch eine Erhöhung der Löhne nur unzureichend ausgeglichen wurden (s. Zimmermann, Hell. Pol. I 92 ff., vgl. Pekáry 41). Demgegenüber ermöglichte jedoch der in den Verträgen von Korinth garantierte Friede eine Ausweitung des Handels (bezeichnenderweise scheint, soweit der Zufall der Überlieferung genaue Schlüsse zuläßt, in der Alexanderzeit die Zahl der Athener, die das Risiko eines Seedarlehens auf sich nahmen, anzusteigen. s. Erxleben, Hell. Pol. I 465 ff., vgl. o. S. 79 Anm. 174). Gleichzeitig bildeten sich durch Städtegründungen im Osten neue Absatzmärkte (vgl. Pekáry 44), die zu einem Anwachsen der Exporte führten und sicherlich auch eine Fülle neuer Arbeitsmöglichkeiten mit sich brachten. Psychologisch verständlich mag aber die Erhöhung der Getreidepreise im

Athen eine neue Belastung ihrer wirtschaftlichen Existenz sahen, für den Waffengang.[217]

Anfängliche Erfolge schienen die Meinung Phokions, die Stadt verfüge nicht über genügend Geldmittel, Schiffe und Finanzen für einen langen Krieg,[218] zu widerlegen. Im Bündnis mit den Aitolern und verschiedenen mittelgriechischen Staaten hatte Leosthenes zunächst die auf die makedonische Seite getretenen Boioter besiegt, die Thermopylen besetzt, Antipater bei Herakleia geschlagen und ihn im Winter 323/2 in Lamia eingeschlossen.[219] Noch einmal im Frühjahr gelang den Athenern unter Antiphilos, dem Nachfolger des inzwischen gefallenen Leosthenes, trotz offensichtlicher Auflösungstendenzen[220] ein letzter Erfolg. Das heranziehende Entsatzheer des Leonnatos wurde zerstreut.[221]

Mit der Verstärkung Antipaters durch Krateros und der Schlacht bei Krannon jedoch war das Schicksal der Stadt besiegelt und das Urteil über die angebliche langjährige Vorbereitung auf den „makedonischen Krieg" gesprochen.[222] Nicht der Tod des Leosthenes,[223] sondern mangelnde militärische Effizienz der Bürgerheere,

---

Vordergrund gestanden und, da man sie der Politik Alexanders bzw. seiner Satrapen anlastete, zu antimakedonischen Reaktionen geführt haben.

[217] Diod. a. a. O. ὁ δὲ δῆμος τῶν Ἀθηναίων, τῶν μὲν κτηματικῶν συμβουλευόντων τὴν ἡσυχίαν ἄγειν, τῶν δὲ δημοκόπων ἀνασειόντων τὰ πλήθη καὶ παρακαλούντων ἐρρωμένως ἔχεσθαι τοῦ πολέμου, πολὺ τοῖς πλήθεσιν ὑπερεῖχον οἱ τὸν πόλεμον αἱρούμενοι καὶ τὰς τροφὰς εἰωθότες ἔχειν ἐκ τοῦ μισθοφορεῖν·

[218] Θαυμαζόντων δὲ πολλῶν τὴν ὑπὸ τοῦ Λεωσθένους συνηγμένην δύναμιν, καὶ τοῦ Φωκίωνος πυνθανομένων πῶς τι παρεσκευάσθαι δοκοῦσιν αὐτῷ, „Καλῶς," ἔφη, „πρὸς τὸ στάδιον· τὸν δὲ δόλιχον τοῦ πολέμου φοβοῦμαι, μήτε χρήματα τῆς πόλεως ἕτερα μήτε ναῦς μήτε ὁπλίτας ἐχούσης." Plut. Phok. 23.4.
Phokions an gleicher Stelle gefälltes Urteil über die Reformen Lykurgs (Plut. Phok. 23.3; vgl. Gehrke 83) ist trotz seiner pauschalen Natur aus der Perspektive des Krieges, auf den das Programm nicht abzielte, gesprochen.

[219] Zu den hier im Detail nicht ins Gewicht fallenden Ereignissen des Lamischen Krieges vgl. mit Quellenangaben Schäfer III 361 ff., Stähelin RE XII 1, 1925, S. 562 ff., Geyer RE XII 2, 1925, S. 2036 ff. und 2059 ff. und (zur Schlacht von Amorgos) T. Walek, Les opérations navales pendant la guerre lamiaque (cit. Walek), RPh 48, 1924, S. 23–30.

[220] Diod. 18.15.1; Gehrke 86.

[221] Phokion hielt trotz dieser Siege an seiner Meinung fest, wie das skeptische Zitat Plut. Phok. 23.7 belegt: καὶ πάλιν ἄλλων ἐπ' ἄλλοις εὐαγγελίων γραφονένων καὶ φερομένων ἀπὸ στρατοπέδου, „πότε ἄρα," φάναι, „παυσόμεθα νικῶντες;"

[222] Vgl. o. die Einschätzungen Phokions, der nicht wie Demades zu den konsequenten Anhängern promakedonischer Politik gerechnet werden darf. Während Demades im Sommer 323 von der politischen Bühne abtreten mußte (s. o. S. 130 Anm. 210), leitete Phokion, auch wenn er gegen Antiphilos nicht zum Nachfolger des Leosthenes gewählt worden war (Diod. 18.13.6, Plut. Phok. 24.1), ein „Kommandounternehmen" gegen ein makedonisches Expeditionskorps, das unter Führung von Mikion bei Rhamnus gelandet war (Plut. Phok. 25.1; vgl. Gehrke 85).

[223] Vgl. Hyp 6 (Burtt).

ein, finanziell bedingt, zu geringes Söldneraufgebot und fehlende Motivierung der Bundesgenossen waren die Ursache der Niederlage.²²⁴

Am 20. Boedromion 322, nachdem auch die hochgerüstete Flotte bei Amorgos aufgerieben war,²²⁵ besetzten die Makedonen schließlich die Munichia.²²⁶

Demosthenes beging, von makedonischen Söldnern umstellt, im Tempel des Poseidon auf Kalaureia Selbstmord,²²⁷ Demades und Hypereides wurden von Kassander bzw. Antipater hingerichtet,²²⁸ und Phokion trank auf Geheiß der eigenen Bürgerschaft den Schierlingsbecher.²²⁹ Mit ihm starb kaum vier Jahre nach der Niederlage der Stadt auch der letzte Repräsentant des Athens der Alexanderzeit eines gewaltsamen Todes.

---

²²⁴ Zum Verlauf der Schlacht und vor allem dem Verhalten der verbündeten Griechen nach dem Kampf ausführlich Schäfer III 383 ff. Die Söldner waren ausschließlich mit den von Harpalos zurückgelassenen Geldern bezahlt worden. Eine langfristig angelegte Kriegskasse existierte nicht. Eindeutig Diod. 18.9.1 ἀφορμὰς δὲ ἔσχον εἰς τὸν πόλεμον τό τε πλῆθος τῶν καταλειφθέντων ὑφ' Ἁρπάλου χρημάτων (irrig Schäfer III 361), Diod. 18.9.4 καὶ (erg. ὁ δῆμος) τῶν μὲν Ἁρπάλου χρημάτων μέρος ἐξέπεμψε τῷ Λεωσθένει ...
²²⁵ Bereits Ol. 114.2. Zu den im einzelnen umstrittenen Fakten Walek 26 ff., Beloch, Gr. Gesch. IV.1 73 Anm. 1.
Die sang- und klanglose Niederlage der attischen Flotte (Plut. Demetr. 11.4) erhärtet die Vermutung, daß zumindest die von Lykurg betriebene Umrüstung der Flotte nicht auf einen Seekrieg mit den Makedonen abgezielt hatte.
²²⁶ Plut. Phok. 28. i ff. Angesichts der Erbitterung, die Antipater in Lamia über die Kapitulationsforderung des seit den Friedensverhandlungen von 338 ständig bevorzugten Athen empfunden haben mag (vgl. Plut. Phok. 26.7), erscheinen die Friedensbedingungen (s. Plut. Phok. 27.5, Diod. 18.18.4 ff.) keineswegs als allzu hart: Mit Ausnahme von Oropos wurde der Besitz der Stadt nicht angetastet. Im Falle von Samos blieb den Athenern die Möglichkeit der „Berufung" (ἀναφορά; s. dazu Bengtson, Strategie I 70). Offenbar trug Antipater so der maßvollen Politik Phokions und Demades' Rechnung, die von Athen auch als Unterhändler ausgesandt worden waren (Diod. 18.18.2, Plut. Phok. 26.5). Die Forderung nach einer Verfassungsänderung, die Bürger mit einem Besitz unter 2000 Drachmen vom Bürgerrecht ausschloß (Diod. 18.18.4), läßt m. E. erkennen, in welchen Bevölkerungsschichten Antipater Makedonengegner vermutete (vgl. dazu Gehrke 90 f.).
²²⁷ Plut. Dem. 29.1 ff., Ps.-Plut. mor. 846 E f.; s. Schäfer III 393 ff. Demosthenes' vorausgegangene Rückkehr (Plut. Dem. 27.1 ff., Ps.-Plut. mor 846 D) auf die Seite des Hypereides beweist keineswegs eine von ihm in den zwanziger Jahren vertretene antimakedonische Einstellung. Es war letztlich das verzweifelte Bemühen eines gescheiterten Politikers, aus der Bedeutungslosigkeit der Verbannung wieder Anschluß an die „Macht" zu gewinnen.
²²⁸ Plut. Phok. 30.8 ff., Dem. 31.4 ff., Diod. 18.48.2 f. Plut. Dem. 28.4, Phok. 29.1, Arr. succ. 13.
²²⁹ Dazu ausführlich Gehrke 108 ff.

IV. Zusammenfassung

1. Die Politik Athens und die Entwicklung der Beziehungen zu Makedonien von 338 bis 322

Als Philipp im Sommer 336 in Aigai ermordet wurde, gehörte den eingeschworenen Makedonenfeinden in Athen der Tag. Für eine allgemeine Wende der Stadt war es jedoch zu spät. Philipps im Hinblick auf den geplanten Asienfeldzug versöhnliche Politik hatte bereits das von Demosthenes seit der Eroberung Olynths aufgebaute Feindbild ins Wanken gebracht und die Basis für einen Ausgleich zwischen Athen und dem sich entschlossen, aber kompromißbereit gerierenden Alexander gelegt. Philipps nach dem Sieg von Chaironeia gewährte Friedensbedingungen waren, ganz im Unterschied zur Behandlung der Nachbarstadt Theben, unerwartet milde, Befürwortern einer Politik des Widerstandes um jeden Preis so der Boden entzogen. Die Wahl des Phokion gegen Charidemos zum Strategen für die Verteidigung der Stadt signalisierte Philipp bereits das Athener Einverständnis zum Dialog. Das Jahr 338/7 scheint geprägt vom beiderseitigen Gespräch. In den Verträgen von Korinth wurden die bestehenden Verfassungen garantiert und die Modalitäten des Perserzuges vereinbart. So lag eine Instandsetzung der attischen Befestigungsanlagen, die Anlage von Proteichismata und Gräben angesichts des bevorstehenden Übergangs nach Asien und der damit verbundenen Gefahr einer Überspielung des Krieges durch die Perser nach Griechenland durchaus im Interesse Philipps. Der Baubeginn im Juni 337, also nur wenig nach der Rückkehr einer attischen Delegation aus Korinth, legt eine Absprache mit Philipp nahe. Ebenso ist die offizielle Aufnahme von Flüchtlingen u.a. aus Theben, Troizen und, wie aus einem ebenfalls im Juni 337 verfaßten Dekret ersichtlich, Akarnanien als Ergebnis makedonisch-athenischer Koordination zu sehen: Philipp konnte so das für ihn brisante Problem der im Gefolge seines Vormarsches heimatlos Gewordenen zumindest teilweise lösen, während Athen ein Gesichtsverlust vor den früheren Bundesgenossen und der griechischen Öffentlichkeit erspart blieb.

Insbesondere mit Demades setzte sich in Athen die Politik der Verständigung durch. Zahlreiche Ehrendekrete für die Makedonen bekundeten die Bereitschaft, die neu geschaffene Ordnung zu akzeptieren und sich mit Philipp zu arrangieren. Auch in dem mit den Abmachungen von Korinth in Einklang stehenden Gesetz des Eukrates ist wohl ein Versuch der Promakedonen zu sehen, während der Abwesenheit des Königs in Asien die Lage in Athen stabil zu halten und Umsturzversuchen der innenpolitischen Gegner vorzubeugen. Philipp seinerseits zeigte mit dem vermutlich schon im Herbst 337 begonnenen Übersetzen von Truppen nach Asien seinen Willen, die gemeinsamen Rachepläne unverzüglich zu realisieren. Die Begründung der Invasion, die hellenischen Städte zu befreien, war an griechische Adressaten, namentlich wohl an Athen, gerichtet.

Alexander setzte ungeachtet der Schmähungen eines Demosthenes die Bemühungen um Athen fort. Nach der Zerstörung Thebens und der selbst gewählten Isolation Spartas kam dem Verhältnis zu Athen Beispielcharakter für die Beziehungen zu den übrigen griechischen Poleis zu. Trotz der schwankenden Haltung der Stadt während des thebanischen Aufstandes wurde in den Verhandlungen vom Herbst 335 ein auf der Basis gegenseitiger Garantien beruhendes Einvernehmen erzielt, das seine Bestätigung in den Kontakten der folgenden Jahre fand. Alexander konnte zumindest für kurze Zeit die Lage in Hellas als beruhigt betrachten und mit der Stadt als Verbündeten den panhellenischen Anspruch des Zuges unterstreichen. Athen durfte auf materielle und ideelle Vorteile aufgrund der Bevorzugung durch den König hoffen.

Für seinen Feldzug rekrutierte Alexander in erster Linie wohl arme oder verarmte Politai, die in ihrer Mehrzahl auch nach Abschluß des Rachefeldzuges bei ihm verblieben. Zusätzlich übernahm er ohne durch die Verträge von Korinth dazu verpflichtet zu sein, die Verpflegung und Besoldung der Kontingente. Eine wirtschaftliche Belastung brachten die Abstellungen für den Zug nicht mit sich. Sie leisteten eher einen Beitrag zur Lösung des auch Athen tangierenden sozialen Problems der Überbevölkerung.

Wohl zur Klärung eventuell strittiger Fragen hielt sich, zusätzlicher Beweis des guten Willens Alexanders, Alkimachos im Winter 335/4 in Athen auf. So läßt sich auch hinter dem Verbleib der attischen Flottenabteilung bei Alexander nach Auflösung der Bundesflotte eine Absprache vermuten. Geiselfunktion kam den Schiffen und ihren Besatzungen keineswegs zu, Alexander betraute sie vielmehr mit weiteren Aufgaben, weil er in ihnen das zuverlässigste Kontingent sah.

Mit besonderen Gesten dokumentierte der Makedonenkönig nach dem Übergang nach Asien seine Bevorzugung Athens, das für ihn als „θέατρον τῆς δόξης" auch vorrangiger Adressat seiner sorgfältig konzipierten Propaganda war. Aus der Beute des Sieges vom Granikos übersandte er 300 Schilde gefallener Meder als Weihegeschenk für die Athena in die Stadt. Unter bewußter Brüskierung Spartas würdigte er die Verdienste Athens im Perserkrieg und unterstrich somit die Rolle der Stadt als wichtigsten griechischen Verbündeten bei der Erfüllung der Rachepläne.

Alexanders Haltung verfehlte ihre Wirkung nicht. In Athen scheint man sich Hoffnungen zumindest auf wirtschaftliche Vorteile gemacht zu haben. Unter dem

Strategen Diotimos wurde eine Flotte zur Bekämpfung der Piraten zusammengestellt. Ebenfalls zur Sicherung der Schiffahrtswege wurde die Flotte vergrößert und teilweise auf die kostensparende Tetrere umgerüstet, 324 sogar in Konsequenz der Ausweitung des Handels nach Absprache mit Alexander eine Kolonie im Tyrrhenischen Meer gegründet. Um die Attraktivität des Piräus als wichtigem mediterranen Umschlagplatz zu erhöhen, wurde fremden Kaufleuten das Recht zum Erwerb von Land für den Bau von eigenen Hiera zugestanden. Der Beginn bzw. die Wiederaufnahme der Arbeiten an zahlreichen öffentlichen Bauten wie an privaten Denkmälern bezeugt das Ansteigen der Einkünfte des Staats und seiner Bürger.

Demades, der für die Einigung mit Alexander verantwortlich zeichnete, wurde mit der lebenslangen Speisung im Prytaneion geehrt, mit seiner Wahl zum ταμίας τῶν στρατιωτικῶν bereits eine Vorentscheidung über die künftige Außenpolitik getroffen. Strittige Punkte, die zu einer Trübung des Verhältnisses zwischen Athen und Alexander hätten führen können, bereinigte man. So gab der König die Blockade der nordöstlichen Ägäis, die er zum Schutz gegen Kaperfahrten Memnons angeordnet hatte, die in ihren Auswirkungen aber Athens Getreideversorgung aus dem Pontos gefährdete, auf. In Gordion versprach er einer attischen Delegation die Freilassung der am Granikos gefangenen und nach Makedonien deportierten athenischen Söldner nach Erreichung seiner Kriegsziele. Mit der Rede „Περὶ τῶν πρὸς 'Αλέξανδρον συνθηκῶν" verhallte im Herbst 333 ein letzter verbaler Widerstandsversuch gegen die Makedonen in Athen. Agis' spätere Bemühungen, die Stadt zur Teilnahme am gemeingriechischen Versuch, die makedonische Suprematie abzuschütteln, zu bewegen, scheiterten. Die Stadt blieb dem Aufstand fern. Selbst ein Mann wie Demosthenes suchte Gespräche mit Olympias, Hephaistion und Alexander. Eine athenische Delegation handelte im Frühjahr 331 in Tyros Zugeständnisse für die neutrale Haltung im bevorstehenden Kampf aus, denunzierte möglicherweise sogar die Aufständischen in der Peloponnes, denn erst von Tyros aus leitete Alexander mit der Aussendung des Amphoteros direkte Maßnahmen zur Bekämpfung der Unruhen ein. Das Detail verrät, wie sehr sich Alexander um das Wohlwollen der Stadt bemühte: Statt für den bei den Agonen in Tyros agierenden Schauspieler Athenodoros in Athen zu intervenieren, bezahlte er die über diesen von der Stadt verhängte Geldstrafe. Mit der Rückgabe der von Xerxes geraubten Statue der Tyrannenmörder im Dezember 331 bezeugte der König schließlich nach dem Ende der Krise der makedonischen Herrschaft der Stadt seinen symbolischen Dank.

Auch in den folgenden Jahren, als sich Alexander mehr und mehr von Griechenland abwandte, bestanden Kontakte zu Athen weiter. Der König ließ die Stadt in der Zeit der die ganze griechische Welt erfassenden „σιτοδεία" mit Getreidelieferungen unterstützen. Auch in den Exporten des Harpalos darf man wohl nicht in erster Linie den Versuch einer Hausmachtpolitik erblicken. Die umfangreichen Kornsendungen sind ohne Wissen und Einverständnis Alexanders nicht denkbar.

Ungeachtet der offenbar nur temporären wirtschaftlichen Krise wurden die spätestens mit der zweiten Amtsperiode Lykurgs eingeleiteten Bauaktivitäten fortgesetzt. Nach dem Theater des Dionysos und der Skeuothek wurde an Projekten im Ilissosgebiet, der Palaistra, dem Gymnasion und dem Panathenaiischen Stadion, gearbeitet, auf der Agora Tempel und Propyla, im Dionysostemenos eine neue Stoa errichtet, schließlich auch die Anlagen im Amphiareion von Oropos und in Eleusis restauriert und erweitert. Die Planung und teilweise Durchführung weiterer Großprojekte wie der Stoen auf der Pnyx und eines Gerichtsgebäudes auf der Agora sowie vermutlich auch der zweigeschossigen Halle im Asklepiosheiligtum in den zwanziger Jahren bezeugen ungebrochene wirtschaftliche Kraft und entschlossenen Willen, einmal gesetzte Ziele zu erreichen.

Begleitend zu den Bauvorhaben trat eine Reihe von Gesetzesentwürfen. Mit ihnen wurden kulturelle, religiöse und pädagogische Aufgaben der Stadt neu geregelt. In Oropos wurden die Amphiareia, in der Stadt selbst Komödien- und Choragone zu Ehren des Poseidon wieder eingeführt. Die Aufführung der Dramen der klassischen Dichter wurde kanonisiert, die Finanzierung der Kultbelange durch fest verankerte Einkünfte abgesichert. Schließlich wurde die Ausbildung der Epheben umstrukturiert, d. h. das bis dahin vermutlich rein militärische Training durch einen religiös und staatspolitisch orientierten Unterricht erweitert. Baumaßnahmen und Reformen griffen ineinander, ergänzten sich. Als Ziel suchte man das im Gefolge des Peloponnesischen Krieges aufgekommene politische Desinteresse, die von Demosthenes beklagte „Privatisierung"[1], zu beseitigen, ein neues, auf den historischen Traditionen Athens beruhendes Selbstbewußtsein zu schaffen, den Bürger zu aktivieren und ihn zu einer stärkeren Teilnahme am staatlichen Leben zu bewegen. Erfolge zeigten sich in der wachsenden Bereitschaft einzelner Bürger wie z. B. des Deinias, Lysikrates, Eudemos, Neoptolemos oder Pytheas von Alopeke für die Belange der Stadt auch finanzielle Opfer zu bringen. Insbesondere Lykurg verstand es, reiche Athener, die zweifellos an einer Konsolidierung der Verhältnisse interessiert waren, zu gewinnen.

Nach der Ausschaltung des Aischines und der offensichtlichen Isolation des Hypereides scheinen sich die alten politischen Strukturen, die Interessengegensätze zwischen promakedonisch und antimakedonisch gesinnten Politikern aufgelöst zu haben. Eine natürlich auf gewissen Absprachen beruhende, jedoch lockere Koalition politisch durchaus heterogener Staatsmänner, zu denen neben Lykurg wohl Demosthenes, Demades und Phokion zählten, trug die Politik der Stadt. Ungeach-

---

[1] Vgl. Demosth. 3.29

tet des Festhaltens einzelner Politiker an den klassischen Autonomia- und Eleutheriavorstellungen verfocht man zumindest außenpolitisch das Mögliche und Erreichbare. Der Abschluß einer Epimachie mit den Spartokiden, die die Getreideversorgung aus dem Pontos sicherstellte, das Entstehen neuer Absatzmärkte im Osten, die Gründung einer Kolonie im Tyrrhenischen Meer, die Aussichten auf eine Erweiterung des Handels mit dem Westen eröffnete, außerdem das umfangreiche Bauprogramm, das in Einklang mit den ähnlichen Zwecken dienenden Maßnahmen Alexanders wie der Trockenlegung des Kopaissees, dem Wiederaufbau von Plataiai oder der Errichtung eines Palastes in Pella[2] neue Arbeitsmöglichkeiten schuf, weisen darauf hin, daß Mitte der zwanziger Jahre, zwei Jahre nach der Demission Lykurgs, die Hoffnungen der Stadt, eine führende Stelle in dem nun offenbar auch noch nach Westen ausgreifenden Kosmos des Makedonenkönigs einzunehmen, sich eher noch verstärkt hatten.

So nimmt es nicht wunder, daß man, wiewohl seine Gelder in die Taschen attischer Politiker flossen, doch auf Kriegspläne des geflüchteten Harpalos nicht einging. Selbst unter dem Schock des Verbanntendekretes, der möglichen Abtretung von Samos, suchte Athen den Weg der Verhandlungen zu gehen. Eine athenische Delegation reiste zu Gesprächen mit Alexander nach Babylon. Noch im Harpalosprozeß vom März 323 suchten die Ankläger Hypereides und Deinarch, engagierte Makedonengegner, die Verurteilung des Demosthenes zu erzwingen, indem sie für den Fall eines Freispruchs den Richtern die Gefahr eines Krieges vor Augen stellten. Vorbereitungen für einen bewaffneten Konflikt mit Alexander wurden nicht getroffen. Die Behauptung der offiziellen Unterstützung des Söldnerführer Leosthenes in Tainaron durch die Stadt ist wohl eines der bei Diodor üblichen vaticinia ex eventu. Erst der Tod des Königs, der nun erwartete Zerfall des Reiches, der alle bisherigen Pläne hinfällig werden ließ, und die Unsicherheit über das Vorgehen der Nachfolger ermöglichten das Votum der Ekklesia für den Aufstand.

2. Die attischen Politiker der Ära Alexanders

Die Politik Athens in den sechzehn Jahren zwischen der Schlacht von Chaironeia und der Besetzung der Munichia durch makedonische Truppen prägte ein kleiner Kreis von nurmehr fünf Männern: Lykurg, Demosthenes, Hypereides, Demades und Phokion.[3] Ihr Einfluß war, insbesondere der außenpolitischen Situation ent-

---

[2] Strab. 9.2.18; Plut. Alex. 34.2
[3] Vgl. Mitchels (Lykourgan Athens, S. 11 ff.) „dramatis personae".
Der von ihm noch aufgeführte Aischines trat während der Regierungszeit Alexanders außer im Kranzprozeß nicht mehr hervor. s. Ramming 118 ff.
Zum Problem der „Parteien" und ihrem sozio-ökonomischen Hintergrund s. im fol-

sprechend, Schwankungen unterworfen. Als Orientierungspunkt für ihr Verhalten kann – zumindest ab 334 – das jeweilige Verhältnis zu Makedonien dienen. Daraus jedoch die Existenz von Parteien abzuleiten, ist, auch wenn man wie Beloch verschiedene Schattierungen des politischen Gefüges unterscheidet, nicht möglich.[4]

Aufschluß über Motivationen und Ziele der einzelnen Redner bzw. Strategen kann ihre Zuordnung zu speziellen sozialen Schichten geben, deren im bestimmten Rahmen durchaus divergierende Interessen sie im weitesten Sinne vertraten. Nähere Anhaltspunkte für einen solchen Zusammenhang lassen sich allerdings neben der Biographie Lykurgs nur in der Vita Phokions finden. Außer dem natürlich zu relativierenden Argument seiner Abstammung[5] aus der Athener Oberschicht erhärten hier drei von Diodor und Plutarch überlieferten Episoden die Verbindung des Strategen zu den sogenannten Besitzenden.

338, nach der Schlacht von Chaironeia, setzten die βέλτιστοι seine Ernennung als Stratege gegen den radikalen Charidemos durch,[6] 323, in der Frage des Kriegseintrittes, verfocht er zusammen mit Demades gegen Hypereides die Position der auf stabile Verhältnisse bedachten κτηματικοί ,[7] 318 schließlich, bei seiner Verurteilung, spaltete sich die Volksversammlung in zwei konträre Lager, die πολλοί ,[8] die seine Hinrichtung forderten und die ὀλιγαρχικοί , die dies vergebens zu verhindern suchten.[9]

Vor diesem Hintergrund der Verpflichtung einer spezifischen sozialen Gruppe gegenüber erweist die – ohne Widerspruch dazu – durchaus von individuellen Zügen[10] bestimmte Politik Phokions ihre innere Logik. War er zunächst 349/8, dann

---

genden; vgl. J. Pečirka, The Crisis of the Athenian Polis in the Forth Century B.C. (cit. Pečirka), Eirene 14, 1976, S. 15 ff., S. Perlman, The Politicians in the Athenian Democracy in the Fourth Century B.C. (cit. Perlman, The Politicians), Athenaeum 41, 1963, S. 327 ff. und ders., Political Leadership in Athens in the Fourth Century B.C. (cit. Perlman, Political Leadership), La Parola del Passato 22, 1967, S. 161 ff., insbes. 164 ff.

[4] Gemäß der Diktion des 19. Jahrhunderts unterteilt Beloch, Attische Politik 249 f. in eine makedonisch-konservative, eine makedonisch-radikale sowie eine antimakedonisch-konservative und eine antimakedonisch-radikale Richtung. s. im Anschluß daran Glotz 196 f., Tarn, CAH VI 440; vgl. Mitchel, Lykourgan Athens 11.

[5] Dazu Gehrke 1 f., J. Bernays, Phokion und seine neueren Beurtheiler, Berlin 1881, S. 128. Zum Problem der Kausalität von sozialem Status und politischer Tätigkeit vgl. Perlman, The Politicians 327 ff., Pečirka 17 f.

[6] Plut. Phok. 16.4; vgl. Gehrke 81 f., Perlman, Political Leadership 172. In Passus Phok. 34.3 f. gebraucht Plutarch den Begriff βέλτιστοι deckungsgleich mit ὀλιγαρχικοί und μισόδημοι

[7] Vgl. Plut. Phok. 23.1 ff. und Diod. 18.10.1. Dazu Gehrke a.a.O.

[8] Der Terminus πολλοί ist hier nicht im Sinne einer numerischen Mehrheit in der Volksversammlung, sondern als politische Definition zu verstehen.

[9] Plut. Phok. 34.3 f.

[10] Phokion näherte sich, zumindest nach 338, keinem der führenden Politiker an, sondern suchte im Gegenteil die Auseinandersetzung mit ihnen. Vgl. u.a. Plut.

Mitte der vierziger Jahre im Konsensus mit Demosthenes an Interventionen gegen den die Stellung Athens bedrohenden Vormarsch Philipps in Megara und Euboia beteiligt,[11] noch im Herbst 340 in Byzanz tätig, so setzte er sich im Sommer 338 folgerichtig, als ein finanziell aufwendiger Krieg unmittelbar bevorstand, für den Frieden ein. Seinen Kurs legten endgültig Chaironeia und der Kongreß von Korinth für lange Zeit fest: Die militärische Überlegenheit Philipps war erwiesen und, wenn überhaupt, nur durch große Rüstungsanstrengungen wettzumachen; durch die Verträge wurden die bestehenden Verhältnisse auch im Innern der Poleis konsolidiert, die Expedition nach Asien eröffnete neue Absatzmärkte und bildete aufgrund des Bedarfs an Söldnern ein Ventil für den in Griechenland ständig zunehmenden Bevölkerungsüberdruck, ein langjähriger Friede kam nicht nur der Staatskasse, sondern auch den πλούσιοι zugute.

Nach der Ermordung Philipps riet Phokion in der Volksversammlung zur Besonnenheit,[12] plädierte 335 für die Auslieferung der in den Augen des Makedonenkönigs kompromittierten Staatsmänner, stimmte wenig später der Entsendung eines zusätzlichen Flottenkontingentes an Alexander zu und trat auch nach dessen plötzlichem Tod für eine Wahrung des „Friedens" ein.[13] Bei alledem war Phokions Verhalten von Loyalität zum athenischen Staat bestimmt. Einmal getroffene Entscheidungen respektierte er, auch wenn er in den vorausgegangenen Diskussionen opponiert hatte: 335 fügte er sich dem Beschluß, Alexander die Auslieferung des Demosthenes zu verweigern, und im Lamischen Krieg übernahm er, obwohl er den Kampf mit allen Mitteln zu verhindern bestrebt war, die Durchführung einer militärischen Mission.

In ähnlichem Licht erscheint auch die Gesinnung des Demades,[14] dessen Bild im Gefolge einer bereits seit Ende des vierten Jahrhunderts besonders makedonenfeindlichen Überlieferung und zahlreicher fiktiver Apophtegmata zu negativ gezeichnet wurde. Auch wenn Philipp ihm – sicherlich vor allem aufgrund rhetorischer und intellektueller Qualitäten – besonders gewogen war, so war er doch keineswegs ein Agent des Königs, Teil einer Fünften Kolonne in der Stadt. Nachdem

---

Phok. 10.2 und 10.5 (gegen Aristogeiton), 9.5 (gegen Polyeuktos von Sphettos), 9.6 (gegen Lykurg), 21.1 gegen Pytheas, 23.1 (gegen Leosthenes), 23.2 und 21.1 in Verbindung mit Ps.-Plut. mor.848E (gegen Hypereides), 17.1 und 17.2f. (gegen Demosthenes). s. Mitchel, Lykourgan Athens 20.
[11] s. dazu Gehrke 32ff.; zur euboiischen Kampagne von 349/8, die wohl wegen der gleichzeitigen Bedrohung Olynths durch die Makedonen nur halbherzig geführt wurde, vgl. neuerdings J.M.Carter, Athens, Euboea, and Olynthus, Hist. 20, 1971, S.418ff.
[12] s.o. S.33f.
[13] Ausführlich zu den Ereignissen Gehrke 40ff.
[14] So bereits auch Mitchel, Lykourgan Athens 18.

er die Stärke der Makedonen und die charismatische Persönlichkeit Philipps[15] ken-
nengelernt hatte, diente er konsequent einer Politik des Ausgleichs. Dreimal war er
in kurzen Abständen der führende Kopf der mit den Makedonen verhandelnden
Athener Delegation und bewahrte insbesondere nach der Zerstörung Thebens seine
Vaterstadt vor empfindlichen Sanktionen. Durch Ehrenpsephismata bemühte er
sich, das Verhältnis zu Philipp zu stabilisieren. Unter Alexander bereitete sicherlich
er – Plut. mor. 818 E resp. 191 E ist allerdings fiktiv – die dem Ausbruch des Agisauf-
standes vorausgegangene Einigung mit Alexander in Tyros vor.

Nicht in ihrer Authentizität umstrittene, vermutlich von antiken Rhetoren ihm in
den Mund gelegte Apophthegmata wie frg. 71 oder frg. 29[16] dürfen als Charakteri-
stika für sein Verhältnis zum Staat gewertet werden, sondern seine aus erhaltenem
epigraphischen Material faßbare politische Praxis: Von 334 bis 330 bekleidete er
das Amt eines ταμίας τῶν στρατιωτικῶν und stand damit neben Lykurg an der
Spitze der Finanzverwaltung, um 330 war er ἱεροποιός in Delphi, erhielt die delphi-
sche Proxenie und wurde schließlich 329/8 in das Kollegium für die Überwachung
der Amphiareia von Oropos gewählt. Mit der Speisung im Prytaneion und der Errichtung eines Bronzedenkmals auf der Agora wurden ihm wohl im Anschluß an
die mit Alexander nach der Zerstörung Thebens geführten Verhandlungen die
höchsten, einem attischen Politiker dieser Epoche zu Lebzeiten verliehenen Ehrungen zuteil. Sein gemeinsames Auftreten mit Lykurg in Delphi und Oropos läßt vermuten, daß er mit den Zielen des ὁ ἐπὶ τῇ διοικήσει konform ging. Wie die sogenannten Patrioten verfocht Demades die nationalen Interessen des attischen Staates. Früher als andere athenische Politiker erkannte er jedoch, daß nach Chaironeia
ein Wiederaufstieg der Stadt gegen die makedonische Militärmacht nicht möglich
war. So trat er am nachdrücklichsten und bis zu seiner Verurteilung im Harpalosprozeß konsequent für eine Kooperation mit Philipp bzw. Alexander ein.

Sein Antipode[17] und erklärter Gegner dieser Politik war Hypereides von Kollytos.
Obwohl vor Chaironeia wenig politisch aktiv und so nicht wie Demosthenes mit
einer geradezu moralischen Verpflichtung zur Makedonenfeindschaft behaftet,[18]
blieb er als einziger bedeutender Staatsmann bis zu seinem Lebensende einem negativen Verhältnis zum Imperium Alexanders treu. Angesichts des drohenden Ein-
marsches Philipps in Attika hatte er zunächst mit einem radikalen Psephisma den

---

[15] Vgl. auch den Wechsel des Aischines in seiner Einstellung zum Makedonenkönig.

[16] Zu frg. 71 (Falco) s. o. S. 13 Anm. 74; frg. 29 (Falco frg. 66): Demades ei (gemeint ist
ein Tragödiendichter) respondisse dicitur: Mirum tibi videtur, si tu loquendo talentum
quaesisti? Ego ut tacerem, decem talenta a rege accepi.

[17] Vgl. die Auseinandersetzung in der Krise nach Philipps Sieg. s. o. S. 8 ff.

[18] 335 erscheint er nicht auf der Liste der Politiker, deren Auslieferung von Alexander
gefordert wurde.

Einsatz u. a. von Sklaven für die Verteidigung der Stadt befürwortet. 335 engagierte er sich, obwohl selbst nicht betroffen, gegen die Verbannung antimakedonischer Politiker und 333 gegen die zusätzliche Entsendung von Trieren an Alexander.

Für die folgenden Jahre sind lediglich eine Gesandtschaftsreise nach Elis und ein Dialog mit Gesandten der Olympias in der Volksversammlung bezeugt: Während Athen sich mit Alexander arrangierte, blieb er offenbar in seiner starr konservativen Haltung isoliert, von einflußreichen Ämtern ausgeschlossen. Er trat nurmehr in Privatprozessen auf, wie im Verfahren gegen Euxenippos, in dem bezeichnenderweise Lykurg einer seiner Gegner war.[19]

Erst als das Konzept der Integration durch das Verbanntendekret in Frage gestellt war, wandte er sich 324 – nach einer Rede zum Problem der Kolonie im Thyrrhenischen Meer[20] – wieder mit Energie dem politischen Leben zu. Ende Juli verhandelte er mit Harpalos[21] und ließ sich offensichtlich von der Möglichkeit eines Aufstandes überzeugen. Die Mehrheit der Politiker vertraute jedoch auf Verhandlungen und das Volk schreckte vor dem Kampf mit Alexander zurück. Das Engagement, mit dem Hypereides im Harpalosprozeß insbesondere als Ankläger des Demosthenes auftrat, spiegelt, obwohl er selbst sich für seine Argumentation die allgemeine Kriegsphobie zunutze machte, auch die Enttäuschung über diese Entwicklung wider.[22] Nur der unvermutete Tod Alexanders ließ seine seit 338 gehegten und nach Issos durch den Zwang der Ereignisse zurückgestellten Hoffnungen auf eine Rebellion gegen Makedonien Wirklichkeit werden.

In Lykurg fand die Stadt den Mann, der ihr in ihrer inneren Entwicklung und – für Jahrhunderte – in ihrem äußeren Erscheinungsbild seinen Stempel aufdrückte. Seine historische Rolle konkretisiert sich für die Nachwelt in seinem Reformprogramm und seinen Baumaßnahmen. Nicht zufällig gelang eine geschichtliche Würdigung seiner Person erst mit der intensiven Auswertung des umfangreichen epigraphischen Materials und archäologischer Funde.[23] Der Schwerpunkt seines Wirkens

---

[19] Eine grundsätzliche Feindschaft ist daraus natürlich nicht ableitbar. Andererseits läßt Hypereides' Eintreten für die Kinder Lykurgs (Rede 23 (Burtt)) nicht auf eine Freundschaft zwischen beiden Männern schließen. Der Vorstoß des Hypereides war wohl primär als Angriff gegen Menesaichmos gedacht, der die Anklage initiiert hatte. Expressis verbis spricht Ps.-Plut. mor. 848 F von einem Bruch. φίλος δ' ὢν τοῖς περὶ Δημοσθένη καὶ Λυσικλέα καὶ Λυκοῦργον, οὐκ ἐνέμεινε μέχρι τέλους (vgl. auch die Meinungsverschiedenheit in der Frage der „mine owners", Mitchel, Lykourgan Athens 25).

[20] Rede 8 (Burtt).

[21] Eindeutig aus Rede Hyp. 5 col 19.

[22] Vgl. Hyp. a. a. O.

[23] Zunächst Glotz 198 ff.; F. W. Mitchel änderte den Titel seines 1965 publizierten Aufsatzes „Athens in the Age of Alexander" in der 1970 als Vorlesungsmanuskript er-

fällt in seine zweite Amtsperiode: Mit Alexander war Mitte 335 ein Kompromiß erzielt worden, die Lage in Athen hatte sich stabilisiert, ein bereits vierjähriger Friede
begünstigte Investitionen und die Auswirkungen der Getreidekrise waren noch
nicht spürbar.

Eine Beurteilung der früheren politischen Tätigkeit Lykurgs erweist sich als
schwierig. Sein Name auf dem Auslieferungskatalog ist, wie auch die für die vierziger Jahre berichtete Gesandtschaftsmission, fragwürdig und läßt daher keine Rück-
schlüsse zu. Eine wohl in seiner Herkunft[24] wurzelnde streng konservative Gesinnung und die Aktivitäten unmittelbar nach der Niederlage von 338 lassen ihn aber
in der Nähe des Demosthenes vermuten. Anders als z. B. bei Hypereides gipfelte
sein Patriotismus jedoch nicht in einem irrationalen Makedonenhaß. Lykurg war,
sicherlich ohne ein Freund Alexanders zu sein, flexibel genug, in realistischer
Einschätzung der Athener Stärke die Mitte der dreißiger Jahre gegebenen Machtverhältnisse zu akzeptieren und die Möglichkeiten der „Absprache" von 335 zu erkennen. Der Aufbau eines neuen Athens, das seine kulturelle Bedeutung wahrte
und in dem der materielle Wohlstand der Bürger gesichert war, mußte den Einsatz
aller finanzieller Mittel fordern und war so nicht gegen Alexander zu realisieren.
Mit seinem Reformwerk zielte Lykurg auf eine innere Erneuerung der Stadt, eine
Belebung der demokratischen Institutionen ab und suchte so die Basis für eine führende Stellung Athens im makedonischen Imperium zu schaffen.

Die Legende vom kontinuierlichen Widerstandskampf des Redners bildete sich
mit dem Jahr 307, der Besetzung Athens durch Demetrios Poliorketes und der „Befreiung" von der Knechtschaft des Kassander.[25] Ein von Stratokles beantragtes ent-
sprechendes Ehrenpsephisma bezweckte, das fortdauernde Ansehen des Athener
Repräsentanten der Alexanderära propagandistisch für den neuen Herrscher zu
nutzen, d. h. Lykurg zum Kronzeugen antimakedonischer Politik zu machen, somit
eine Tradition des Kampfes gegen die Makedonen zu begründen. Anhaltspunkte
für eine analoge Haltung Lykurgs sind weder in seiner politischen Praxis seit Mitte
der dreißiger Jahre noch in der Leokratesrede von 330 oder den Redefragmenten
zu finden.

Kaum ein attischer Politiker des vierten Jahrhunderts stand so im Widerstreit der
Forschung wie Demosthenes. Von der Idealisierung durch Schäfer[26] zur nahezu

---

weiterten Fassung in „Lykourgan Athens" um. Vgl. Tarn CAH VI 440 ff.: Lycurgus and
Athens.

[24] Lykurg entstammte der Priesterdynastie der Eteobutaden und bekleidete selbst
das Amt eines Priesters des Poseidon-Erechtheus. s. Ps.-Plut. mor. 843 B; Prosop. Att. II
24, Mitchel, Lykurgan Athens 43.

[25] s. o. S. 97 ff.

[26] A. Schäfer, Demosthenes und seine Zeit I–III, 2. Aufl. Leipzig 1885–1887.

karikierenden Darstellung Drerups[27] und wieder zurück zur späten Überschätzung durch Jäger[28] schlug das Pendel der Meinungen.

Für die meist nur unzureichend gewürdigte Zeit von 338 bis 322 besitzt Demosthenes' Biographie Modellcharakter. Der Redner vollzog – mit entsprechender zeitlicher Verzögerung – den politischen Kurs Athens nach und erwies hierin eine Eigenschaft, die ihm sozusagen als gemeinsamer Nenner, von beinahe allen Seiten abgesprochen wurde: politischen Pragmatismus.[29] Schon der Gang nach Chaironeia, der ihn, je nach Einstellung, zum „Märtyrer" oder „Kirchturmpolitiker" stempelte, war kein sinnloses Angehen gegen eine nicht aufzuhaltende historische Entwicklung, sondern ein unter den gegebenen Kräfteverhältnissen durchaus realistischer Weg.

Durch die Niederlage ungebrochen hatte Demosthenes nach kurzer Abwesenheit seine antimakedonische Tätigkeit fortgesetzt. Das Bewußtsein der Überlegenheit Philipps, die günstigen Bedingungen des Separatfriedens zwangen ihn jedoch zunächst, wie im Epitaphios sichtbar, zur Mäßigung, schlossen ihn von wichtigen Ämtern aus und verhinderten die Auszeichnung der Kranzverleihung. Der Tod Philipps aber gestaltete sich noch einmal zu einem Triumph. Die Freude über den vermeintlichen Zusammenbruch der makedonischen Hegemonie währte jedoch nur kurz. Die Entschlossenheit Alexanders beeindruckte Athen so, daß Demosthenes wenig später trotz Meldung vom Tode des Königs nur eine weniger als halbherzige Unterstützung für das aufständische Theben erreichen konnte. Die Vernichtung der Stadt und die letztlich nur von Demades verhinderte Auslieferung an Alexander veranlaßten ihn zu einem Rückzug, die Schlacht von Issos, auf die er letzte Hoffnungen gesetzt hatte, schließlich zu einem Gesinnungswandel.[30]

Um wieder Einfluß zu gewinnen, mußte er neue Wege beschreiten. An von ihm privat aufgenommenen Kontakten mit Hephaistion, Alexander und Olympias, endlich auch an einer zumindest temporären Übereinkunft mit Demades[31] ist nicht zu zweifeln. Beim Agisaufstand und anderen für Alexander kritischen Situationen verhielt er sich ruhig. Nachdem sich 331 die Machtverhältnisse zementiert hatten, be-

---

[27] E. Drerup, Aus einer alten Advokatenrepublik, Paderborn 1916.
[28] W. Jaeger, Demosthenes. Der Staatsmann und sein Werden, 2. Aufl. Berlin 1963.
[29] Repräsentativ für den Großteil der Forschung noch immer Ramming (vgl. die Beurteilung Bengtsons 303), der, um einen Kontrast zu Aischines bemüht, Demosthenes ohne Berücksichtigung von dessen späterer Laufbahn rückwärts gewandte romantische Schwärmerei zuschreibt und ihn als unfähig charakterisiert, über den Schatten der Vergangenheit zu springen (S. 139).
[30] Eine Flucht in die Passivität vermutet Cawkwell, The Crowning 179.
[31] Plut. Dem. 8.7. Da man die Geradlinigkeit der Demosthenischen Politik nicht in Frage stellte, wurde diese Notiz Plutarchs allgemein in die vierziger Jahre datiert. Vgl. Schäfer III 22, Thalheim, RE IV. 2, 1910, S. 2703.

mühte er sich, ohne Alexander zu provozieren,[32] im Kranzprozeß um eine bejahende Abrechnung mit seiner Politik bis zum Tode Philipps. Die Alexanderzeit, die den zwangsläufigen Bruch in seiner Argumentation impliziert hätte, klammerte er aus.

In den zwanziger Jahren engagierte sich der Redner in der Zeit der σιτοδεία als σιτώνης. Die Entfremdung zu Hypereides[33] verstärkte sich und erklärt die Leidenschaft, mit der dieser seinen einstigen Freund 323 bekämpfte. In aller Deutlichkeit demonstriert das Jahr 324/3 den Gesinnungswandel des Redners.[34] Er traf an der Spitze der Athener Delegation in Olympia auf Nikanor, ließ Harpalos festnehmen, plädierte für eine Gesandtschaft zu Alexander und nahm um eines Kompromisses in der Verbanntenfrage willen auch die Anerkennung göttlicher Ehrungen für diesen in Kauf.[35] Erst die Verurteilung im Harpalosprozeß und die anschließende Flucht beendeten seine Aktivitäten.

Nach dem Tode Alexanders und dem innenpolitischen Erfolg der Antimakedonen um Hypereides und Leosthenes versuchte er aus der Ausweglosigkeit des Exils die Rückkehr zur politischen Macht, blieb aber wie in vielen Entscheidungen glücklos. Amorgos und Kalaureia setzten einen Schlußstrich unter seine neuerliche Wendung.

---

[32] Vgl. bereits Beloch, Attische Politik 244.

[33] Nach Mossé, Athens 89f. fußt Demosthenes' Abkehr von früheren ideologischen Prinzipien zum Teil auf der Wahrung materieller Privatinteressen.

[34] Barthold 82ff. hält den Kurswechsel für eine geschickt angelegte Propaganda der Demosthenesgegner. Einem kontinuierlichen Kampf des Redners gegen die makedonische Herrschaft widersprechen jedoch nicht nur Angriffe des Aischines oder des Deinarch. Die Feindschaft, mit der gerade der konsequenteste Makedonengegner, Hypereides von Kollytos, seinen ehemaligen Gesinnungsfreund befehdete, läßt sich nur mit einem grundsätzlichen Bruch in politischen Fragen erklären. Bartholds Erwägungen zu den Missionen des Kallias und des Aristion, Demosthenes habe durch seine Vertrauten Hephaistion und Alexander bzw. Antipater und Olympias verfeinden wollen (S. 87), sind Spekulationen. Eine solch illusionäre Politik hätte nach der Festigung der Herrschaft Alexanders durch die Schlacht von Issos nur zu einer Trübung des athenisch-makedonischen Verhältnisses und einem erneuten Ansehensverlust des Redners in Athen führen müssen.

[35] K.M.T. Atkinson, Demosthenes, Alexander and Asebeia, Athenaeum 25, 1973, S. 310ff., hier 318ff. betrachtet Demosthenes' kontinuierliches Engagement als „althistorisches Axiom" und kommt folgerichtig zum Schluß, daß der Redner seine Haltung in der Apotheosefrage nicht wirklich revidierte, sondern nur zu einer „seeming concession" bereit war, um Zeit zu gewinnen.

Abkürzungsverzeichnis

AA	Archäologischer Anzeiger
ABSA	Annual of the British School at Athens
AHR	American Historical Review
AJAH	American Journal of Ancient History
AJPh	American Journal of Philology
AM (MDAI (A))	Mitteilungen des Deutschen Archäologischen Instituts (Athen. Ab.)
Anc. Soc.	Ancient Society
BCH	Bulletin de Correspondance Hellénique
Bengtson, Staatsverträge II	Die Staatsverträge des Altertums. Die Verträge der griechisch-römischen Welt von 700 bis 338 v. Chr., bearb. v. H. Bengtson, München/Berlin 1962
Burtt	J. O. Burtt, Minor Attic Orators II, Cambridge 1973
CIA	Corpus Inscriptionum Atticarum
C & M	Classica et Mediaevalia
CPh	Classical Philology
CQ	Classical Quarterly
CR	Classical Review
EHR	English Historical Review
Ephem	Ἀρχαιολογικὴ Ἐφημερίς und Ἐφημερὶς Ἀρχαιολογική
FAS	Frankfurter Althistorische Studien
FGH	Die Fragmente der griechischen Historiker, hg. v. F. Jacoby
FHG	Fragmenta Historicorum Graecorum, hg. v. C. u. Th. Müller
G & R	Greece and Rome
GRBS	Greek, Roman and Byzantine Studies
Hell. Pol.	Hellenische Poleis. Krise – Wandlung – Wirkung, hg. v. E. Ch. Welskopf, Berlin 1974
Hicks/Hill	E. L. Hicks/G. F. Hill, A Manual of Greek Historical Inscriptions, Oxford 1901
Hist.	Historia
IG²	Inscriptiones Graecae, Ed. minor, Berlin 1913 ff.
JHS	Journal of Hellenic Studies
JKlPh	Jahrbücher für Klassische Philologie
JÖAI	Jahreshefte des Österreichischen Archäologischen Instituts
KlP	Der kleine Pauly. Lexikon der Antike, hg. v. K. Ziegler und W. Sontheimer, Stuttgart 1964 ff.
NC	Numismatic Chronicle
NGG	Nachrichten von der Gesellschaft der Wissenschaften zu Göttingen. Philologisch-historische Klasse
NJbb	Neue Jahrbücher
PACA	Proceedings of the African Classical Association
PhW	Philologische Wochenschrift
Prosop. Att.	I. Kirchner, Prosographia Attica, Berlin 1901 ff.
RE	Realencyclopädie der classischen Altertumswissenschaft von Pauly – Wissowa

RFIC	Rivista di Filologia e di Istruzione Classica
RH	Revue Historique
RhM	Rheinisches Museum für Philologie
RPh	Revue de Philologie
SBB	Sitzungsberichte der (Preuß.) Deutschen Akademie der Wissenschaften zu Berlin
SBM	Sitzungsberichte der (Königl.) Bayerischen Akademie der Wissenschaften. München
Schmitt, Staatsverträge III	Die Staatsverträge des Altertums. Die Verträge der griechisch-römischen Welt von 338 bis 200 v. Chr., bearb. v. H. H. Schmitt, München 1969
SEG	Supplementum Epigraphicum Graecum
SO	Symbolae Osloenses
Syll.³	W. Dittenberger, Sylloge Inscriptionum Graecarum, 3. Aufl. Leipzig 1915 ff.
TAPhA	Transactions and Proceedings of the American Philological Association
Tod	M. N. Tod, A Selection of Greek Historical Inscriptions II, Oxford 1948
TrGF	Tragicorum Graecorum Fragmenta I, hg. v. B. Snell, Göttingen 1971
ZPE	Zeitschrift für Papyrologie und Epigraphik

Verzeichnis der zitierten Literatur

Adams, C.D., The Harpalos Case, TAPhA 32, 1901, S. 121 ff.

Adams, H., Die Quellen des Diodoros im sechzehnten Buche, JKlPh 135, Hft. 5 und 6, 1887, S. 345 ff.

Adcock, F.E., The Greek and Macedonian Art of War, Berkeley 1957

Allen, G., Caskey, L.D., The East Stoa in the Asclepieum at Athens, AJA 15, 1911, S. 32 ff.

Andreades, A.M., Geschichte der griechischen Staatswirtschaft, München 1931 (Nachdruck Hildesheim 1965)

– Les finances de guerre d'Alexandre le Grand, Annales d'hist. econ. et soc. 1, 1929, S. 321 ff.

Andreotti, R., Die Weltmonarchie Alexanders des Großen in Überlieferung und geschichtlicher Wirklichkeit, Saeculum 8, 1957, S. 120 ff.

Androutsopoulos, G.D., The Amphiareion of Oropos, Athen 1972

The Athenian Agora, A Guide to the Excavation and Museum, 3. Aufl. Athen 1976

Atkinson, K.M.T., Demosthenes, Alexander and Asebeia, Athenaeum 25, 1973, S. 310 ff.

Babelon, E., Le stylis, attribut naval sur les monnaies, Melanges numismatiques 4, 1912, S. 199 ff.

Badian, E., The Death of Philip II, Phoenix 17, 1963, S. 244 ff.

– Agis III, Hermes 95, 1967, S. 170 ff.

– A Comma in the History of Samos, ZPR 23, 1976, S. 289 ff.

– Alexander the Great and the Greeks of Asia, in: Ancient Society and Institutions. Studies presented to V. Ehrenberg on his 75th Birthday, Oxford 1966, S. 37 ff.

– Harpalus, JHS 81, 1961, S. 16 ff.

– The First Flight of Harpalus, Hist. 9, 1960, S. 245 f.

Balsdon, J., The ,Divinity' of Alexander, Hist. 1, 1950, S. 363 ff.

Barthold, G., Athen und Makedonien. Studien zum Vokabular der politischen Propaganda bei Demosthenes und seinen Gegnern, Diss. Tübingen 1962

Bellen, H., Der Rachegedanke in der griechisch-persischen Auseinandersetzung, Chiron 4, 1974, S. 43 ff.

Bellinger, A.R., Essays on the Coinage of Alexander the Great, Numismatic Studies 11, New York 1963

Beloch, J., Die attische Politik seit Perikles, Leipzig 1884 (Nachdruck Darmstadt 1967)

– Griechische Geschichte III–IV, 2. Aufl. Leipzig 1922–1927

Bengtson, H., Φιλόξενος ὁ Μακεδών, Philologus 92, 1937, S. 126 ff.

– Griechische Geschichte. Handbuch der Altertumswissenschaft III. 4, 5. Aufl. München 1977

– Die Strategie in der hellenistischen Zeit. Ein Beitrag zum antiken Staatsrecht, 2. Aufl. München 1964–1967

Bernays, J., Phokion und seine neueren Beurtheiler. Ein Beitrag zur Geschichte der griechischen Philosophie und Politik, Berlin 1881

Berve, H., Das Alexanderreich auf prosopographischer Grundlage, München 1926

Bevan, E.R., The Deification of Kings in Greek Cities, EHR 16, 1901, S. 625 ff.

Bickermann, E. J., Sur un passage d'Hypéride (Epithaphios, col. VIII), Athenaeum 41, 1963, S. 70 ff.

Blass, F., Die attische Beredsamkeit III. 1,2, 2. Aufl. Leipzig 1898

Boeckh, A., Die Staatshaushaltung der Athener I, 3. Aufl. Berlin 1886

– Über die Laurischen Silberbergwerke in Attika, Ges. Kl. Schr. V, Leipzig 1871, S. 1 ff.

Borza, E. N., The End of Agis' Revolt, CPh 66, 1971, S. 230 ff.

Bosworth, A. B., Early Relations between Aetolia and Macedon, AJAH 3, 1977, S. 164 ff.

– Philip II and Upper Macedonia, CQ 65, 1971, S. 93 ff.

– The Mission of Amphoterus and the Outbreak of Agis' War, Phoenix 29, 1975, S. 27 ff.

Bousquet, J., Delphes et les Aglaurides d'Athènes, BCH 88, 1964, S. 655 ff.

Braccesi, L., Il decreto Ateniese del 337 – 36 contro gli attentati alla democrazia, Epigraphica 27, 1965, S. 110 ff.

– Le trattative fra Alessandro e gli Ateniesi dopo la distruzione di Tebe, Vichiana 4, 1967, S. 75 ff.

– A proposito d'una notizia su Iperide, RFIC 95, 1967, S. 157 ff.

– Alessandro e i Romani, Bologna 1975

Brandis, Bosporos, RE III, 1899, S. 741 ff.

Braun, E., Zur Schlacht bei Chaironeia, JÖAI 37, 1948, S. 81 ff.

Brenot, A., Recherches sur l'éphébie attique et en particulier sur la date de l'institution, Paris 1920

Briant, P., Antigone le Borgne. Les débuts de sa carrière et les problèmes de l'assemblée macédonienne, Paris 1973

Bringmann, K., Studien zu den politischen Ideen des Isokrates, Hypomnemata 14, Göttingen 1965

Brown, D., Das Geschäft mit dem Staat. Die Überschneidung des Politischen und des Privaten im Corpus Demosthenicum/Hildesheim, New York 1973

Brunt, P. A., Persian Accounts on Alexander's Campaigns, CQ 56, 1962, S. 141 ff.

– Euboea in the Time of Philip II, CQ 19, 1969, S. 245 ff.

– Arrian. History of Alexander and Indica I, London 1976

Buchanan, J., Theorika, New York 1962

Buchner, E., Der Panegyrikos des Isokrates, Hist. – Einzelschrift 2, Wiesbaden 1958

Burstein, S. M., IG II² 653, Demosthenes and Athenian Relations with Bosporus in the Fourth Century B. C., Hist. 27, 1978, S. 428 ff.

Bury, J. B., A History of Greece to the Death of Alexander the Great, 3. Aufl. London 1951

– Cook, S. A., Adcock, F. E., The Cambridge Ancient History VI, Macedon 401–301, Cambridge 1953

Busolt, G., Swoboda H., Griechische Staatskunde. Handbuch der Altertumswissenschaft IV. 1,1,2, 3. Aufl., München 1920–26

Canfora, L., Per la cronologia die Demostene, Pubbl. Fac. di Lett. Bari 5, 1968

Carrata, F., Cultura greca e unità macedone nella politica di Filippo II, Turin 1949

Carter, J. M., Athens, Euboea, and Olynthus, Hist. 20, 1971, S. 418 ff.

Casson, L., The Ancient Mariners. Seafarers and Sea Fighters of the Mediterranean in Ancient Times, New York 1959

Cawkwell, G. L., Demosthenes and the Stratiotic Fund, Mnemosyne 15, 1962, S. 377 ff.

– Eubulos, JHS 83, 1963, S. 47 ff.

– Demosthenes' Policy after the Peace of Philocrates, CQ 57, 1963, S. 120 ff. und 200 ff.

– The Crowning of Demosthenes, CQ 63, 1969, S. 163 ff.

– A Note on Ps.-Demosthenes 17.20, Phoenix 15, 1961, S. 74 ff.

– Philip of Macedon, London/Boston 1978

Cloché, P., Les quatre dernières années du règne de Philippe II, roi de Macédoine (automne 340 – été 336), Annales littèraires de l'Univ. de Besançon 8, 1953, S. 49 ff.
– Thèbes de Béotie. Des origines à la conquête romaine, Bibliothèque de la Faculté de philosophie et lettres de Namur 13, 1952
– Démosthène et la fin de la démocratie athénienne, Paris 1957
– La démocratie athénienne et les possédants aux Ve et IVe siècles avant J.-C., RH 192, S. 1 ff.
Colin, G., Le discours d'Hypéride contre Démosthène sur l'argent d'Harpale, Annales de l'Est, Mémoires 4, Paris 1934
– Note sur l'administration financière de l'orateur Lycurgue, REA 30, 1928, S. 128 ff.
Connor, W. R., History without Heroes, Theopompus' Treatment of Philip of Macedon, GRBS 8, 1967, S. 133 ff.
Crosby, M., The Leases of the Laureion Mines, Hesperia 19, 1950, S. 189 ff.
Daskalakis, A., Alexander the Great and Hellenism, Thessaloniki 1966
Davies, J. K., Athenian Propertied Families 600–300 B.C., Oxford 1971
Deubner, L., Attische Feste, Hildesheim 1969
Dieckhoff, M., Zwei Friedensreden, Altertum 15, 1969, S. 74 ff.
Diels, H., Δημάδεια, RhM 29, 1874, S. 107 ff.
Dimitrakos, G., Demetrios Poliorketes und Athen, Diss. Hamburg 1937
Dobesch, G., Zur Philia im Korinthischen Bund, Beiträge zur alten Geschichte und deren Nachleben. Festschrift für Franz Altheim, Berlin 1969, S. 245 ff.
– Alexander der Große und der Korinthische Bund, Grazer Beiträge 3, 1975, S. 73 ff.
Dörpfeld, W., Alte und neue Ausgrabungen in Griechenland, AM 47, 1922, S. 25 ff.
– Die Skeuothek des Philon, AM 8, 1883, S. 147 ff.
Dreizehnter, A., Die rhetorische Zahl. Quellenkritische Untersuchungen anhand der Zahlen 70 und 700, Zetemata 73, München 1978
Drerup, E., Aus einer alten Advokatenrepublik, Paderborn 1916
Droysen, J. G., Geschichte Alexanders des Großen, Berlin 1833
– Geschichte des Hellenismus. Bd. I: Geschichte Alexanders des Großen, 2. Aufl. Gotha 1877
– Geschichte des Hellenismus II, 2. Aufl. Gotha 1878
Ducrey, P., Le traitement des prisonniers de guerre dans la Grèce antique des origines à la conquête romaine, Paris 1968
Dümmler, F., Kleine Schriften I, Leipzig 1901
Dürrbach, F., L'orateur Lykurgue, Paris 1890
– Contre Léocrate et fragments, Paris 1932
Edmunds, L., The Religiosity of Alexander, GRBS 12, 1971, S. 363 ff.
Elderkin, G. W., A Greek Structure: The Choregic Monument of Lysicrates, Art in America 35, 1947, S. 265 ff.
Ellis, J. R., Philip II and Macedonian Imperialism, London 1976
– Amyntas Perdikka, Philip II and Alexander the Great, JHS 91, 1971, S. 15 ff.
Errington, R. M., Samos and the Lamian War, Chiron 5, 1975, S. 51 ff.
– From Babylon to Triparadeisos 323–320 B.C., JHS 90, 1970, S. 49 ff.
Erxleben, E., Die Rolle der Bevölkerungsklassen im Außenhandel Athens im 4. Jahrhundert v. u. Z., in Hell. Pol. I, Berlin 1974, S. 460 ff.
Fabricius, E., Philon, RE XX.1, 1941, S. 56 ff.
– Die Skeuothek des Philon, Hermes 17, 1882, S. 551 ff.
Falco, V. de, Demade oratore. Testimonianze e frammenti, Collana di Studi Greci 25, 2. Aufl. Neapel 1954
Fears, J. R., Pausanian, the Assasin of Philip II, Athenaeum 53, 1975, S. 111 ff.
Ferguson, W. S., Hellenistic Athens, London 1911

- The Treasurers of Athena, Cambridge 1932
Florian, W., Studia Didymea historica ad saeculum quartum pertinentia, Diss. Leipzig 1908
Foucart, P., Une loi athénienne du IVe siècle, Journal des Savants 1902, S. 233 ff.
- Le culte de Pluton dans la religion éleusinienne, BCH 7, 1883, S. 387 ff.
Fox, R. L., Alexander der Große, Düsseldorf 1974
Fränkel, M., Zur Geschichte der attischen Finanzverwaltung, in: Hist. u. philol. Aufsätze, E. Curtius gewidmet, Berlin 1884, S. 35 ff.
Friedel, H., Der Tyrannenmord in Gesetzgebung und Volksmeinung der Griechen, Würzburger Studien zur Altertumswissenschaft 11, Stuttgart 1937
Fritz, K. v., Die politische Tendenz in Theopomps Geschichtsschreibung, Antike und Abendland 4, 1954, S. 45 ff.
Frolov, E., Der Kongreß von Korinth im Jahre 338/337 v. u. Z. und die Vereinigung von Hellas, in: Hell. Pol. I, Berlin 1974, S. 435 ff.
Gajdukevič, V. F., Das Bosporanische Reich, Berlin 1971
Gebauer, K., Alexanderbildnis und Alexandertypus, MDAI(A) 63/64, 1938/39, S. 1 ff.
Gehrke, H. J., Phokion. Studien zur Erfassung seiner historischen Gestalt, Zetemata 64, München 1976
Geyer, F., Leosthenes, RE XII. 2, 1925, S. 2059 ff.
- Philippos, RE XIX. 2, 1938, S. 2266 ff.
Glotz, G., Démosthène et les finances athéniennes de 346 à 338 av. J. C., RH 170, 1932, S. 385 ff.
- Cohen, R., Histoire Grecque IV, Paris 1938
- Philippe et la surprise d'Elatée, BCH 33, 1909, Nachdruck Vendeln/Liechtenstein 1969, S. 526 ff.
Goldstein, J. A., The Letters of Demosthenes, New York/London 1968
Gomme, A. W., The Population of Athens in the Fifth and Fourth Centuries B. C., Chicago 1967 (Oxford 1933)
Granier, F., Die makedonische Heeresversammlung, München 1931
Green, P., Alexander the Great, Washington 1970
Grenfell, B. P., Hunt, A. S., Hellenica Oxyrhynchia cum Theopompi et Cratippi fragmentis, Oxford 1909
Griffith, G. T., The Mercenaries of the Hellenistic World, London 1935 (Nachdruck Groningen 1968)
Groningen, B. A. van, De Cleomene Naucratita, Mnemosyne 53, 1925, S. 101 ff.
Gruben, G., Untersuchungen am Dipylon 1964–1966, AA 1969, S. 34 ff.
- Die Ausgrabungen im Kerameikos, AA 1964, S. 384 ff.
Haake, A., De Duridi Samio Diodori Auctore, Diss. Bonn 1874
Habicht, Ch., Samische Volksbeschlüsse der hellenistischen Zeit, AM 72, 1957, S. 152 ff.
- Literarische und epigraphische Überlieferung zur Geschichte Alexanders und seiner ersten Nachfolger, Akten des VII. Internationalen Kongresses für Griechische und Lateinische Epigraphik. München 1972, Vestiga 17, 1973, S. 367 ff.
- Gottmenschentum und griechische Städte, Zetemata 14, München 1956
Hagen, B. v., Isokrates und Alexander, Philologus 67, 1908, S. 113 ff.
Hamilton, J. R., Alexander's Early Life, G & R 12, 1965, S. 117 ff.
- Alexander the Great, London 1973
- Plutarch Alexander. A Commentary, Oxford 1969
- Alexander and his ,So-called' Father, CQ 47, 1953, S. 151 ff.
Hammond, N. G. L., A History of Greece to 332 B. C., Oxford 1967
- Alexander's Campaign in Illyria, JHS 94, 1974, S. 66 ff.
- The Two Battles of Chaeronea (338 B. C. and 86 B. C.), Klio 31, 1938, S. 186 ff.

– Griffith, G.T., A History of Macedonia, Vol.II 550–336 B.C., Oxford 1979
Hampl, F., Die griechischen Staatsverträge des 4.Jahrhunderts v.Chr. Geb., Leipzig 1938
Hansen, M.H., Eisangelia. The Sovereignty of the People's Court in Athens in the Fourth Century B.C. and the Impeachment of Generals and Politicians, Odense 1975
Hauben, H., The Expansion of Macedonian Sea-Power under Alexander the Great, Anc. Soc.7, 1976, S.79ff.
– The King of the Sidonians and the Persian Imperial Fleet, Anc. Soc. 1, 1970, S.1ff.
– Philippe II, fondateur de la marine macédonienne, Anc. Soc.6, 1975, S.51ff.
Haug, M., Die Quellen Plutarchs in den Lebensbeschreibungen der Griechen, Tübingen 1854
Haupt, H., Excerpte aus der vollständigen Rede des Demades περὶ δωδεκαετίας, Hermes 13, 1878, S.489ff.
Hausmann, U., Griechische Weihereliefs, Berlin 1960
Heichelheim, F., Sitos, RE Suppl.VI, 1935, S.819ff.
Heisserer, A.J., Alexander's Letter to the Chians: A Redating of SIG³ 283, Hist.22, 1973, S.191ff.
Hercher, R., Epistolographi Graeci. Socratis et Socraticorum Epistolae, Paris 1873
Heuß, A., Antigonos Monophthalmos und die griechischen Städte, Hermes 73, 1938, S.133ff.
Hill, G.F., Historical Greek Coins, London 1906
Hill, I., The Ancient City of Athens, Chicago 1969
Hogarth, D.G., The Deification of Alexander the Great, EHR 2, 1887, S.317ff.
Hopper, R.J., The Attic Silver Mines in the Fourth Century B.C., ABSA 48, 1953, S.200ff.
Hutzel, St., From Cadrosia to Babylon: A Commentary on Arrian's Anabasis Alexandri 6.22–7.30, Diss. Indiana 1974
Instinsky, H.U., Alexander, Pindar, Euripides, Hist. 10, 1961, S.248ff.
– Alexander der Große am Hellespont, Godesberg 1949
Isager, S., Hansen, M.H., Aspects of Athenian Society in the 4th Century B.C., Odense 1975
Jackson, D.F., Rowe, G.O., Demosthenes 1915–1965, Lustrum 14, 1969
Jacoby, F., Die Alexandergeschichte des Anaximenes, Hermes 58, 1923, S.457f.
Jaeger, W., Demosthenes. Der Staatsmann und sein Werden, 2 Aufl. Berlin 1963
– Aristoteles. Grundlegung einer Geschichte seiner Entwicklung, 2.Aufl. Berlin 1955
Jander, K., Oratorum et rhetorum Graecorum fragmenta nuper reperta, Bonn 1913
Jannelli, M., I rapporti giuridici di Alessandro Magno con i Chii, Studi di storia antica offerti dagli allievi a E.Manni, Rom 1976, S.153f.
Jardé, A., Les céréales dans l'antiquite grecque. I. La production, Paris 1925
Jeppesen, K., Paradeigmata. Three Midfourth Century Mainworks of Hellenistic Architecture Reconsidered, Aarhus 1958
Jordan, B., The Athenian Navy in the Classical Period, Univ. of Calif. Publ., Class. Stud. 13, Berkeley/Los Angeles 1975
Judeich, W., Kleinasiatische Studien. Untersuchungen zur griechisch-persischen Geschichte des 4.Jahrhunderts v. Chr., Marburg 1892
– Topographie von Athen, 2.Aufl. München 1931
Kaerst, J., Attalos, RE II. 2, 1896, S.2158
– Geschichte des hellenistischen Zeitalters I, Leipzig 1901
Kahrstedt, U., Untersuchungen zu den athenischen Behörden, Klio 30, 1937, S.10ff.
– Das athenische Kontingent zum Alexanderzug, Hermes 71, 1936, S.120ff.
– Demosthenes und die Theorika, NGG 1929, S.156ff.

– Forschungen zur Geschichte des ausgehenden fünften und des vierten Jahrhunderts, Berlin 1910

Kallenberg, H., Zur Quellenkritik von Diodors 16. Buche, Festschrift zu der 2. Säcularfeier des Friedrich-Werderschen Gymnasiums zu Berlin, 1881, S. 87 ff.

Kanatsulis, D. K., Antipatros als Feldherr und Staatsmann in der Zeit Philipps und Alexanders des Großen, Hellenika 16, 1958/59, S. 14 ff.

Karouzou, S., National Archaeological Museum. Collection of Sculpture, Athen 1968

Kebric, R. B., In the Shadow of Macedon. Duris of Samos, Wiesbaden 1977

Kessler, J., Isokrates und die panhellenische Idee, Paderborn 1911

Kiechle, F., Eubulos, Kl.P.II, 1967, S. 400 f.

Kienast, D., Presbeia, RE Suppl. XIII, 1973, S. 499 ff.

Kienitz, F. K., Die politische Geschichte Ägyptens vom 7. bis zum 4. Jahrhundert vor der Zeitwende, Berlin 1953

Kleiner, G., Alexanders Reichsmünzen, Abh. d. deutsch. Akad. d. Wiss., Philol.-Hist. Kl. 5, Berlin 1947

Kocevalov, A., Die Einfuhr von Getreide nach Athen, RhM 81, 1932, S. 321 ff.

Köhler, U., Über das Verhältnis Alexanders des Großen zu seinem Vater Philipp, SBB 1892, S. 497 ff.

– Aus der Finanzverwaltung Lykurgs, Hermes 5, 1871, S. 222 ff.

– Die Eroberung Asiens durch Alexander den Großen und der Korinthische Bund, SBB 1898, S. 120 ff.

Körte, A., Der harpalische Prozeß, NJbb 53, 1924, S. 217 ff.

Köster, A., Das Stadion von Athen, Berlin 1906

– Das antike Seewesen, Berlin 1923

Kolbe, W., Das Kalliasdekret, SBB 1927, S. 319 ff.

Kraft, H., Der ‚rationale‘ Alexander, FAS 5, Kallmünz 1971

Krause, A., Attische Strategenlisten bis 146 v. Chr., Diss. Jena 1913

Kroll, W., Kallisthenes, RE X. 2, 1919, S. 1674 ff.

Kromayer, J., Antike Schlachtfelder I, Berlin 1903

– Veith, G., Heerwesen und Kriegführung der Griechen und Römer, Handbuch d. Altertumswissenschaft IV. 3.2, München 1928

Kunst, Lykurgos, RE XIII. 2, 1927, S. 2446 ff.

Laistner, M. L. W., History of the Greek World from 479 to 323 B.C., 2. Aufl. London 1947

Laqueur, R., Phanodemos, RE XIX. 2, 1938, S. 1779 f.

Larsen, J. A. O., Greek Federal States, Oxford 1968

Lattermann, H., Zur Topographie des Amphiareions bei Oropos, AM 35, 1910, S. 81 ff.

Lauffer, S., Alexander der Große, München 1978

– Die Bergwerksklaven von Laureion, Abh. d. Akad. d. Wiss. Mainz, Geistes- u. Sozialwiss. Kl. 11/12, 1955/6

Lepore, E., Leostene e le origini della guerra lamiaca, La Parola del Passato 10, Neapel 1955, S. 161 ff.

Lewis, D. M., Law on the Lesser Panathenaia, Hesperia 28, 1959, S. 239 ff.

Lock, R. A., The Date of Agis III's War in Greece, Antichthon 6, 1972, S. 15 ff.

Lofberg, J. O., The Date of the Athenian ἐφηβεία, CPh 1925, S. 330 ff.

Maas, P., Zitate aus Demosthenes' Epitaphios bei Lykurgos, Hermes 63, 1928, S. 258 ff.

Maaß, M., Die Prohedrie des Dionysostheaters in Athen, Vestigia 15, München 1972

Macher, E., Die Hermiasepisode im Demostheneskommentar des Didymos, Progr. Lundenburg 1914

Maier, F. G., Griechische Mauerbauinschriften I, Heidelberg 1959

Markianos, S., A Note on the Administration of Lycurgus, GRBS 10, 1969, S. 325 ff.

Markle, M. M., Support of Athenian Intellectuals for Philip. A Study of Isocrates' Philippus and Speusippus' Letter to Philip, JHS 96, 1976, S. 80 ff.

Marrou, H. I., Geschichte der Erziehung im Klassischen Altertum, dt. Ausgabe München 1977

Marsden, E. W., Macedonian Military Machinery and its Designers under Philip and Alexander, Ancient Macedonia II, 1977, S. 211 ff.

Marstrand, V., Arsenalet i Piraeus og Oldtidens Byggeregler, Kopenhagen 1922

Martin, J., Von Kleisthenes zu Ephialtes, Chiron 4, 1974, S. 5 ff.

Mathieu, G., Notes sur Athènes à la veille de la guerre lamiaque, RPh 55, 1929, S. 159 ff.

Mck. Camp II, J., Proxenia for Sopatros of Akragas, Hesperia 43, 1974, S. 322 ff.

Meritt, B. D., The Athenian Year, Los Angeles 1961
- Greek Inscriptions, Hesperia 29, 1960, S. 1 ff.
- Greek Inscriptions, Hesperia 21, 1952, S. 340 ff.
- Wade-Gery, H. T., Mc Gregor, M. F., The Athenian Tribute Lists I, Cambridge Mass. 1939

Mesk, J., Demosthenes als Teichopoios, PhW 59, 1939, S. 1266 ff.

Meyer, E., Pnyx, RE XXI.1, 1951, S. 1106
- Στρατιωτικά, RE IV A. 1, 1931, S. 263 ff.

Miller, S. G., The Date of Olympic Festivals, MDAI(A) 90, 1975, S. 215 ff.

Milns, R. D., The Army of Alexander the Great, Entretiens Fond. Hardt 22, Genf 1976, S. 87 ff.
- Alexander the Great, London 1968

Mitchel, F. W., The So-called Earliest Ephebic Inscription, ZPE 19, 1975, S. 233 ff.
- Athens in the Age of Alexander, G & R 12, 1965, S. 189 ff.
- Lykourgan Athens 338–322, Cincinnati 1970

Mitsos, M. Th., Ἐκ τοῦ Ἐπιγραφικοῦ Μουσείου, Ephem 1965, S. 131 ff.
- Ἐπιγραφαὶ ἐξ Ἀμφιαρείου, Ephem 1952, S. 167 ff.

Momigliano, A., Le fonti della storia greca e macedone nel libro XVI di Diodoro, Rendiconti del r. Istituto Lombardo di scienze e lettere 65, Mailand 1932, S. 523 ff.
- Filippo il Macedone, Florenz 1934

Mossé, C., A propos de la loi d'Eucrates sur la tyrannie (337/6 av. J.-C.), Eirene 8, 1970, S. 71 ff.
- Athens in Decline 404–86 B.C., London 1973

Motzki, A., Eubulos von Probalinthos und seine Finanzpolitik, Diss. Königsberg 1903

Murison, C. L., Darius III and the Battle of Issus, Hist. 21, 1972, S. 399 ff.

Mylonas, G. E., Eleusis and the Eleusinian Mysteries, Princeton, New Jersey 1961

Neubert, M., Alexanders des Großen Balkanzug, Petermanns Geographische Mitteilungen 80, 1934, S. 281 ff.

Newell, E. T., Royal Greek Portrait Coins, New York 1937

Niese, B., Geschichte der griechischen und makedonischen Staaten seit der Schlacht von Chaironeia I, Gotha 1893

Nilsson, M. P., Die hellenistische Schule, München 1955
- Geschichte der griechischen Religion. 2. Bd. Hellenistische und Römische Zeit, Handbuch der Altertumswissenschaft 5.2, 2. Aufl. München 1961

Noack, F., Eleusis, Berlin/Leipzig 1927

Nock, A. D., Notes on Ruler-Cult I–IV, JHS 48, 1928, S. 21 ff.

Oberhummer, E., Akarnanien, Ambrakia, Amphilochien, Leukas im Altertum, München 1887

Ohly, D., Kerameikosgrabung, Tätigkeitsbericht 1956–1961, AA 80, 1965/66, S. 277 ff.

Oikonomides, A. N., Δημάδου τοῦ Παιανιέως ψηφίσματα καὶ ἐπιγραφικαὶ περὶ τοῦ βίου πηγαί, Platon 8, 1956, S. 105 ff.

Olmstead, A. T., History of the Persian Empire, Chicago 1948
Ormerod, H. A., Piracy in the Ancient World, Liverpool 1924
Ostwald, M., The Athenian Legislation against Tyranny and Subversion, TAPhA 86,
 1955, S. 103 ff.
Parke, H. W., The Orakles of Zeus. Dodona, Olympia, Ammon, Oxford 1967
– Greek Mercenary Soldiers from the Earliest Times to the Battle of Ipsus, Oxford
 1933
Pearson, L., The Lost Histories of Alexander the Great, London 1960
Pečirka, J., The Crisis of the Athenian Polis in the Fourth Century B. C., Eirene 14, 1976,
 S. 5 ff.
Pekáry, Th., Die Wirtschaft der griechisch-römischen Antike, Wiesbaden 1976
Pelekídés, Ch., Histoire de l'éphébie attique des origines à 31 av. J. C., Paris 1962
Perlman, S., Political Leadership in Athens in the Fourth Century B. C., La Parola del
 Passato 22, 1967, S. 161 ff.
– The Politicians in the Athenian Democracy of the Fourth Century B. C., Athe-
 naeum 41, 1963, S. 327 ff.
– Isocrates' „Philippus" – a Reinterpretation, Hist. 6, 1957, S. 306 ff.
– The Coins of Philip II and Alexander the Great and their Panhellenic Propaganda,
 NC 5, 1965, S. 57 ff.
– Panhellenism, the Polis and Imperialism, Hist. 25, 1976, S. 1 ff.
Petrakos, B. Ch., Ὁ Ὠρωπὸς καὶ τὸ ἱερὸν τοῦ Ἀμφιαράου, Athen 1968
Pfohl, G., Griechische Inschriften als Zeugnisse des privaten und öffentlichen Lebens,
 München o. J.
Pickard-Cambridge, A. W., The Theatre of Dionysos in Athens, Oxford 1946
Pistorius, H., Beiträge zur Geschichte von Lesbos im vierten Jahrhundert v. Chr., Bonn
 1913
Plezia, M., Der Titel und der Zweck von Kallisthenes' Alexandergeschichte, Eos 60,
 1972, S. 263 ff.
Pohlenz, M., Zu den attischen Epitaphien, SO 26, 1948, S. 46 ff.
Pope, H., Non-Athenians in Attic Inscriptions, Diss. New York 1935
Pouilloux, J., Choix d'inscriptions grecques, Paris 1960
Pritchett, W. K., Greek Inscriptions, Hesperia 9, 1940, S. 97 ff.
– Neugebauer, O., The Calendars of Athens, Cambridge 1947
Ramming, G., Die politischen Ziele und Wege des Aischines, Diss. Erlangen 1965
Reinmuth, O. W., The Spirit of Athens after Chaironeia, Akte d. 5. Intern. Kongr. f. gr.
 u. l. Epigraphik, Cambridge 1967, S. 47 ff.
– The Genesis of the Athenian Ephebia, TAPhA 83, 1952, S. 34 ff.
– The Ephebic Inscriptions of the Fourth Century B. C., Leiden 1971
Reuss, F., Diodoros und Theopompos, JKlPh 153, 1896, S. 317 ff.
Richter, G. M. A., The Portraits of the Greeks, London 1965
Riemann, H., Lysikratesmonument, RE Suppl. VIII, 1956, S. 266 ff.
Riezler, K., Über Finanzen und Monopole im alten Griechenland. Zur Theorie und Ge-
 schichte der antiken Stadtwirtschaft, Berlin 1907
Robert, L., Sur une loi d'Athènes relative aux petites Panathénées, Hellenika 11/12,
 1960, S. 189 ff.
Robinson, Jr., C. A., Alexander's Deification, AJPh 64, 1943, S. 286 ff.
– The Extraordinary Ideas of Alexander the Great, AHR 62, 1957, S. 326 ff.
Roebuck, C., The Settlements of Philip II with the Greek States in 338 B. C., CPh 43,
 1948, S. 73 ff.
Roloff, G., Probleme aus der griechischen Kriegsgeschichte, Berlin 1903, S. 62 ff.
Rosen, K., Der ‚göttliche' Alexander, Athen und Samos, Hist. 27, 1978, S. 20 ff.

Rostovtzeff, M., Gesellschafts- und Wirtschaftsgeschichte der Hellenistischen Welt I, Darmstadt 1955

Rotroff, S. I., An Anonymous Hero in the Athenian Agora, Hesperia 47, 1978, S. 196 ff.

Roussel, P., Un nouveau document relatif à la guerre démétriaque, BCH 54, 1930, S. 268 ff.

Rüsen, J., Begriffene Geschichte. Genesis und Begründung der Geschichtstheorie J. G. Droysens, Paderborn 1969

Ryder, T. T. B., Koine Eirene. General Peace and Local Independence in Ancient Greece, Oxford 1965

Sachs, A. J., Late Babylonian Astronomical and Related Texts, Providence/Rhode Island 1955

Sadler, M. I., Phokions Leben und Wirken im Lichte der Quellen, Diss. Wien 1974

Sainte-Croix, G. E. M. de, Demosthenes' τίμημα and the Athenian εἰσφορά in the Fourth Century B. C., C & M 14, 1953, S. 30 ff.

Samuel, A. E., Alexander's ‚Royal Journals', Hist. 14, 1965, S. 1 ff.

Sanctis, G. de, Gli ultimi messagi di Alessandro ai Greci. I. La richiesta degli onori divini, Rivista di filologia 19, 1941, S. 1 ff.

Sauppe, H., Oratores Attici I/II, Zürich 1845–1850

Schachermeyr, F., Griechische Geschichte, Stuttgart 1978
– Alexander der Große. Das Problem seiner Persönlichkeit und seines Wirkens. Wien 1973

Schäfer, A., Demosthenes und seine Zeit I–III, 2. Aufl. Leipzig 1885–1887

Scheele, M., Στρατηγὸς αὐτοκράτωρ. Staatsrechtliche Studien zur griechischen Geschichte des 5. und 4. Jahrhunderts, Diss. Leipzig 1932

Schefold, K., Die Bildnisse der antiken Dichter, Redner und Denker, Basel 1943

Schehl, F., Zum Korinthischen Bund vom Jahre 338/37 v. Chr., JÖAI 27, 1932, S. 115 ff.

Schiassi, S., Sul dramma satiresco 'Αγήν, Dionisio 21, 1958, S. 83 ff.

Schläpfer, L., Untersuchungen zu den attischen Staatsurkunden und den Amphiktyonenbeschlüssen der Demosthenischen Kranzrede, Rhetorische Studien, hrsg. v. E. Drerup, 21. Hft., Paderborn 1939

Schmitthenner, W., Über eine Formveränderung der Monarchie seit Alexander d. Gr., Saeculum 19, 1968, S. 31 ff.

Schnabel, P., Zur Frage der Selbstvergötterung Alexanders, Klio 20, 1926, S. 398 ff.

Schober, F., Thebai (Boiotien), RE V A, 2, 1934, S. 1432 ff.
– Delphoi, RE Suppl. V, 1931, S. 61 ff.

Schönert-Geiß, E., Die Geldzirkulation Attikas im 4. Jahrhundert v. u. Z., in Hell. Pol. I, Berlin 1974, S. 531 ff.

Schwahn, W., Theorikon, RE V A, 2, 1934, S. 2233 ff.
– Heeresmatrikel und Landfriede Philipps von Makedonien, Klio Beihft. 21, 1930
– Die attische εἰσφορά, RhM 82, 1933, S. 247 ff.
– Tamiai, RE IV A, 2, 1932, S. 2099 ff.
– Strategos, RE Suppl. VI, 1935, S. 1071 ff.

Schweigert, E., Greek Inscriptions, Hesperia 9, 1940, S. 309 ff.

Scott, K., The Deification of Demetrios Poliorcetes, AJPh 49, 1928, S. 137 ff.

Sealey, R., The Olympic Festival 324 B. C., CR 10, 1960, S. 185 f.
– Who was Aristogeiton?, Bulletin of the Institut of Cl. Stud. 7, 1960, S. 33 ff.
– Ephialtes, CPh 59, 1964, S. 11 ff.

Seibert, J., Untersuchungen zur Geschichte Ptolemaios I., Münchner Beiträge zur Papyrusforschung und antiken Rechtsgeschichte, H. 56, München 1969
– Nochmals zu Kleomenes von Naukratis, Chiron 2, 1972, S. 99 ff.
– Alexander der Große, Darmstadt 1972

Seibt, G. F., Griechische Söldner im Achaimenidenreich, Diss. Bonn 1977
Shear, T. L., The Campaign of 1934, Hesperia 4, 1935, S. 340 ff.
– The Campaign of 1936, Hesperia 6, 1937, S. 333 ff.
Shear, Jr., T. L., The Monument of the Eponymous Heroes in the Athenian Agora, Hesperia 39, 1970, S. 145 ff.
Shrimpton, G., Theopompus' Treatment of Philip in the Philippica, Phoenix 31, 1977, S. 123 ff.
Sichtermann, H., Sophokles. Opus nobile XV, Bremen 1959
Snell, B., Szenen aus griechischen Dramen, Berlin 1971
Sordi, M., La lega tessala fino ad Alessandro Magno, Rom 1958
Stähelin, Harpalos, RE VII, 1912, S. 2397 ff.
– Lamischer Krieg, RE XII. 1, 1924, S. 562 ff.
Stier, H. E., Zum Gottkönigtum Alexanders d. Gr., Welt als Geschichte 5, 1939, S. 391 ff.
Stillwell, R., Architectural Studies, Hesperia 2, 1933, S. 110 ff.
Strasburger, H., Trierarchie, RE VII A, 1, 1939, S. 106 ff.
Sykutris, J., Der demosthenische Epitaphios, Hermes 63, 1928, S. 241 ff.
– Bickermann, E., Speusipps Brief an König Philipp, Berichte über die Verhandlungen d. Sächs. Akad. d. Wiss., phil.-hist. Kl., Bd. 80 Hft. 3, Leipzig 1928
Tarn, W. W., Hellenistic Military and Naval Developments, Cambridge 1930
– Alexander the Great, Cambridge 1948 (dt. Ausgabe, Darmstadt 1968)
Telschow, K., Die griechischen Flüchtlinge und Verbannten von der arachaiischen Zeit bis zum Restitutionsdekret Alexanders des Großen (324), Diss. Kiel 1953
Thalheim, Demades, RE IV. 2, 1901, S. 2703 f.
Thompson, H. A., Buildings on the West Side of the Agora, Hesperia 6, 1937, S. 1 ff.
– Excavations in the Athenian Agora 1949, Hesperia 19, 1950, S. 313 ff.
– Excavations in the Athenian Agora 1951, Hesperia 21, 1952, S. 83 ff.
– The Apollo Patroos of Euphranor, Ephem 3, 1953/54, S. 30 ff.
– Excavations in the Athenian Agora 1953, Hesperia 23, 1954, S. 31 ff.
– Kourouniotes, K., The Pnyx in Athens, Hesperia 1, 1932, S. 90 ff.
– Scranton, R. L., Stoas and City Walls on the Pnyx, Hesperia 12, 1943, S. 269 ff.
– Wycherley, R. E., The Agora of Athens. The History Shape, and Uses of an Ancient City Center, 1972
Threpsiades, J., Vanderpool, E., Themistokles' Sanctuary of Artemis Aristoboule, Archaiologikon Deltion 19, 1964, S. 26 ff.
Travlos, J., Bildlexikon zur Topographie des antiken Athen, Tübingen 1971
– Ἡ παλαιοχριστιανικὴ βασιλικὴ τοῦ Ἀσκληπιείου τῶν Ἀθηνῶν, Ephem 39–41, S. 35 ff.
Treves, P., Apocrifi demostenici, Athenaeum 14, 1936, S. 153 ff. und 233 ff.
– Epimetron arpalico – demonstenico, Athenaeum 14, 1936, S. 258 ff.
– Demostene e la libertà Greca, Bari 1933
– Philokles, RE XIX. 2, 1938, S. 2489 ff.
– Dèmade, Athenaeum N. S. 11, 1933, S. 105 ff.
Vince, J. H., Demosthenes I, I–XVII, XX, London 1962
Vogt, J., Kleomenes von Naukratis – Herr von Ägypten, Chiron I, 1971, S. 153 ff.
Volkmann, H., Die Massenversklavungen der Einwohner eroberter Städte in der hellenistisch-römischen Zeit, Abh. d. Geistes- u. Sozialwiss. Kl. d. Akad. d. Wiss. u. d. Lit. Mainz, 3, 1961
Volquardsen, Ch. A., Untersuchungen über die Quellen der griechischen und sicilischen Geschichten bei Diodor, Buch XI–XVI, Kiel 1868
Vulić, N., Alexanders Zug gegen die Triballer, Klio 9, 1909, S. 490 f.
Wachsmuth, C., Die Stadt Athen im Alterthum I, Leipzig 1874

Waldvogel, W., Demosthenes. Rede über den Kranz, Stuttgart 1968

Walek, T., Les opérations navales pendant la guerre lamiaque, RPh 48, 1924, S. 23 ff.

Wankel, H., Demosthenes – Rede für Ktesiphon über den Kranz, Heidelberg 1976

Wartenburg, M. G. Y. v., Kurze Übersicht über Feldzüge Alexanders des Großen, Berlin 1897

Welter, G., Die Tripodenstr. in Athen, AM 47, 1922, S. 72 ff.

Westermann, W. I.., The Slave System of Greek and Roman Antiquity, Philadelphia 1955

Wilamowitz-Moellendorff, U. v., Aristoteles und Athen I, Berlin 1893

Wilcken, U., Alexander der Große und der Korinthische Bund, SBB 1922, S. 97 ff.

– Griechische Geschichte, 7. Aufl., München 1951

– Beiträge zur Geschichte des Korinthischen Bundes, SBM 1917, S. 1 ff.

– Alexander der Große und die indischen Gymnosophisten, SBB 1923, S. 150 ff.

– Philipp II. von Makedonien und die panhellenische Idee, SBB 1929, S. 291 ff.

– Alexander der Große, Leipzig 1931

– Zur Entstehung des hellenistischen Königskultes, SBB 38, 1938, S. 298 ff.

Wilhelm, A. Ein Gedicht zu Ehren der Könige Antigonos und Demetrios (IG II² 3424), Ephem 1937, S. 203 ff.

Will, E., Histoire politique du monde hellénistique (323–30 av. J.C.) I, Nancy 1966

Willrich, H., Wer ließ König Philipp von Makedonien ermorden? Hermes 34, 1899, S. 174 ff.

Winter, F. E., Greek Fortifications, London 1971

Wirth, G., Alexander zwischen Gaugamela und Persepolis, Hist. 20, 1971, S. 617 ff.

– Dareios und Alexander, Chiron 1, 1971, S. 133 ff.

– Alexander der Große, Reinbek 1973

– Anmerkungen zur Schlacht von Issos, Studia in honorem V. Beševliev, Sofia 1978 o. S.

– Erwägungen zur Chronologie des Jahres 333 v. Chr., Helikon 17, 1977, S. 23 ff.

– Jakob Seibert, Untersuchungen zur Geschichte Ptolemaios' I., Rezension. Bibliotheca Orientalis 30, 1973, S. 407 ff.

Wüst, E., Pluton, RE XXI. 1, 1951, S. 990 ff.

Wüst, F. R., Philipp II. von Makedonien und Griechenland in den Jahren 346 bis 338, München 1938

Wycherley, R. E., The Athenian Agora III. Literary and Epigraphical Testimonia, Princeton 1957

– The Stones of Athens, Princeton 1978

Yehya, L. A. W., The Athenian Ephebeia towards the End of the Fourth Century B. C., PACA 1, 1958, S. 44 ff.

Ziebarth, E., Beiträge zur Geschichte des Seeraubs und des Seehandels im alten Griechenland, Hamburg 1929

Ziegler, K., Zopyrion, RE X A, 1972, S. 763 f.

Ziehen, L., Panathenaia, RE XVIII. 3, 1949, S. 457 ff.

Ziller, E., Ausgrabungen am panathenäischen Stadion, Zeitschr. f. Bauw. 20, 1870, S. 485 ff.

Zimmermann, H. D., Freie Arbeit, Preise und Löhne, in: Hell. Pol. I, Berlin 1974, S. 92 ff.

Zschietzschmann, W., Athenai, RE Suppl. XIII, 1973, S. 56 ff.

Namenregister

Quellenregister

Inschriften

1670	91, 96[316]
1671	91
1672	92, 92[290], 92[291], 92[292], 92[293], 92[294], 92[295], 92[296], 93[302], 93[303], 96[316], 96[317], 107[50]
1673	92, 92[289]
3042	61[81]
3424	99[338]
4901	86[224]

IG VII

3260	50[12]

OGIS

8 a	69[122]

Reinmuth,
Ephebic Inscriptions

Nr. 1	94[310]
	116[122], 128[199]

SEG

12.87	29[191], 29[192], 29[193], 29[194], 29[195]
15.284	91[281]
15.285	91[281]
19.119	24[156]

Syll.³

147	6[23]
206	107[52]
238	99[344]
249 II 24	3[3]
259	25[167]
260	44[302]
262	27[180]
281	90[268], 90[269], 90[270], 90[271], 96[315]

283	67[115]
287	91[277], 94[308]
296	86[225]
297	60[77]
298	60[76], 60[77], 91[278], 279
304	107[49], 109[63]
307	114[103]
312	114[101], 114[103], 115[111], 122[155]
326	44[303], 80[177], 88[250], 98[333], 99[345]
346	78[169], 88[249], 88[252], 90[264], 96[320]
347	99[344]
969	89[255]
973	90[272]

Tod I²

51	97[325]

Tod II²

149	111[83]
178	25[167]
180	26[174]
181	27[180]
183	57[57]
189	62[85], 62[86]
191	61[80], 69[122]
192	52[19]
193	101[8]
196	107[49], 110[75]
197	50[12]
198	87[239], 87[240], 87[241], 96[317]
199	111 f.[83]
200	112[85], 112[86], 112[87], 112[88], 112[89]

Nachbemerkung

Mein erster Dank gilt an dieser Stelle meinem Lehrer, Professor Dr. G. Wirth, der die Arbeit anregte und sie bis zu ihrem Abschluß mit nie nachlassender Anteilnahme betreute, weiterhin von den akademischen Lehrern meiner Erlangener Zeit, den Herren Professoren Dr. A. Heubeck, Dr. H. Lauter und Dr. E. Reschke, die mir während des Studiums ebenfalls besondere Förderung angedeihen ließen.

Dank schulde ich außerdem Herrn Professor Dr. H. Bengtson, der die Aufnahme in die Reihe der „Münchner Beiträge" befürwortete, Herrn Jürgensmeyer und der Verwertungsgesellschaft Wort für großzügige finanzielle Unterstützung sowie Frau Dr. U. Pietsch und Frau K. Freistätter vom Beck-Verlag für die gedeihliche Zusammenarbeit während der Drucklegung.

Nicht zuletzt schließlich möchte ich für die engagierte Unterstützung während der Abfassung und Korrektur der Arbeit Frau Elisabeth Schreiber, Frau Monika Funk, Frau Ulli Gunzelmann, Frau Kristin Krischker, Herrn Rudi Mechthold, Herrn Stefan Meurer, Herrn Günter Pierdzig und Herrn Dr. Robert Zimmermann ganz herzlich danken.

Das Manuskript wurde im Mai 1980 abgeschlossen.

ISBN 3 406 09577 1